C1 C2

Claire Miquel

VOCABULAIRE PROGRESSIF DU FRANÇAIS

www.cle-international.com

Direction éditoriale : Béatrice Rego
Marketing : Thierry Lucas
Édition : Christine Grall
Couverture : Miz'enpage
Mise en pages : Arts Graphiques Drouais (28100 Dreux)
Dessins : Marc Fersten
Enregistrements : Quali'sons

ISBN : 978-209-038453-6

AVANT-PROPOS

Le *Vocabulaire progressif du français*, **niveau perfectionnement** s'adresse à des **adultes et adolescents** de niveau avancé (C1) et très avancé (C2), qui souhaitent développer et enrichir leur vocabulaire. Comme les autres manuels de la collection, celui-ci peut s'utiliser aussi bien **en classe**, comme support ou complément de cours, qu'**en auto-apprentissage**.

Composé de **42 chapitres**, cet ouvrage présente des thèmes généralement abordés au **niveau C1/C2** et présents dans les articles de journaux, les émissions de radio et de télévision, ainsi que dans le domaine universitaire. S'il est évident que l'exhaustivité est impossible dans ce contexte, l'accent a été mis sur deux aspects du vocabulaire :

– d'une part, un niveau de langue intellectuel, raffiné ou universitaire, permettant ainsi à des étudiants, des chercheurs, des diplomates, de rédiger en français ;

– d'autre part, un registre très familier, voire argotique, destiné à faciliter la compréhension dans la vie courante, y compris dans le contexte professionnel. Dans le même esprit, une place importante a été accordée aux expressions imagées – foisonnantes en français – ainsi qu'aux divers proverbes et dictons qui émaillent la conversation des locuteurs français.

Le choix des thèmes et du lexique, s'il possède un caractère subjectif, n'en est pas moins hautement raisonné, et repose sur une longue et constante pratique de professeur.

En ce qui concerne la grammaire, nous considérons l'essentiel des notions comme acquises et nous ne mentionnons donc pas les formes féminines ou irrégulières des noms. La structure des phrases d'explication peut s'avérer complexe, ce qui constitue également une démarche pédagogique.

Les chapitres jouissent d'une autonomie complète, ce qui permet à l'élève de travailler sur le sujet de son choix, dans l'ordre qui lui convient le mieux.

Ce volume s'inscrit dans une collection dont il respecte le principe :

• **Sur les pages de gauche : une leçon**, construite comme un cours, présentant le vocabulaire en contexte, de la manière la plus vivante possible. Les « remarques » précisent des points de vocabulaire, de grammaire ou encore de culture, comme le ferait un professeur dans sa classe.

• **Sur les pages de droite : des exercices d'application** de nature aussi variée que possible *(vrai ou faux, questions à choix multiples, exercices à trous, trouvez une autre manière de dire, identifications, images à commenter, devinettes...)*, poussant l'étudiant à développer la richesse de son vocabulaire et à maîtriser la précision des termes.

Ces pages sont enrichies de **nombreux exercices communicatifs**, qui se prêtent aussi bien à l'expression orale, par exemple lors d'un débat en classe, qu'à l'expression écrite, sous la forme d'un texte argumenté, plus ou moins développé selon le cas. Ces apostrophes au lecteur l'invitent à s'impliquer, à **s'exprimer librement** sur un sujet, à établir des comparaisons avec sa propre culture et à s'approprier le vocabulaire abordé dans la leçon.

En fin de chapitre, un exercice de compréhension orale – dont le texte figure dans le livret séparé des corrigés et dont l'enregistrement se trouve dans le CD ci-joint – vient compléter le travail. Cette activité communicative permet de synthétiser les notions acquises et de faire le lien entre les quatre tâches (compréhension orale/écrite ; expression orale/écrite).

• En fin d'ouvrage, un **index lexical** très développé permet à l'étudiant de retrouver les occurrences d'un mot : il pourra donc en découvrir les divers sens et les divers usages.

• Les **corrigés** des exercices, ainsi que le texte des activités orales se trouvent dans **un livret séparé**.

• **Un CD audio** inclus contient l'enregistrement des activités orales.

Grâce à sa souplesse d'utilisation et à l'autonomie de ses chapitres, cet ouvrage constitue un précieux complément aux méthodes de français langue étrangère.

Conventions typographiques

*	→	Registre familier.
« ... »	→	Expression imagée familière.
≠	→	Contraire du terme précédent.
<	→	Le premier terme sera moins fort que le second.
		La mention « *(argot)* » permet d'éviter les faux pas !

Les numéros des pistes du CD sont donnés à côté de chaque texte enregistré.

SOMMAIRE

1

L'ESPACE

COIN, LIEU, ENDROIT, POINT

• J'ai mis cette boîte à archives quelque part, **dans un coin**. **Dans un coin de ma mémoire**, je crois me souvenir que la boîte est verte.

• Il y a une boulangerie, **dans les parages** ? – Oui, bien sûr, on trouve une boulangerie « **à tous les coins de rue** ». D'ailleurs, dans la boulangerie « **du coin** », le pain est délicieux.

• Adèle a trouvé **un coin** = **un endroit** très agréable pour se promener. Comme elle habite **dans le coin** = **dans les alentours**, elle connaît tous les chemins de grande randonnée **dans le voisinage** = **dans les environs**.

• Roger habite **au fin fond du** Massif central, **dans un endroit/ coin perdu**, en pleine campagne. **Par endroits** = **par-ci par-là** = **de-ci, de-là**, on aperçoit un hameau et quelques troupeaux, c'est tout ! Roger voulait vivre au calme, il **est au bon** (≠ **mauvais**) **endroit** ! **À cet endroit**, il n'est pas dérangé par le bruit des voitures…

• Il va falloir trouver **un emplacement** pour cette nouvelle piscine.

• Pierre a voyagé « **aux quatre coins du monde** » (même si la Terre est ronde !). Maintenant, dans sa jolie maison de campagne, il passe ses soirées à lire tranquillement, **au coin du feu**.

• Nous avons exploré tous **les coins et les recoins** de ce vieux château.

• Je n'aimerais pas rencontrer cet individu louche « **au coin d'un bois** » !

• Il a fallu mettre ces bijoux précieux **en lieu sûr** *(= à l'abri)*.

• Une conférence **aura lieu** avant la fin de l'année, mais la date exacte et **le lieu** ne sont pas encore connus.

• Il est interdit de fumer **sur le lieu de travail**.

• Certaines décisions doivent être prises **en haut lieu** *(= au gouvernement)*. En attendant, le ministre s'est rendu **sur les lieux** du drame.

• En abordant cette question avec l'adolescente, vous **avez touché un point sensible**. Le manque de confiance en elle est son **point faible** (≠ **point fort**) = **son talon d'Achille**.

• Ce projet est intéressant, mais **il y a quelques points** que j'aimerais discuter.

• Pour visiter cette région, je dois **trouver un point de chute** *(= pour me loger)*.

EXERCICES

1 Choisissez le ou les terme(s) possible(s).

1. En critiquant sa sœur, tu risques de toucher un [lieu] [point] [coin] sensible.
2. Dans [les endroits] [un coin] [les recoins] de sa mémoire, il a retrouvé la date de ce texte.
3. Il est peu probable qu'il y ait un restaurant [dans les parages] [par-ci par-là] [dans le coin].
4. Elles ont voyagé aux quatre [points] [coins] [lieux] du monde.
5. De nombreuses fermes se trouvent dans [le voisinage] [les alentours] [les points de chute].
6. Le manoir est situé au fin [point] [fond] [lieu] de la Bretagne.

2 Complétez.

1. Comme je ne savais pas où ranger ces dossiers, je les ai mis dans ____________________
2. Nous trouvons étrange d'avoir choisi cet ____________ pour construire un théâtre. Il n'y a aucun transport pour y accéder !
3. Je me demande où aura ____________________ cette réunion internationale.
4. La capacité d'analyse est le ____________________ fort de Mélanie.
5. Une réunion diplomatique se tiendra en haut ____________________.
6. Nous aurons plusieurs ____________________ à aborder lors de cette réunion.

3 Trouvez d'autres manières de dire. Il faudra parfois changer la structure de la phrase.

1. Dans cette ville, il y a des restaurants <u>partout</u>. ____________________
2. Tu sais s'il y a un garage Renault, <u>par ici</u> ? ____________________
3. Ils ont acheté un château <u>en Auvergne, en pleine campagne</u>. ____________________
4. Le milliardaire a mis son argent <u>à l'abri</u>. ____________________
5. <u>Les autorités ont discuté de ce projet</u>. ____________________
6. Cette ferme est située <u>à l'écart de toute habitation</u>. ____________________
7. Cette entreprise a ouvert des filiales <u>dans le monde entier</u>. ____________________

4 (2) Écoutez, puis dites si les phrases suivantes sont vraies ou fausses.

1. Ils habitent désormais en pleine campagne.
2. La réunion a eu lieu dans les montagnes.
3. Il y a des marchands de chaussures aux quatre coins du monde.
4. Dans les alentours, on remarque par endroits quelques vieilles maisons.
5. Ils ont fait une chute à cet endroit.
6. Elle a cherché partout dans la cave.

5 À vous ! Répondez librement aux questions par des phrases complètes.

1. Que voyez-vous dans les parages ?
2. Que trouve-t-on à tous les coins de rue, dans votre ville/région/pays ?
3. Existe-t-il, dans votre pays/région, des endroits « perdus » ? Pouvez-vous les décrire ?

L'ESPACE

• Je manque **de place** = **d'espace** dans cet appartement, alors que j'aime **avoir de l'espace**. Il me faudrait un appartement plus **spacieux**, pour ranger mes affaires. En effet, il faut « **une place pour chaque chose et chaque chose à sa place** ».
• Les États-Unis et le Canada se caractérisent par **de grands espaces**, alors qu'en Europe, **l'espace est plus resserré**.
• À cause de l'ouragan, **l'espace aérien** est fermé, les avions ne circulent pas.
• Un petit enfant apprend à **se repérer dans** le temps et **dans l'espace**. **Les repères spatio-temporels** sont essentiels à son développement.
• **Les spationautes** voyagent dans **un engin spatial** *(= interplanétaire).*
• Elle habite au Japon, il est en France, ils vivent **aux antipodes** l'un de l'autre.
• Jean aime vivre dans **un espace ouvert**, au sommet d'une colline. Ses parents, en revanche, vivent dans **un espace confiné** = **fermé**.
• Les policiers ont fouillé l'appartement **de fond en comble** *(= partout).*

LA POSITION DANS L'ESPACE

• Cet hôtel est **à l'écart de** la route. Il est situé dans un village **reculé** = **isolé**.
• Alain est réservé, il **se tient à l'écart** = **en retrait**, car il ne veut pas intervenir. Parfois, il **a été mis** = **tenu à l'écart des** discussions par ses collègues.
• Une façade est **en retrait** des autres qui sont **alignées**. Le **décrochement** (≠ **l'alignement**) est visible. Quand il pleut, on peut se mettre à l'abri dans **un renfoncement** de porte.
• Ce couloir **dessert** dix chambres **en enfilade** *(= les unes à côté des autres).*
• Il emprunte non pas la porte principale, mais une porte **latérale** *(= sur le côté).*
• Les objets **sont répartis** dans les différentes pièces. *(idée de norme)*
• Malheureusement, les tableaux de cette collection **ont été dispersés** = **éparpillés** (≠ **réunis**) dans le monde entier. **L'éparpillement** = **la dispersion** des œuvres complique le travail des historiens de l'art.
• Le vieux monsieur **a accumulé** trop d'objets, qui **s'amoncellent** chez lui. La tendance à **l'accumulation** est fréquente à cet âge, mais **l'amoncellement** d'objets est effrayant !
• Les informations **sont disséminées** (≠ **regroupées**) dans les archives.
• Les deux chambres sont **contiguës**. Une chambre a une salle de bains **attenante**.
• Le mur **mitoyen** *(= commun)* **entre** les deux maisons vient d'être consolidé.
• Il se promène sur le boulevard et dans les rues **adjacentes** = **avoisinantes**.

EXERCICES

1 **Complétez.**

1. Au moment de Pâques, on ____________ des œufs en chocolat dans les jardins.
2. La chambre de Dora et celle de son frère sont l'une à côté de l'autre, elles sont ________.
3. Il est étrange que les députés aient été ____________ à l'écart de cette discussion !
4. Il pleut à torrents, nous nous abritons dans un ____________ de porte.
5. J'ai fouillé ma cave de ____________ en ____________ pour retrouver cette boîte.
6. Cette salle n'est pas assez ____________ pour contenir cinquante personnes.

2 **Vrai ou faux ?**

	VRAI	FAUX
1. Un spationaute explore l'espace aérien.	❑	❑
2. Les deux appartements sont contigus, ils ont un mur mitoyen.	❑	❑
3. La ferme est à l'écart de la route, elle n'est pas directement sur la route.	❑	❑
4. Les objets sont dispersés dans la maison, puisqu'ils sont regroupés.	❑	❑
5. La jeune femme déteste les espaces confinés, c'est-à-dire ouverts.	❑	❑

3 **Trouvez une autre manière de dire.**

1. La salle de réception et le salon de musique sont <u>l'un à côté de l'autre</u>. ____________
2. Les objets ne sont pas <u>disposés en ligne droite</u>. ____________
3. Les dessins formant cette collection ont été <u>vendus séparément</u>. ____________
4. Le secrétaire du ministre se tient <u>discrètement en arrière</u>. ____________
5. L'Argentine et la Finlande sont <u>très éloignées</u> l'une de l'autre. ____________
6. Tanguy travaille dans un espace <u>fermé</u>, il a envie de prendre l'air ! ____________

4 **Décrivez le plus précisément possible ce que vous voyez.**

5 **À vous ! Répondez librement aux questions par des phrases complètes.**

1. Avez-vous tendance à accumuler les objets ? De quelle manière ?
2. L'endroit où vous habitez est-il reculé ?
3. Dans quel genre d'espace vivez-vous ?
4. Pouvez-vous décrire une pièce de votre habitation, du point de vue de l'espace ?

LES LIMITES

• Dans cet exposé, Carine **se limitera** = **se cantonnera à** une présentation simple des problèmes, car le temps qui lui est imparti n'est pas **illimité** !
• Cet athlète a couru **jusqu'à la limite de** ses forces.
• Cet élève est d'une insolence qui **dépasse les bornes** et ma patience **a des limites**. Je **connais mes limites** !
• Il faut **définir** = **établir** puis **marquer** = **tracer les limites** du territoire.
• Certes, la technologie permet de **reculer les limites de** l'impossible, mais ce projet **dépasse les limites du** raisonnable !
• Employer cette expression familière dans une dissertation « **est un peu limite** » = **à la limite de** l'acceptable.
• La France et l'Espagne sont deux pays **limitrophes** : ils ont une frontière commune.
• Le coureur a **franchi la ligne d'arrivée** avant les autres.
• Les pompiers ont réussi non pas à éteindre, mais à **circonscrire** = **délimiter** le feu de forêt.
• De nombreuses maisons se sont construites **en bordure de mer** = **sur le littoral**. **Le pourtour** méditerranéen est malheureusement très abîmé par les constructions.
• Pour éviter la contagion, les malades **sont confinés** *(= enfermés)* chez eux.
• Jean-Paul n'a pas donné satisfaction, il **a été relégué** à un poste subalterne.
• Il est interdit de fumer **dans l'enceinte de** l'université.
• Comme les chefs d'État sont réunis ici, la police a bouclé *(= fermé)* **le périmètre**. Personne ne peut s'approcher de **ce secteur** = **ce quartier**.
• À Venise, on se perd dans **le dédale de** petites rues, c'est **un** vrai **labyrinthe** !

MOUVEMENTS DANS L'ESPACE

• **L'itinéraire** du bus suit **un parcours** très intéressant : après l'église, il **bifurque** *(= tourne)* en direction du château.
• Les ingénieurs ont analysé **la trajectoire** de la fusée.
• De Genève à Lyon nous **avons fait le trajet d'une seule traite** *(= sans arrêts)* et sans **faire de détour** *(= directement)*. En revanche, de Lyon à Dijon, nous **avons pris « le chemin des écoliers »** *(des chemins plus longs mais agréables)*.
• Le guide touristique propose **un circuit** de visite fort intéressant.

EXERCICES

1 Choisissez la bonne réponse.

1. Les deux pays sont [limites] [limitrophes].
2. Hortense a fait [le trajet] [la trajectoire] en deux jours.
3. Les adolescents ont tendance à [franchir] [dépasser] les bornes.
4. Mathilde connaît ses [limites] [bornes].
5. Ils ont [confiné] [relégué] ces objets inutiles à la cave.

2 De quoi parle-t-on ? Plusieurs solutions sont parfois possibles.

1. Il s'agit d'un ensemble compliqué de rues. ______________________
2. C'est le chemin effectué par le bus. ______________________
3. C'est le bord de la mer. ______________________
4. C'est ce que franchit le participant à la course. ______________________
5. C'est la ligne décrite par un ballon, par exemple. ______________________

3 Complétez.

1. En été, les vacanciers affluent sur le ______________________ méditerranéen.
2. Sur le ______________ entre Orléans et La Rochelle, ils ont changé d'______________ et sont passés par Poitiers.
3. Les experts analysent la ______________________ de l'avion.
4. Christophe a conduit de Nancy à Lausanne d'une seule ______________________.
5. Les enfants ont la varicelle, ils sont ______________ à la maison, ce qui est dur pour eux !

4 Trouvez une autre manière de dire.

1. Viviane est toujours en retard, mais cette fois-ci, elle exagère ! ______________________
2. La France et la Belgique ont une frontière commune. ______________________
3. Christine a pris un chemin plus long mais plaisant. ______________________
4. Un comportement décent est obligatoire à l'intérieur du tribunal. ______________________
5. Mes amis ont fait le voyage sans s'arrêter. ______________________
6. Nous allons marquer les limites du terrain à bâtir. ______________________

5 Quel(s) verbe(s) pouvez-vous employer dans ce contexte ?

1. Le coureur du Tour de France ______________ la ligne d'arrivée à 17h32.
2. Lors de cette conférence, Justine ______________ à une brève présentation des problèmes climatiques, car elle n'avait pas suffisamment de temps.
3. Cécile n'a pas accepté cette mission difficile, car elle ______________ ses limites.
4. Cet adolescent ______________ les bornes en parlant sur ce ton au professeur !
5. Notre énergie ______________ des limites !
6. Comme il y avait des travaux sur la route, nous avons dû ______________ un détour.

LES RÉACTIONS AUX LIEUX

• Jules redoute d'être enfermé, car il est **claustrophobe**. **Sa claustrophobie** le gêne quand il doit prendre l'avion. Sa femme, au contraire, souffre d'**agoraphobie** : elle ne supporte pas les grands espaces ouverts.

• Il **a été pris de vertige**, car il **a le vertige**. C'est normal, cette route est **vertigineuse**.

• Je n'**ai** pas **le sens de l'orientation**, je **m'oriente** difficilement, je **me perds** toujours dans ces petites rues, je **me suis** encore **fourvoyé** ! Impossible de **retrouver mon chemin**, j'**ai erré** pendant des heures !

• Une manifestation bloquait la rue, mais je **me suis frayé un chemin** = **un passage dans** la foule.

EMPLOIS IMAGÉS

• Cette épidémie de grippe se développe **à une vitesse vertigineuse**. Les chiffres de l'épidémie **donnent le vertige**. Cependant, **il n'y a pas lieu de** s'inquiéter, car nous **avons tout lieu de** croire que nous parviendrons à enrayer l'épidémie. **Cela a donné lieu à** des discussions au ministère de la Santé.
• Ce fruit me **tient lieu de** repas.
• Dire qu'« il vaut mieux être riche et en bonne santé que pauvre et malade » est **un lieu commun** (= **une banalité**).
• La Grèce **est le berceau** (= **le lieu de naissance**) **de** la civilisation européenne.
• La tour Eiffel est devenue **un haut lieu** touristique.
• **S'il y a lieu** *(= si c'est nécessaire),* je vous appellerai.
• Quand le locataire quitte l'appartement, il fait **l'état des lieux avec** le propriétaire, ils remplissent ensemble un document.
• Le voleur a réussi à s'enfuir : il **a vidé* les lieux** avant l'arrivée de la police.
• Ce grand écrivain **a eu un parcours** *(de vie)* très mouvementé.
• Au lycée, ce garçon passe d'une activité à l'autre, sans constance : il **s'éparpille**.
• Cette jeune femme n'arrête pas d'avoir des problèmes, elle « **les accumule** » !

EXERCICES

1 **Choisissez la bonne réponse.**

1. Juliette a du mal à retrouver son [orientation] [chemin].
2. Ce sandwich nous [donnera] [tiendra] lieu de déjeuner.
3. Il s'est [frayé] [fourvoyé] un chemin dans la forêt.
4. Elle [a] [prend] le vertige en montagne.
5. Dire que la vie n'est pas facile est un [lieu] [point] commun.

2 **Trouvez une autre manière de dire en employant des expressions imagées.**

1. C'est en Italie qu'est née la Renaissance. ____________________
2. La carrière de cet homme politique est assez originale. ____________________
3. Nous avons des raisons de penser que le voleur loge dans les parages. ____________________
4. Le montant de la fraude fiscale est énorme ! ____________________
5. Les clients sont déjà partis. ____________________

3 **Comment caractériseriez-vous ces personnes ? Employez le vocabulaire du chapitre.**

1. Il se perd tout le temps, il ne sait jamais dans quelle direction il doit aller.
____
2. Elle est assez réservée, elle n'aime pas se trouver au premier plan.
____
3. Cette vieille dame a eu une vie très intéressante et originale.
____
4. Il n'a pas eu de promotion, au contraire ! Il a moins de responsabilités qu'avant.
____
5. Il a horreur de rester enfermé dans un petit espace.
____

4 (3) **Écoutez et dites si les phrases sont vraies ou fausses.**

1. La jeune femme se fourvoie assez souvent.
2. Elle souffre de claustrophobie.
3. Elle se cantonne à une petite partie de la ville.
4. Il y a beaucoup de choses à voir dans les parages.
5. Elle a tendance à avoir le vertige.

5 **À vous ! Répondez librement aux questions par des phrases complètes.**

1. Avez-vous tendance à la claustrophobie ?
2. Vous est-il arrivé d'avoir le vertige ? Dans quelles circonstances ?
3. Vous arrive-t-il d'employer des lieux communs ? Donnez un exemple.
4. Vous repérez-vous facilement dans une ville ?

2 LES SONS, LES BRUITS

BRUITS FORTS

- Cette machine **fait un vacarme** = **un boucan*** épouvantable, le bruit est **assourdissant**, on pourrait devenir sourd à l'entendre.
- Mes voisins font **du tapage nocturne**, ils se disputent violemment, on entend des **éclats de voix**. Ils n'arrêtent pas de **gueuler*** *(argot)* = **vociférer**, et leurs enfants **braillent*** toute la journée. Leurs **vociférations** gênent tout le monde. Il y a eu des plaintes pour **nuisances sonores**.
- La pile d'assiettes est tombée par terre dans **un** grand **fracas**.
- L'alarme **retentit,** elle fait **un bruit strident**, qui nous **écorche les oreilles**.
- En entendant cette voix **tonitruante** *(= qui fait un bruit de tonnerre),* l'enfant affolé a **poussé un cri perçant**, d'autant qu'il a **une voix aiguë**.
- Dans cette immense salle, le moindre bruit **résonne**. **La résonance** provoque des effets d'**écho**.
- Tout le monde crie en même temps, c'est **un** vrai **tohu-bohu.** Impossible d'entendre qui que ce soit dans **le brouhaha** de la foule.
- Tous les instruments à vent jouent faux ensemble, **quelle cacophonie** !
- Des voisins déménagent, quel bruit, quel **remue-ménage** = **quel tumulte !**
- Les élèves **chahutent** = **font du chahut** *(= du bruit),* le professeur est **chahuté**, car il manque d'autorité.
- Gaël a répondu sur un ton **véhément** *(= bruyant et passionné),* **sa véhémence** choque certains.
- Quelqu'un a tiré avec une arme à feu, j'ai entendu **une détonation**.
- Pendant cette bataille, on entend **le crépitement** des mitraillettes et **la déflagration** des bombes. Les mitraillettes **crépitent**.
- Le moteur de la voiture de course **vrombit**. Léo aime **ce vrombissement**.
- Fou de rage, il est parti **en claquant** la porte.

EXERCICES

1 **Choisissez la bonne réponse.**

1. Pendant la nuit, il est interdit de faire du | vacarme | tapage | nocturne.
2. La petite fille pousse des cris | perçants | tonitruants |.
3. Ces enfants n'arrêtent pas de | vrombir | brailler* |.
4. Ce professeur a de l'autorité, il n'est jamais | chahuté | véhément |.
5. Toutes les bouteilles se sont cassées dans un grand | brouhaha | fracas |.
6. Sous cette voûte, les bruits | crépitent | résonnent |.

2 **Complétez.**

1. On compare parfois le bruit du feu de bois à celui des mitraillettes. Le feu ____________, on entend le ____________ du feu.
2. Sa voix est très forte, elle est ____________.
3. À l'intérieur de cette cathédrale, le moindre bruit ____________.
4. Dans ce hall de gare, il y a un vrai ____________ à cause de la foule, on ne distingue pas les voix.
5. Hier soir, nous avons entendu des ____________ de voix, je crois que des gens se disputaient dans la rue.
6. Entendre ce petit garçon jouer très mal du violon nous ____________ les oreilles !
7. Les enquêteurs n'arrivent pas à comprendre pourquoi personne n'a entendu la ____________, puisque quelqu'un a tiré un coup de revolver en pleine nuit.
8. La machine à laver du voisin fait un ____________ épouvantable !

3 **Trouvez une autre manière de dire.**

1. Le bruit est <u>très fort</u>, on ne s'entend plus. ____________
2. Il y a des travaux dans la rue, quel <u>bruit</u> ! ____________
3. David est passionné, il critique souvent les autres sur un ton <u>bruyant</u>. ____________
4. Sabine fait le grand ménage de printemps, cela fait du <u>bruit</u>. ____________
5. Elle a entendu <u>le bruit</u> des arbres qui sont tombés pendant la tempête. ____________
6. Nous avons entendu <u>le bruit du coup de feu</u>. ____________
7. Les voisins font <u>du bruit la nuit</u>. ____________

4 **Quel(e) terme(s) pourriez-vous utiliser pour décrire ces bruits ?**

1. Le bruit de la foule : ____________
2. Des jeunes gens qui sortent de boîte de nuit : ____________
3. Une fanfare qui joue mal : ____________
4. Des élèves dans une salle avant l'arrivée du professeur : ____________
5. Le bruit d'un déménagement de meubles : ____________

BRUITS LÉGERS OU DISCRETS

• Dans le port de pêche, on entend **le clapotis** de l'eau et **le cliquetis** des câbles et des chaînes.

• Dans les coulisses du théâtre, on perçoit **le froufrou** des robes longues.
• J'aime bien **le crissement** des pas dans la neige un peu dure.
• Le bois **craque**, **les craquements** gênent les voisins. Quant à la porte, elle **grince**, **le grincement** est aussi désagréable.
• Les abeilles **bourdonnent**, **leur bourdonnement** me fatigue un peu.
• Ouh, j'ai faim, j'entends mon estomac qui **gargouille** !
• Quand on prend une photo, on entend **le** léger **déclic** de l'appareil photo.
• Dans un voyage calme en avion, on entend seulement **le ronron** du moteur.
• Quant au chat, il **ronronne**. **Son ronronnement** m'amuse.

BRUITS « PSYCHOLOGIQUES »

• On discute de la vie des autres. Quand c'est assez gentil, ce sont **des potins*** = **des cancans***. Lorsque c'est blessant ou vulgaire, ce sont **des racontars*** = **des commérages** = **des ragots*** que l'on **colporte** *(= rapporte)*.

• Si une personne est accusée par un journaliste, elle peut s'estimer **diffamée**, elle peut **attaquer** un journaliste **en diffamation**. Il est vrai que **le qu'en-dira-t-on** peut détruire la réputation de quelqu'un.
• Nous sommes le 1er avril, j'ai entendu **un bobard*** *(= une fausse nouvelle)*.
• Si la police intervient au milieu de cette manifestation, ça va **faire du grabuge** *(= bataille bruyante)* !
• La proposition de loi **a provoqué un tollé** dans l'opposition. Un député **a fait un esclandre** = **un scandale** à l'Assemblée nationale, ce qui a immédiatement **provoqué un battage** *(= « bruit »)* **médiatique.** Les relations **tumultueuses** entre ce député et les journalistes n'ont évidemment pas arrangé les choses.

EXERCICES

1 Choisissez le ou les terme(s) possible(s).

1. Ils craignent que cela ne fasse du [grabuge] [tollé] [crissement].
2. Non, je n'ai pas trompé ma femme, ce sont des [racontars*] [froufrous] [ragots*] !
3. En été, on entend les insectes [bourdonner] [ronronner] [grincer].
4. J'ai été étonné par le [battage médiatique] [tollé] [bobard*] qu'a provoqué cette déclaration du ministre.
5. Les sympathisants de ce parti ont fait un [qu'en-dira-t-on] [esclandre] [scandale].
6. Le [ronronnement] [ronron] [crissement] du moteur endort le petit garçon.
7. Michel écoute le [craquement] [clapotis] [cliquetis] de l'eau dans le port.

2 Complétez par un verbe approprié.

1. Autour de la ruche, les abeilles ____________________.
2. Cet homme est odieux, il ____________________ des ragots* sur tout le monde.
3. La ministre ____________________ le journal en diffamation.
4. La milliardaire ____________________ un esclandre parce que son chauffeur était en retard.
5. C'est désagréable, la porte de la cuisine ____________________, il faudrait mettre de l'huile.
6. C'est un peu gênant, dans le silence, on entend mon estomac qui ____________________.

3 Trouvez une autre manière de dire.

1. Sandrine est bercée par <u>le bruit</u> du moteur de la voiture. ____________________
2. Les deux adolescentes adorent parler <u>des histoires</u> concernant la vie des starlettes. ____________________
3. Le <u>petit bruit</u> de l'appareil photo est très discret. ____________________
4. <u>Ce que l'on pense de lui</u> laisse indifférent Benoît. ____________________
5. Quand on marche sur le parquet, le bois <u>fait du bruit</u>. ____________________
6. Si ces deux clans rivaux se rencontrent, cela va <u>dégénérer en bagarre</u>. ____________________

4 (4) Écoutez les phrases et faites un commentaire sur chacune des situations, en insistant sur les bruits.

1. ____________________
2. ____________________
3. ____________________
4. ____________________
5. ____________________

5 À vous ! Répondez librement aux questions par des phrases complètes.

1. Y a-t-il des bruits que vous affectionnez tout particulièrement ?
2. Avez-vous entendu des bobards*, récemment ?
3. Vous arrive-t-il de raconter des potins* ?
4. Une décision politique a-t-elle provoqué un esclandre dans votre pays ?

QUELQUES ONOMATOPÉES

• Une personne éternue : « **Atchoum !** » Une autre renifle ou retient ses larmes : « **Sniff !** »
• Une pile de livres tombe par terre, « **badaboum !** », « **patatras !** »
• Et **vlan !** Il a jeté tous les cartons par terre.

• Les deux enfants échangent des coups : « **Pif !** » « **Paf !** »
• J'ai froid, **brrr**...
• Les enfants jouent avec des revolvers en plastique, ils disent « **Pan !** »
• L'objet est tombé dans l'eau, « **plouf !** »
• Le moteur vrombit, il fait « **vroum !** »
• J'ai entendu l'explosion, « **boum !** »
• Je me dépêche, je cours comme un cheval : « **Tagada ! Tagada !** »
• L'eau coule, **glouglou**...
• Brigitte m'a expliqué qu'elle était en retard à cause du train, **et patati, et patata** *(= etc.)*. J'ai répondu que je savais, que cela n'avait pas d'importance, **blablabla**...
• **Chut !** Taisez-vous, le bébé dort.
• Oh que ce gâteau a l'air bon, **miam miam**...

EXPRESSIONS IMAGÉES

• Cet événement **n'a pas eu d'écho dans** la presse.
• Jérémie a obtenu une promotion, c'est une bonne nouvelle, mais il est **inutile de le claironner** partout !
• Mon fils **est parti en fanfare** ce matin, il a réveillé tout le monde !
• Benjamin détestait les maths, mais il a eu la chance d'avoir un très bon prof cette année : cela **a été le déclic**, maintenant, il adore les maths.
• Cette décision **a fait grincer des dents** les députés, qui n'étaient pas vraiment d'accord.
• On a beaucoup parlé de cette affaire, mais, comme dirait Shakespeare, c'était « **beaucoup de bruit pour rien** ».
• Si les politiciens se contredisent tous, on parle d'« **une** véritable **cacophonie** » au sein d'une classe politique.
• Dans **le tumulte** (= **la tourmente**) de cette révolution, des crimes ont été commis.

EXERCICES

1 **Quelle(s) onomatopée(s) pourrai(en)t convenir à ces situations ?**

2 **Complétez.**

1. Les sportifs sont partis ____________________, accompagnés de photographes et de supporters.
2. C'est toujours la même chanson : « c'est la crise économique, il faut faire des économies » et ______________________________, et ______________________________
3. La presse a critiqué la ______________ qui règne parmi les ministres, puisqu'ils ne sont pas d'accord entre eux et se contredisent les uns les autres.
4. Toute cette agitation, tout ce ______________________, ont compliqué la tâche des politiques.
5. Les restrictions budgétaires ont fait ____________________________ des dents certains citoyens.

3 (5) **Écoutez les bruitages. Imaginez ce qui se passe et expliquez-le. Le cas échéant, employez les onomatopées appropriées.**

1. ______________________________
2. ______________________________
3. ______________________________
4. ______________________________
5. ______________________________
6. ______________________________

4 (6) **Écoutez les phrases et faites un commentaire sur chacune des situations, en employant des expressions imagées.**

1. ______________________________
2. ______________________________
3. ______________________________
4. ______________________________
5. ______________________________

5 **À vous ! Répondez librement aux questions par des phrases complètes.**

1. Avez-vous déjà eu un déclic (dans une matière particulière, par exemple) ?
2. Dans votre pays, une décision du gouvernement a-t-elle fait grincer des dents ?
3. De quelle(s) situation(s) avez-vous pu dire : « beaucoup de bruit pour rien » ?

3 PLAISIRS DE LA TABLE

La convivialité = **le partage d'un repas** est une valeur importante chez les Français. On parle d'une atmosphère **conviviale** *(= chaleureuse),* quand **les convives sont attablés**.

SE NOURRIR

- Il faut **bien se nourrir** = avoir **une nourriture saine** pour rester en bonne santé.
- Ma fille **grignote** toute la journée, puis elle ne mange plus aux repas ! Je comprends qu'elle **croque** un carré de chocolat mais il ne faut pas exagérer.
- Comme Thierry **avait un petit creux,** il a mangé une pomme.
- Je n'ai pas le temps de déjeuner, je **mangerai** « **sur le pouce** », j'**avalerai** un simple sandwich. Pourtant, je déteste « **manger au lance-pierre** » *(= trop vite).*
- J'ai faim, je vais **manger un morceau**. Je **vais** « **casser la croûte*** ». Oh zut, je **n'ai rien** « **à me mettre sous la dent** ».
- Aziz mange peu, il **a** « **un appétit d'oiseau** », il **picore**. Hugo, au contraire, « **mange comme quatre** » ! C'est **un** vrai **goinfre***. Il mange trop, **il dévore** = **engloutit*** ce qu'il mange, c'est de **la gloutonnerie** = de **la goinfrerie**. Il mange avec **voracité**.
- Lucien **se gave*** = **s'empiffre* de** gâteaux, à s'en rendre malade.
- Je **savoure** = **déguste** cette délicieuse crème.
- Nous **avions** « **l'estomac dans les talons** », nous **mourions** = **crevions* de faim** = nous « **avions la dalle*** » *(argot)*, mais après ce **copieux** (≠ **frugal**) repas, nous sommes **rassasiés** < **repus** !
- Ce pauvre chien abandonné n'a pas mangé depuis plusieurs jours, il **est affamé** *(= il a très faim)* et **famélique** *(maigre).*
- Cette dispute m'a beaucoup perturbé(e), tout cela « **m'a coupé l'appétit** ».
- Le père est tellement inquiet pour son fils qu'il « **en perd l'appétit** » !

LES REPAS

- Je vais **préparer un casse-croûte*** = **un en-cas** pour notre voyage en voiture, car nous n'aurons pas le temps de nous arrêter dans un restaurant.
- Gilles nous **a concocté** = **mitonné** un dîner avec **des petits plats mijotés** à sa façon. Il adore préparer **un gueuleton** pour ses amis.
- Dans une entreprise, on sert souvent **des plateaux-repas** pendant les réunions.
- Ce n'est pas un dîner, c'est **un** magnifique **festin** que tu nous sers !

EXERCICES

1 Choisissez le ou les terme(s) possible(s).

1. Elle a [mitonné] [préparé] [savouré] [mijoté] un petit casse-croûte*.
2. Ils vont manger [un morceau] [sous la dent] [sur le pouce] [un petit creux].
3. Il a trop mangé, il est [affamé] [repu] [rassasié] [convivial].
4. Il mange [au lance-pierre] [un morceau] [sous la dent] [comme quatre].
5. Elle [meurt] [mange] [crève*] [dévore] de faim !
6. Ils n'ont rien à se mettre sous [la dalle*] [le pouce] [la dent] [la croûte].
7. Nous avons [un creux] [l'appétit] [l'estomac] [le repas] dans les talons !

2 Les phrases suivantes sont-elles de sens équivalent ?

1. Christian a préparé un gueuleton = il avait un petit creux.
2. Adèle savoure un macaron = elle mange au lance-pierre.
3. Ils ont emporté un en-cas = ils prendront un casse-croûte*.
4. Il n'a rien à se mettre sous la dent = il a un appétit d'oiseau.
5. Jean-Paul mange sur le pouce = il mange rapidement.

3 Trouvez une autre manière de dire.

1. Elle a mangé trop de glace ! ______________________
2. Ils ont très faim. ______________________
3. Elle passe ses journées à manger un petit peu tout le temps. ______________________
4. Elle ne mange pas beaucoup. ______________________
5. Ils sont bons cuisiniers, ils préparent de bons repas. ______________________
6. Il a vraiment bien mangé et n'a plus faim ! ______________________
7. Ils ont servi un repas fastueux. ______________________

4 Complétez.

1. Entendre toutes ces terribles nouvelles du monde nous ______________________ l'appétit.
2. Ariane ______________________ de faim, elle va s'acheter quelque chose à manger.
3. C'est terrible, cette jeune fille ______________________ de sucreries, elle n'arrête pas d'en manger !
4. Ils se font tellement de souci qu'ils en ______________________ l'appétit.
5. Cet enfant mange très peu, il ______________________ comme un oiseau.
6. Hier, Pierre-Yves ______________________ au lance-pierre, ce qu'il déteste.
7. J'aimerais bien ______________________ un carré de chocolat !

5 À vous ! Répondez librement aux questions par des phrases complètes.

1. Quel genre d'appétit avez-vous ? Précisez.
2. Dans votre culture, la convivialité est-elle une valeur importante ? De quelle manière ?
3. Comment vous nourrissez-vous ?

LE VIN

La viticulture

• **Un viticulteur** = **un vigneron** = **un producteur** cultive **son vignoble** = **ses vignes**. Ensuite, il s'occupe de **la vinification** *(= la fabrication du vin).*

• **Les cépages**, comme **le cabernet**, **le pinot, le merlot, le chardonnay**, sont **des plants** de vignes. À la saison **des vendanges** (en septembre en général), les **vendangeurs** vont **vendanger** = **cueillir les grappes de raisin**.

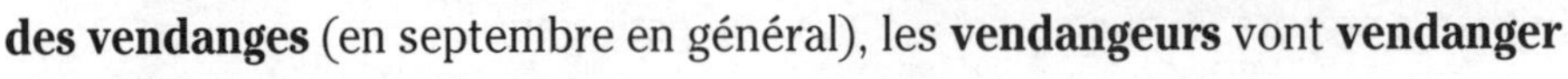

• Le vin sera **mis en cuve,** puis **en fût** = **en tonneau**, avant d'être **mis en bouteille**. On peut acheter des bouteilles **de** différentes **cuvées**.

• On analyse **la teneur en** alcool = **le taux** d'alcool.

• **Un vin de garde** doit être conservé : on le **fait vieillir** pour qu'il **se bonifie** *(= devienne meilleur).* Il sera entreposé dans **une cave**.

• On distingue **un bon millésime** *(= une bonne année, comme 2008)*, un **grand** millésime *(comme 2007)*, **un millésime exceptionnel** *(comme 2009).*

• Les meilleurs vins sont des **AOC** (**a**ppellation d'**o**rigine **c**ontrôlée).

Les types de vin

• La forme de la bouteille et **l'étiquette** donnent des renseignements sur le vin.

• On distingue « **un petit vin de table** » = « **un vin de pays** », correct et bon, d'**un** « **grand vin** » = **un grand cru**, de qualité exceptionnelle. Parfois, hélas, on boit de **la piquette*** *(= du mauvais vin, qui pique).*

• Certains préfèrent un vin **sec**, comme le riesling, d'autres un vin **moelleux**, comme le sauternes, ou encore **un vin doux naturel**, comme le muscat.

• Quand on aime le (vin) **mousseux** = **pétillant**, on boit bien sûr du **champagne**, mais aussi **du crémant**, **de la blanquette**, **du vouvray**…

• Un bon vin rouge peut être versé dans **une carafe**, pour qu'il **décante. La décantation** permet de laisser reposer **le dépôt** = **la lie**. Ensuite, on le sert « **chambré** » *(= à la température de la pièce).* Un petit vin de pays est souvent servi **en pichet**.

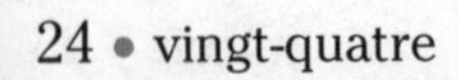

EXERCICES

1 **De quoi ou de qui parle-t-on, en relation avec le vin ?**

1. Il est exceptionnel cette année ! ____
2. On ne doit pas le boire tout de suite, mais au contraire le laisser dans la cave pendant une dizaine d'années. ____
3. Il fait son vin lui-même. ____
4. Elle est très mauvaise ! ____
5. Ils s'appellent « merlot », « cabernet » ou « chardonnay ». ____
6. Cela peut être un crémant ou un vouvray. ____

2 **Vrai ou faux ?**

	VRAI	FAUX
1. Le merlot est un cépage.	❑	❑
2. La piquette* est un vin pétillant.	❑	❑
3. Il est préférable de faire décanter un bon vin rouge.	❑	❑
4. Le cabernet est une vigne.	❑	❑
5. Le vouvray est un vin mousseux.	❑	❑
6. Le grand cru est servi en pichet.	❑	❑

3 **Complétez.**

1. Les viticulteurs espèrent que cette année sera un bon ____.
2. Ce bordeaux est un vin de ____, on peut le faire ____ pendant 10 ans au moins.
3. Nous avons acheté ce petit vin de ____ chez un producteur de la région.
4. En septembre, nos enfants vont gagner un peu d'argent en faisant les ____.
5. Ce vin blanc n'est pas sec, au contraire, il est ____.
6. Au bistrot du coin, je prends un petit ____ de vin rouge avec mon déjeuner.

4 **Trouvez une autre manière de dire.**

1. Sandrine va <u>cueillir le raisin</u> chez son oncle qui est <u>viticulteur</u>. ____
2. Vous devez servir ce vin <u>à température ambiante</u>. ____
3. Le crémant est un vin <u>mousseux</u>. ____
4. Je me demande quelle est <u>la quantité d'</u>alcool contenue dans ce vin doux. ____
5. Nadia remarque <u>le dépôt</u> au fond de la bouteille. ____

5 **À vous ! Parlez de votre culture.**

1. Le vin y tient-il une place importante ? Pourquoi ? ____
2. Quels sont les vins les plus couramment consommés ? ____
3. Lors d'une fête (anniversaire, mariage), que sert-on comme boisson ? ____
4. Vous-même, appréciez-vous le vin ? De quelle manière ? ____

BOIRE

• Vous prendrez du vin ? – Oui, juste **une larme** = **un doigt** = **une gorgée**.
• Il **a vidé son verre d'un trait**. Moi, je préfère **siroter mon apéritif**, le boire lentement et **à petites gorgées**.
• Ils ont fêté l'anniversaire de Louise avec **une coupe/une flûte de** champagne.
• Hier, nous **avons bu un coup*** = **pris un verre** avec nos voisins.
• Ce vin est très mauvais, il est **imbuvable** !
• J'ai soif, je vais **me désaltérer**. Cette boisson fraîche est **désaltérante**.
• Ce chien était visiblement **assoiffé**, nous lui avons donné de l'eau pour **étancher sa soif**. Quant aux vaches, elles vont boire à **l'abreuvoir**.

Trop boire...

• Pendant le dîner, ils **ont sifflé*** trois bouteilles de vin !
• Pierre a bu un peu plus que d'habitude. Il **est pompette*** = **un peu gai** = légèrement **éméché**, mais il n'est pas complètement ivre.
• Paul **a beaucoup trop bu** hier soir = il « **s'est pris une cuite*** » *(argot)*. Selon la police, il était « **en état d'ébriété** » = il était **soûl** = **ivre mort** = **bourré*** *(argot)* = **beurré*** *(argot)* = « **rond* comme une barrique** » *(argot)*. Maintenant, il faut qu'il **cuve* son vin**, car il **a** « **la gueule* de bois** » = il **« a mal aux cheveux** » !
• Roger **boit** « **comme un trou*** » *(argot)* = **il picole*** = **il boit**. C'est **un** vrai **ivrogne*** = **un alcoolique**. Il **ingurgite*** des litres de bière ! Il est vrai qu'il a tendance à « **boire pour oublier** ». Hélas, après un dîner un peu trop **arrosé***, il a eu un accident de la route.

COMMENTER CE QUE L'ON MANGE

• **Quel goût est-ce que ça a** ?
– Ça **a un petit goût acide**, **aigre**, **aigrelet**, **amer** (≠ **douceâtre**, **doux**). Je n'aime **pas l'acidité**, **l'aigreur**, **l'amertume** de ce plat.
– Ce plat a **beaucoup de goût**, il est **fort** = **relevé** = **épicé**. ≠ Ce plat **n'a aucun goût**, il est **fade**, « **inodore et sans saveur** », **il manque de goût**, il faudrait le **relever** avec une pointe d'ail.
– Difficile de répondre, ça **a un goût indéfinissable** !
• Ce fromage a **un arrière-goût** fumé très délicat.
• Ah zut, ma tarte a un peu brûlé, elle **aura un goût de** brûlé...
• C'était bon ? – Oh oui, **un pur régal** ! **Je me suis régalé**(**e**).

EXERCICES

1 Vrai ou faux ?

	VRAI	FAUX
1. Elle a siroté son cognac = elle a sifflé* un cognac.	❑	❑
2. Il s'est pris une cuite* = il a bu un coup*.	❑	❑
3. Paul est éméché = il est assoiffé.	❑	❑
4. Ils ont bu une gorgée de vin = ils ont bu très peu de vin.	❑	❑
5. Cette sauce est fade = c'est un pur régal.	❑	❑
6. Elle a la gueule* de bois = elle a trop picolé*.	❑	❑

2 Répondez par un terme approprié.

1. Elle avale son cognac d'un trait ? – Non, au contraire, elle ______________________
2. J'ai l'impression qu'il a trop bu ! – Oh oui, regarde, il ______________________
3. Ce plat a du goût ? – Non, au contraire, ______________________
4. Tu voudrais un grand verre de vin ? – Non, juste ______________________
5. Henri est alcoolique, n'est-ce pas ? – Oui, hélas, il ______________________
6. Vous parvenez à identifier le goût ? – Non, cela ______________________

3 Complétez.

1. Un plat indien au curry est très ______________________ .
2. Ces légumes cuits à l'eau, servis sans sel ni beurre sont trop ______________________ .
3. Le dîner était assez ______________, avec beaucoup de bon vin !
4. Ce gâteau était délicieux, nous ______________________ !
5. Hélas, Marcel est un ______________, il est alcoolique.
6. Il fait très chaud, les bêtes sont ______________, il faut leur donner à boire.

4 Trouvez une autre manière de dire.

1. Quand il fait chaud, il est impératif de <u>boire</u>. ______________________
2. Ces jeunes gens étaient complètement <u>ivres</u> quand ils sont sortis du restaurant. ______________
3. Cette sauce a <u>un léger goût</u> d'oignon. ______________________
4. Je me demande combien de bouteilles vous avez <u>bues</u> ! ______________________
5. Après une coupe de champagne, Ève <u>a déjà l'impression d'avoir un peu trop bu.</u> ______________
6. Elle ne prendra qu'<u>un tout petit peu de</u> vin avec son fromage. ______________________

5 À vous ! Répondez librement aux questions. Un peu d'humour est le bienvenu…

1. Vous est-il arrivé de « prendre une cuite » ?
2. En général, préférez-vous siroter votre vin ou le boire d'un trait ?
3. Pouvez-vous décrire le goût d'un plat que vous aimez particulièrement ?
4. À quoi voyez-vous que quelqu'un est pompette* ou franchement soûl ?
5. De quel repas pourriez-vous dire que c'était « un pur régal » ?

EXPRESSIONS IMAGÉES

• Je peux toujours lui proposer de venir, « **ça ne mange pas de pain** » *(= il n'y a pas grand risque).*

• Dire du mal de mes collègues, même s'ils sont **imbuvables*** ? Non, je ne le ferai pas, « **je ne mange pas de ce pain-là** ».

• Claude a rendez-vous avec son chef, il redoute des reproches, il « **se demande à quelle sauce il sera mangé** »...

• Dans ce livre, « **il y a à boire et à manger** » *(= du bon et du mauvais).*

• Je souffrirai jusqu'au bout, je « **boirai la coupe jusqu'à la lie** » ! *(= je n'échapperai à aucune difficulté ; un peu ironique).*

• J'ai été humilié(e) par cette situation = c'est « **un peu dur à avaler** » = j'ai dû « **avaler la pilule** ». **Je n'ai pas encore digéré** la manière dont on m'a traité(e) !

• Vincent étudie tellement pour ses examens qu'il **en perd le boire et le manger** !

• José articule mal, il **mange ses mots**.

• Julien **a dévoré** ce roman passionnant !

• Ce petit garçon très vif et en bonne santé **croque la vie à pleines dents**.

• Je m'attendais à une conférence passionnante mais c'était décevant, et je suis resté(e) **sur ma faim**.

• La jeune fille **a soif** *(= manque cruellement)* **de** tendresse et de liberté.

• La télévision nous **abreuve** *(= nous accable)* **de** publicités !

• Cette jeune actrice risque d'être **grisée par le succès**, elle **est ivre de** succès. Il faut reconnaître qu'il est **grisant** de devenir une vedette à un si jeune âge !

• Blandine était intransigeante sur cette question, mais avec le temps, elle a dû « **mettre de l'eau dans son vin** » et assouplir sa position.

• Maintenant que j'ai accepté de participer à cette conférence, il faut que je prépare mon exposé. « **Le vin est tiré, il faut le boire** » !

• Mireille a décidé de rénover son appartement, elle « **a du pain sur la planche** » !

• Mon fils croit que publier des poèmes **va le nourrir** ! *(= le fera vivre).* Il **nourrit l'espoir** qu'il deviendra un grand poète.

• Ce concert était **un pur régal** !

EXERCICES

1 **Complétez ces expressions imagées.**

1. L'adolescent a ______________ d'indépendance, il en rêve.
2. Il faut prendre garde à ne pas être trop ______________ par le succès.
3. Robert a eu du mal à ______________ la pilule quand on lui a fait des reproches injustifiés.
4. Christine ______________ l'espoir de s'installer en Italie.
5. L'étudiante redoute son examen oral. Elle se demande à quelle ______________ elle sera ______________ !
6. Ils doivent préparer tous les cartons pour leur déménagement, ils ont du pain ______________.
7. Cela fait plaisir de voir ces enfants ______________ la vie à pleines dents.

2 **Complétez.**

1. Samia ______________ ce roman policier qui a un suspens haletant.
2. Armelle n'a pas encore ______________ la vexation qu'elle a subie au travail.
3. Ce spectacle magnifique était un ______________ !
4. Cet acteur est connu pour être très désagréable, tout le monde le trouve ______________.
5. Tu n'articules pas bien, tu manges ______________ !
6. Damien a refusé de porter plainte contre ses voisins, il ne mange pas de ______________.
7. Je suis au pied du mur, le vin est ______________, il faut ______________ !
8. Pierre ne sait pas quoi offrir ? Pourquoi pas des fleurs ? Ça ne ______________.

3 7 **Écoutez et faites un commentaire en employant des expressions imagées.**

1. ______________
2. ______________
3. ______________
4. ______________
5. ______________
6. ______________
7. ______________
8. ______________

4 **À vous ! Répondez librement aux questions, par des phrases complètes.**

1. Vous est-il arrivé de devoir mettre de l'eau dans votre vin ?
2. Avez-vous du pain sur la planche, cette semaine ?
3. Quel est le dernier livre que vous avez dévoré ?
4. Existe-t-il une situation que vous n'ayez pas encore « digérée » ?
5. Avez-vous l'impression d'être abreuvé(e) de publicité ?
6. Quels espoirs nourrissez-vous, en ce moment ?

4 LA SANTÉ

LA SANTÉ PUBLIQUE

• Le **ministère de la Santé** lance **une campagne de dépistage** du cancer. Il cherche à développer **la prévention** des maladies = à **dépister** les maladies, ce qui est important pour **la santé publique**.
• Depuis longtemps, **l'OMS** (**Organisation mondiale de la santé**) cherche à **éradiquer** *(= éliminer)* certaines maladies mortelles, comme la variole.
• Pour aller dans ce pays, il faut **se faire vacciner contre** certaines maladies.
• Le ministère lance **une campagne de vaccination contre** la grippe. **Le vaccin** est disponible en pharmacie.
• Lors d'**une radio de contrôle, le radiologue radiographie** un organe.
• **Un traitement préventif** permet de **prévenir** la maladie.

L'ÉTAT DE SANTÉ

• Nous connaissons maintenant **l'état de santé du patient**. Il **a eu des ennuis de santé** : il **s'est abîmé** = **ruiné** = **esquinté* la santé** à force de travailler. Il a dû **faire un bilan de santé**. Il va « **se refaire une santé** » pendant les vacances. J'espère qu'il va **recouvrer la santé**.
• Serge a annulé son voyage **pour raisons de santé**, car il est **souffrant**. On **craint pour sa santé**, car il a **une santé précaire** = **fragile** (≠ **une santé de fer**).
• **Le bulletin de santé** du patient est **rassurant** (≠ **inquiétant**). Il est **dans un état stationnaire** / **son état s'est amélioré** (≠ **s'est aggravé**).
• Cet enfant est en pleine forme, il **respire la santé**.
• Bonjour, madame, ça va bien ? – Oh, vous savez, « **tant qu'on a la santé** »…
(= le plus important, c'est la santé)

LES MALADIES DES ENFANTS

• Chloé **a la rougeole** : elle tousse beaucoup et a le visage tout rouge. Son petit frère **a la varicelle**. Le pauvre est couvert de **boutons** !
• Romane **a la rubéole,** c'est dangereux pour sa maman qui est enceinte.
• **Les oreillons** sont parfois dangereux pour les garçons.
• Alex a **la coqueluche**, il tousse beaucoup ! Il a **de violentes quintes de toux**.
• Cédric a des problèmes respiratoires : il a **des angines, des bronchites**…
• Les bébés ont souvent **des problèmes intestinaux, des diarrhées**…

EXERCICES

1 Choisissez la bonne réponse.

1. Nous avons reçu [le bulletin] [l'état] de santé du ministre.
2. Vous devez vous faire [dépister] [vacciner] contre la tuberculose.
3. Catherine a eu des [raisons] [ennuis] de santé.
4. Le petit garçon est couvert de [boutons] [varicelle].
5. Son [bilan] [état] de santé s'est considérablement amélioré.
6. Nous espérons qu'elle va [recouvrir] [recouvrer] la santé.

2 Les phrases suivantes sont-elles de sens équivalent ?

1. Valentine respire la santé = sa maladie respiratoire est terminée.
2. Violaine a la varicelle = elle est couverte de boutons.
3. Jocelyne a recouvré la santé = son état est stationnaire.
4. La maladie est éradiquée = elle est dépistée.
5. Geoffroy est souvent souffrant = sa santé est précaire.
6. La petite fille a la coqueluche = elle tousse beaucoup.

3 Trouvez une autre manière de dire.

1. Louise a une santé très solide. ______________________________
2. Françoise s'est ruiné la santé à force de travailler. ______________________________
3. Elle va retrouver sa santé. ______________________________
4. Le vieux monsieur a une santé fragile. ______________________________
5. Son état de santé n'a pas changé. ______________________________

4 Complétez.

1. Ma voisine a eu des ____________________ de santé et a été hospitalisée. Cela ne m'étonne pas, elle a toujours eu une santé ____________________.
2. Les autorités lancent une ____________________ de ____________________ du sida, afin de prévenir la maladie.
3. Antoine doit ____________________ vacciner avant de partir à l'autre bout du monde.
4. Étant donné ____________________ de santé de la patiente, elle restera hospitalisée quelques jours.
5. Roland a des ____________________ de toux sèche, c'est épuisant.
6. Le professeur est ____________________ et a dû annuler ses cours pour ____________________ de santé.

5 (8) Écoutez et dites si les phrases suivantes sont vraies ou fausses.

1. Elle s'est abîmé la santé.
2. Il a toussé toute la nuit.
3. Son état s'est amélioré.
4. Je dois faire un bilan de santé.
5. Elle a une santé de fer.
6. L'état du patient ne s'est pas aggravé.
7. Je dois suivre un traitement.
8. Il a des problèmes intestinaux.
9. C'est une action préventive.
10. La maladie est éradiquée.

LES PETITS PROBLÈMES

• Édith a toujours **un bobo*** *(= un petit mal sans gravité)* quelque part.
• J'**ai eu du mal à digérer** = **j'ai mal digéré** ce plat trop gras. Je **me sens barbouillé***, ce matin = j'**ai** un peu **la nausée**, je me sens **nauséeux**.
• J'étais **au bord du malaise**, car il faisait trop chaud. J'ai failli **me trouver mal** = **m'évanouir** = « **tourner de l'œil** » = « **tomber dans les pommes*** ».
• Je viens de danser la valse, j'**ai la tête qui tourne** = cela m'**a donné le tournis**.
• Avec le froid, Samia s'est fait mal au cou, elle a **un torticolis**.
• Je suis tombé(e), je **me suis blessé(e)**, **je me suis ouvert l'arcade sourcilière**, il a fallu qu'on me **fasse des points de suture** pour **refermer la plaie**. **La plaie** va **se refermer et cicatriser**. On verra **une** petite **cicatrice**.
• Vincent a eu **un accès** = **une poussée de fièvre**, il **est mal en point**, le pauvre !
• Julie **souffre d'une carence en fer** = elle **fait de l'anémie** = elle est **anémiée**.
• Léo a **une intolérance au** lait, il **est allergique au** lait. **Certaines allergies** sont graves.
• Patrick a **un zona** *(=* **des plaques** *rouges et douloureuses).* C'est d'origine **virale, il a attrapé un virus.**

LA MALADIE

• On **souffre d'une maladie respiratoire** / **cardiaque** / **cardio-vasculaire**…
• Si quelqu'un est « **souffrant** », on ne sait pas si c'est grave ou non.
• Carine est **asthmatique**, elle a souvent **une crise d'asthme**.
• Roland est **épileptique**, il redoute **les crises d'épilepsie**.
• Irène **est atteinte d'une maladie dégénérative**. On lui **a diagnostiqué une sclérose en plaques**. La maladie est **incurable**, on ne sait pas la **guérir**.
• On le croyait **guéri de** sa maladie, mais **la guérison** n'a pas duré, il **a fait une rechute** = il **a rechuté**.
• Au XIXe siècle, **la tuberculose** était **une maladie très grave**, voire **mortelle**. Grâce aux antibiotiques, on est parvenu à la soigner, puis à la **faire reculer**. C'est désormais **une maladie rare** en Occident.
• Guy **a été contaminé par le sida**, il sait quand a eu lieu **cette contamination**.
• Tom **est atteint d'un cancer du** poumon, on lui **a enlevé une tumeur cancéreuse**. Il est **en rémission** *(= amélioration)*, le traitement semble efficace.
• Augustin **est mort de maladie** (≠ **de vieillesse**), après « **une longue maladie** ».

EXERCICES

1 Choisissez le ou les terme(s) possible(s).

1. Il | a | est atteint de | se sent | fait | la nausée.
2. Hugo est | viral | nauséeux | allergique | anémié |.
3. Elle a | l'état | une poussée | une carence | un accès | de fièvre.
4. Il est tombé dans | le point de suture | l'allergie | les pommes* | le virus |.
5. Il a une crise | d'asthme | de tuberculose | d'épilepsie | de toux |.
6. La maladie est | barbouillée* | dégénérative | incurable | grave |.

2 Vrai ou faux ?

	VRAI	FAUX
1. Mélanie a la tête qui tourne = elle tourne de l'œil.	❑	❑
2. Lionel me raconte ses bobos* = il n'a rien de grave.	❑	❑
3. On a fait des points de suture à Aubin = il a donc une plaie.	❑	❑
4. Cette maladie est rare = elle est donc mortelle.	❑	❑
5. Marie est morte de vieillesse = elle avait une maladie grave.	❑	❑
6. Élise se sent nauséeuse = elle se sent barbouillée*.	❑	❑

3 Trouvez une autre manière de dire.

1. La petite fille a eu <u>une forte fièvre pendant une journée</u>. ____________________
2. Le vieux monsieur ne parle que de <u>ses petits problèmes de santé</u>. ____________________
3. Malheureusement, <u>on ne peut pas guérir cette maladie</u>. ____________________
4. Regarder ce manège me <u>fait tourner la tête</u>. ____________________
5. À cause de la chaleur et de la fatigue, il <u>a perdu connaissance</u>. ____________________
6. Ginette se sent <u>nauséeuse</u>. ____________________

4 Quel est leur problème de santé ?

1. Elle ne peut absolument pas manger de poisson, sinon elle tombe malade.
____
2. Le petit garçon est tombé en faisant du vélo, il a une grosse blessure au front.
____
3. Il a mangé des glaces, de la crème, des gâteaux au chocolat...
____
4. Il faisait trop chaud et Manon était très fatiguée, elle s'est sentie mal.
____
5. Sabine avait la grippe, puis s'est guérie, puis a de nouveau eu la grippe !
____
6. Jean-Yves s'est réveillé ce matin avec le cou bloqué, il ne peut plus le bouger.
____

QUELQUES ACCIDENTS DE SANTÉ

• Paul a été victime d'**un AVC (= accident vasculaire cérébral)** = **une attaque***. Il en subit **des séquelles**, il est **hémiplégique**, la moitié de son corps est **paralysée**.
• L'opération **chirurgicale** était **anodine** (≠ **lourde**), mais le patient a été victime **d'une complication opératoire**. Il a fallu qu'il suive un nouveau traitement.
• Audrey a fait **une cure de désintoxication** pour des problèmes **d'addiction à** la drogue. Elle était **droguée** = **toxicomane**. Elle doit se guérir de **sa toxicomanie**.
• Lors d'**un contrôle de routine**, on a découvert à Nora **une grosseur au sein** = **une tumeur** qui peut être **bénigne** (≠ **maligne**).
• Louis **a fait une grave crise cardiaque** / **un infarctus**. Il **a été transporté en urgence à l'hôpital**. Selon les médecins, « **le pronostic vital est engagé** » = il **est dans un état grave**, et peut-être même **un état désespéré**.
• Émile **était dans le coma**, mais il en **est sorti**. « **Ses jours ne sont plus en danger** » = il **est hors de danger**.

LES SOINS

• Un médecin **donne les premiers soins à** un blessé. Ensuite, le blessé est pris en charge dans **une unité de soins intensifs**, il est **en réanimation**. Parfois, on place le blessé **en coma artificiel**.
• Après l'opération (chirurgicale), le patient **reçoit des soins post-opératoires**.
• Quand la maladie est **incurable**, on place le patient **en soins palliatifs**, pour **soulager sa douleur**. Le traitement n'est pas **curatif**, il **pallie** *(= atténue)* la douleur.
• L'aspirine n'est pas **la panacée** *(= cela ne guérit pas tout)*, mais elle **procure un soulagement**. Cela **remédie à** certains **maux**. C'est **un antalgique** = **un analgésique** = **un antidouleur**, mais qui provoque parfois des **effets secondaires**.
• Certaines substances provoquent **des phénomènes** / **mécanismes d'addiction** = **de dépendance**.
• Pour traiter le cancer, on emploie **la chimiothérapie** et **la radiothérapie** (= un traitement par **des radiations** / **des rayons***).
• La vieille dame est sortie de l'hôpital après **une opération de la hanche**. On lui a placé **une prothèse de** la hanche. Maintenant, elle va **faire de la rééducation**. Le chirurgien lui a prescrit **des séances de kiné**[sithérapie] pour l'aider à marcher.
• Patricia a été opérée. On lui **a enlevé un kyste** bénin.

EXERCICES

1 Choisissez la bonne réponse.

1. L'acteur doit suivre une cure | d'addiction | de désintoxication |.
2. Le blessé a été placé en | soin | coma | artificiel.
3. On donne à ce patient un traitement | opératoire | palliatif |.
4. Tout a été découvert lors d'un contrôle | anodin | de routine |.
5. Malheureusement, la patiente est dans un état | vital | désespéré |.

2 Les phrases suivantes sont-elles de sens équivalent ?

1. Il fait de la rééducation = il était drogué.
2. Les jours de Bertrand ne sont plus en danger = il dort beaucoup mieux.
3. Elle a une grosseur au sein = elle a eu une attaque.
4. Le patient est dans un état désespéré = le pronostic vital est engagé.
5. Ce médicament est analgésique = il a des effets secondaires.
6. Elle a eu des séances de rayons = elle a eu une complication opératoire.
7. Lise a maintenant une prothèse du genou = elle a été opérée du genou.

3 Trouvez une autre manière de dire.

1. Il a fait <u>un infarctus</u>. ____________________
2. <u>Sonia est hors de danger</u>. ____________________
3. Ce traitement va <u>diminuer</u> la douleur. ____________________
4. Oscar souffre encore des <u>suites</u> de son accident de ski. ____________________
5. Après son opération, Florian <u>aura des séances de kinésithérapie.</u> ____________________
6. Dans cet hôpital, on soigne les <u>drogués</u>. ____________________

4 Complétez.

1. Le pronostic ____________ est engagé.
2. Il s'agit d'un médicament antidouleur, c'est un médicament ____________.
3. Après une opération ____________, le patient reçoit des soins post-____________.
4. Heureusement, la ____________, découverte lors d'un contrôle de ____________, n'était pas cancéreuse, mais seulement ____________.
5. Le blessé n'est pas conscient, il est encore dans le ____________, et il restera en ____________ intensifs pendant plusieurs jours.

5 Expliquez ce qui se passe.

1. Après son accident, Marc ne peut plus bouger la moitié de son corps. ____________________
2. L'articulation du genou doit être remplacée. ____________________
3. Julie voudrait arrêter de dépendre de la cocaïne. ____________________
4. Jean ne peut plus se passer de son médicament. ____________________

DÉCRIRE LA DOULEUR

• Ce n'est pas une vraie douleur, mais **une gêne** dans le dos.
• L'accident n'était pas grave, mais Alain en est sorti tout **endolori** = **meurtri**.
• J'ai très mal à la tête, c'est **comme une barre sur** mon front ! D'autres fois, **la douleur est lancinante** : ce sont **des élancements** qui n'arrêtent pas. Pourtant, je ne me plains pas souvent de la douleur, je ne suis pas **douillet(te)**.
• Quand on souffre de **coliques**, **les accès** = **les crises** sont pénibles et parfois **spasmodiques** = la douleur provoque des **spasmes**. Il y a **un point douloureux** = **névralgique** précis (≠ la douleur est **diffuse**).

L'ACCOUCHEMENT

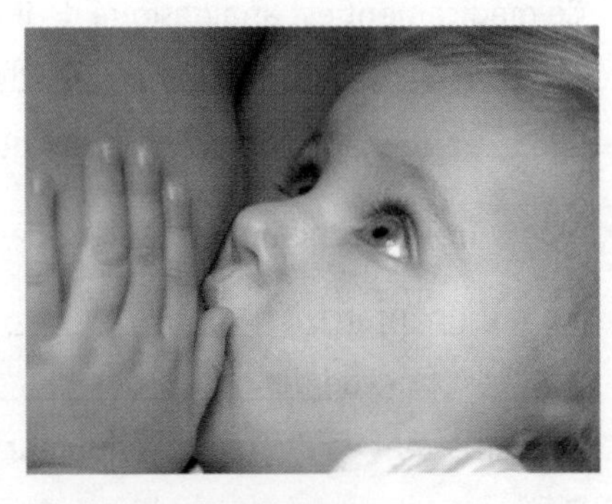

• La jeune femme doit **accoucher** mardi. On lui a proposé **une péridurale** = **une anesthésie péridurale** pour éviter les grosses douleurs. **La sage-femme coupe le cordon ombilical**. Ensuite, la maman **donne le sein au nourrisson** = elle **l'allaite** = elle **le nourrit au sein** ou alors elle lui **donne le biberon**.
• Si le bébé **se présente mal**, la maman doit subir **une césarienne**.
• Si **l'accouchement** a lieu **avant terme**, le bébé sera **prématuré**. Il sera mis **en couveuse**.
• Malheureusement, Lydie **a fait une fausse couche** = elle n'a pas pu **mener sa grossesse à terme**.
• Noémie a dû subir **une IVG** (= **interruption volontaire de grossesse**) = **un avortement**, car **l'embryon** n'était pas **viable**.
• Après 40 ans, la grossesse est « **à risque** ». Il faut **surveiller la future maman**.

QUELQUES EXPRESSIONS IMAGÉES

• Anne **a** enfin **accouché de** sa thèse !
• Il exagère les problèmes, il **en fait toute une maladie** !
• Pourquoi est-ce que tu fais tout le temps le ménage ? **C'est une vraie maladie** !
• Elle **n'a pas encore digéré** son échec à l'examen. Je ne lui en parlerai pas, je ne veux pas **lui** « **retourner** = **remuer le couteau dans la plaie** ».
• Le projet **a avorté**, il a échoué.
• Joëlle a toujours adoré écrire. Elle « **a attrapé le virus** » il y a longtemps !

EXERCICES

1 Les phrases suivantes sont-elles de sens équivalent ?

1. La douleur dans la jambe est lancinante = la jambe est tout endolorie.
2. Alexandra donne le sein au bébé = elle l'allaite.
3. La jeune femme a subi une IVG = elle n'a pas pu mener la grossesse à terme.
4. Ce point est particulièrement douloureux = c'est un point névralgique.
5. Ali n'est pas douillet = il ne se plaint pas de ses douleurs.

2 Trouvez une autre manière de dire.

1. La jeune maman <u>allaite</u> son bébé. ______________________________
2. Le jeune homme a eu <u>un accès</u> de paludisme. ______________________________
3. Cette idée de grande réforme <u>a échoué</u>. ______________________________
4. La douleur est <u>forte et aiguë</u>. ______________________________
5. Félix est tombé, son bras est <u>un peu meurtri</u>. ______________________________
6. La jeune femme <u>n'a pas pu mener la grossesse à terme</u>. ______________________________

3 Complétez.

1. La future maman doit ______________ la semaine prochaine à la clinique.
2. Léonard est tombé. Ce n'est pas grave, mais maintenant sa jambe est toute ____________.
3. ____________________ va aider à l'accouchement, c'est son métier.
4. La dent ne me fait pas vraiment souffrir, c'est juste une ____________________.
5. Malheureusement, l'embryon n'était pas ______________, la jeune femme a dû ____________________ une IVG.
6. La future maman n'a pas souffert pendant l'accouchement grâce à ______________.
7. Les coliques provoquent des ________________ très douloureux.

4 (9) Écoutez et faites des commentaires en employant le vocabulaire présenté dans l'ensemble du chapitre.

1. ______________________________
2. ______________________________
3. ______________________________
4. ______________________________
5. ______________________________

5 À vous ! Répondez librement aux questions par des phrases complètes.

1. Vous sentez-vous capable de décrire une maladie que vous auriez eue ?
2. Êtes-vous douillet(te) ?
3. Vous est-il arrivé de vous esquinter* la santé à force de travailler ?
4. Votre pays lance-t-il des campagnes de prévention ? De quelle manière ?

5 GESTES – MOUVEMENTS

TOUCHER

• Je n'ai pas touché ce vase fragile, je l'**ai** à peine **frôlé** = **effleuré** !
• Ce marchand n'aime pas qu'on **tripote*** les fruits, car cela peut les abîmer. Pourtant, il faut bien les **tâter** un peu pour voir s'ils sont mûrs !
• La petite fille **se frotte** les yeux, car elle a sommeil.
• Le boulanger **pétrit** la pâte avant de faire du pain.
• Oh, si tu touches le dessous de mes pieds, ça **me chatouille** ! Je n'aime pas **les chatouilles,** je suis très **chatouilleux** !
• Le petit garçon est tombé, sa mère **frictionne** son front avec une lotion apaisante.
• Jean **gratte** = **racle** le carrelage pour enlever des taches de peinture. Ensuite, il **frotte** le sol avec une serpillière.
• Le médecin **palpe** le ventre du patient pour vérifier que tout va bien.

TENIR / PRENDRE

• Les manifestants **arborent** = **brandissent** des banderoles hostiles au ministre et **arrachent** des affiches le concernant.

• La petite fille a eu peur de tomber, elle **a agrippé** = **a saisi** = **a attrapé** la main de son père, elle **s'est cramponnée = s'est agrippée** à lui. Le père l'**a empoignée** pour la **retenir**.
• Les voleurs ont attaqué la bijouterie et **se sont emparés des** bijoux : ils **ont dérobé** des parures de diamant de très grand prix.
• Le pickpocket **a subtilisé** le portefeuille de la dame, qui n'a rien vu.
• J'ai **flanqué*** *(= mis sans ordre)* tous les cartons dans la cave.
• René **manie** cet outil avec habileté. D'ailleurs, cet outil est très **maniable**.
• Puisqu'elle est banquière, Odette **manipule** de grosses sommes d'argent. De grosses sommes **passent entre ses mains**.
• Dans ces rues étroites, **manœuvrer** ce gros camion n'est pas facile. Heureusement, le chauffeur sait **faire des manœuvres** délicates.
• Ce nouveau riche **exhibe** sa montre de luxe. **Cette exhibition** est vulgaire.

EXERCICES

1 Choisissez la bonne réponse.

1. Arrête, tu me [saisis] [chatouilles] !
2. Le voleur a [flanqué*] [subtilisé] le téléphone mobile de sa victime.
3. Le vieux monsieur [s'empare] [se cramponne] à la rampe de l'escalier.
4. L'élève apprend à [manœuvrer] [manipuler] la voiture.
5. Véronique [agrippe] [arrache] le vieux papier peint du mur.
6. Jeanne fait le ménage, elle [frictionne] [frotte] le lavabo pour le nettoyer.

2 Trouvez une autre manière de dire.

1. Le voleur a pris le portefeuille du jeune homme. ______________________
2. Il a mis ses vieux vêtements dans un placard, sans les ranger. ______________________
3. Ma voiture a à peine touché l'autre véhicule. ______________________
4. Le vieux monsieur tient fort le bras de son fils. ______________________
5. Les supporters de l'équipe de football tiennent des drapeaux. ______________________
6. Elle touche le melon pour savoir s'il est mûr. ______________________
7. Ils montrent ostensiblement leur richesse. ______________________

3 Complétez.

1. Laurent a froid, il ______________________ les mains pour se réchauffer.
2. Pour décaper ce vieux meuble, il faut d'abord ______________________ de vieilles taches de vernis.
3. Les petits enfants ______________________ les objets qu'ils veulent découvrir.
4. Le peintre ______________________ le rouleau et le pinceau toute la journée.
5. Avec la manche de son manteau, elle ______________________ le tableau. C'était léger, mais ça a déclenché l'alarme dans le musée.
6. La tempête ______________________ le toit de la cabane.

4 Décrivez les scènes le plus précisément possible.

SE DÉPLACER OU NON

• Jean est toujours « **par monts et par vaux** » = il est « **en vadrouille*** », il voyage tout le temps. Alain, au contraire, est **sédentaire**, et même **casanier,** il préfère rester chez lui.
• Nous allions partir nous promener, mais la neige a commencé à tomber fort. Nous **avons** donc **rebroussé chemin** = nous avons **fait demi-tour** = nous **sommes revenus sur nos pas.**
• La photographe a fait **un** long **périple** à travers l'Europe, puis elle **s'est rendue** à Berlin et **a** finalement **regagné** Genève pour exposer les photos qu'elle a prises.
• J'ai eu une très mauvaise expérience dans ce restaurant, « **je n'y remettrai jamais les pieds** » !
• Nous **avons franchi** *(= traversé)* la frontière sans encombre.
• Étienne est grand et sportif, il marche **à grandes enjambées**. Je le reconnais à **sa démarche** *(= sa manière de marcher).* Grâce à ses grandes jambes, il **enjambe** facilement le petit ruisseau.
• Après une journée assis en voiture, les enfants **gambadent** *(= sauter joyeusement)* tandis que les adultes **se dégourdissent les jambes**.

• Ils ont passé une belle journée à **se promener** = **se balader*** = **déambuler** = **flâner** dans Paris. **La promenade** = **la balade*** = **la déambulation** = **la flânerie** est agréable.
• Fabien **se traîne**, car il est fatigué, mais il faudrait qu'il **presse le pas** s'il veut arriver à l'heure.
• Pour ne pas réveiller ses parents, Sophie **marche sur la pointe des pieds**.
• Benoît nous **a précédés**, il est arrivé avant nous. **Dans la foulée** *(= dans le même mouvement)*, il a déjà commencé à préparer le dîner.
• Les manifestants **ont défilé** toute l'après-midi. Hugo **leur a emboîté le pas**, il les a suivis. **Le défilé** faisait plusieurs kilomètres de long.
• Les écoliers traversent la rue **à la queue leu leu**, l'un derrière l'autre.
• Dans cette situation, « **on marche sur la tête** » ! *(= c'est le monde à l'envers)*
• C'est une idée qui **gagne du terrain** = **se répand.**

EXERCICES

1 Choisissez le ou les terme(s) possible(s).

1. Ils [ont déambulé] [ont regagné] [ont franchi] [se sont traînés] la capitale.
2. Léa est en retard, elle [presse le pas] [flâne] [se dégourdit les jambes] [rebrousse chemin].
3. Bruno est [par monts et par vaux] [revenu sur ses pas] [à la queue leu leu] [en vadrouille*].
4. Elsa nous [précède] [emboîte le pas] [défile] [franchit].
5. Mourad fait [demi-tour] [le pas] [sur la pointe des pieds] [un périple].

2 Trouvez une autre manière de dire.

1. Le président de la République <u>est rentré à</u> Paris. ______
2. Le voyage en avion est long, j'aimerais bien <u>bouger un peu</u>. ______
3. Les voyageurs <u>ont traversé</u> le fleuve en fin d'après-midi. ______
4. Ce cadre d'une entreprise multinationale est toujours <u>en voyage</u>. ______
5. Pascale déteste cette ville, elle n'y <u>reviendra jamais</u>. ______
6. Les touristes <u>se promènent agréablement</u> dans la vieille ville. ______

3 Complétez.

1. L'adolescent marche très lentement par paresse, il ______.
2. Elle déteste sortir, elle préfère rester chez elle, elle est ______.
3. Comme il s'est mis à pleuvoir à torrents, nous n'avons pas continué notre promenade, nous ______, nous sommes rentrés à la maison.
4. Benjamin nous a raconté son ______ à travers l'Asie.
5. Emma est arrivée avant moi, elle m'a ______.
6. Le ministre des Affaires étrangères ______ Paris hier soir, après avoir passé deux jours à Bruxelles.
7. J'ai de très mauvais souvenirs de cette région, je ne veux plus y aller, je n'y ______.

4 (10) Écoutez et dites quelles phrases sont vraies.

Texte 1.

a. Isabelle a fait demi-tour. **b.** Nicole s'est dépêchée. **c.** Nicole a suivi Isabelle.

Texte 2.

a. Max a donné sa démission avant Julie. **b.** La décision est absurde. **c.** Max est incompétent.

Texte 3.

a. Stéphane était en vadrouille*. **b.** Il a déambulé. **c.** Il a regagné Marseille.

5 À vous ! Répondez librement aux questions par des phrases complètes.

1. Vous arrive-t-il de flâner ? Dans quel endroit ?
2. Dans quelle(s) situation(s) pourriez-vous déclarer : « on marche sur la tête » ?
3. Y a-t-il des endroits où vous ne remettrez jamais les pieds ?

MOUVEMENTS FORTS

• Les clients **se jettent** < **se ruent sur** ce nouveau gadget. C'est **une ruée** !
• Dans ce roman, le jeune homme **s'élance** = **se précipite** au secours de la jeune fille en danger. Le héros **bondit sur** son adversaire. **D'un bond**, il l'atteint !
• Une forte pluie **s'est abattue sur** la région.
• Quand elle a entendu son nom, la jeune fille **a fait volte-face** = elle **a pivoté** sur elle-même.
• Les mouettes **tournoient** = **tourbillonnent** au-dessus de la plage, à la recherche de petits poissons. **Le tournoiement** = **tourbillon** des mouettes est impressionnant.
• Le petit garçon vient de **dégringoler*** = « **se casser* la figure** » *(= tomber)* dans l'escalier, la mère **accourt** pour le ramasser.
• Les Parisiens pressés **dévalent** *(= descendent en courant)* les escaliers du métro.

DU MOUVEMENT À LA POSTURE

• Je suis rentré épuisé, je **me suis affalé*** sur le canapé. Cependant, il est hors de question que je **reste affalé** toute la soirée **!**
• La jeune fille **s'accoude à** la fenêtre. Elle **est** maintenant **accoudée** à la fenêtre.
• Les convives **se sont attablés** vers midi. À quatre heures, ils **étaient** toujours **attablés** !
• L'enfant apeuré **se blottit** *(= se réfugie en se pelotonnant)* dans les bras de sa mère. Il **reste blotti** contre sa mère.
• Le clochard **s'enroule** = **se pelotonne** dans une couverture pour lutter contre le froid. Il **est enroulé** = **pelotonné** dans sa vieille couverture.
• La vieille dame **se recroqueville** = **se ratatine***, elle **sera** bientôt toute **recroquevillée** = **ratatinée*** *(= repliée sur elle-même).*
• Lors de funérailles, on **s'incline** devant la tombe = on **se penche en avant** en signe de respect.
• La tour de Pise **est inclinée** = **penchée**.

EXERCICES

1 Choisissez le ou les terme(s) possible(s).

1. Tout le monde s'est [précipité] [accoudé] [recroquevillé] [penché] à la fenêtre.
2. Matthieu est [affalé*] [pelotonné] [incliné] [attablé] sur le lit.
3. Benoît [s'abat] [se précipite] [accourt] [s'enroule] pour aider sa fille.
4. La tempête fait [tournoyer] [pivoter] [dévaler] [tourbillonner] les feuilles mortes.
5. Le chat [se jette] [s'affale] [pivote] [bondit] sur la souris.

2 Les phrases suivantes sont-elles de sens équivalent ?

1. Le pianiste s'incline devant son public = il salue son public.
2. Ils se sont affalés* sur les fauteuils = ils se sont rués sur les fauteuils.
3. Il fait volte-face = il se recroqueville.
4. Elle se pelotonne dans son lit = elle se précipite sur son lit.
5. La maman bondit pour rattraper son petit garçon = elle se précipite pour le rattraper.
6. Les cyclistes dévalent la pente = ils dégringolent*.

3 Complétez.

1. ______________________ *vers l'or* est un célèbre film de Charlie Chaplin.
2. Les danseurs tournent en rond à toute vitesse, ils ______________________.
3. Le lionceau ______________________ contre sa mère pour qu'elle le protège.
4. Quand j'ai posé le gros gâteau au chocolat sur la table, les enfants ______________, ils ont tout de suite voulu en manger un morceau.
5. Cet arbre n'est pas droit, il est ______________________.
6. La compétition commence, la skieuse ______________________ avec énergie du haut de la piste.
7. Quand ils ont entendu le bruit, les voisins ______________________ immédiatement pour nous aider.

4 Trouvez une autre manière de dire.

1. Les jeunes gens <u>sont assis autour de la table</u>. ______________________
2. Il <u>se retourne brusquement</u> en entendant du bruit. ______________________
3. Les enfants <u>courent dans</u> les escaliers. ______________________
4. Le tigre est prêt à <u>sauter</u> sur sa proie. ______________________
5. Les deux dames <u>posent leurs coudes sur le</u> balcon. ______________________
6. Le jeune homme <u>est tombé</u> dans l'escalier. ______________________

5 À vous ! Répondez librement aux questions par des phrases complètes.

1. Dans quelles circonstances vous êtes-vous cassé* la figure ?
2. Dans votre culture, s'incliner est-il une manière de saluer ?
3. Dans votre culture, est-il courant de rester longtemps attablé ?
4. Où avez-vous observé une ruée ?

MOUVEMENTS À CARACTÈRE NÉGATIF

• Le bruit de la porte l'a surpris et l'a fait **tressaillir** < **sursauter**.
• Dans **un sursaut d'énergie**, le sportif est parvenu à devancer ses concurrents.
• Le petit garçon « **ne tient pas en place** », il **gigote** en regardant le clown qui **gesticule** *(= fait des gestes exagérés)*. **Sa gesticulation** est comique.
• Sous l'effet de l'émotion, Léon **chancelle** = **vacille** = **titube** *(= est prêt à tomber)*.
• À la suite de fortes inondations, la route **s'est effondrée**. **Les effondrements de terrain** sont fréquents dans ces cas-là.
• Atteint par une balle de revolver, l'homme **s'est affaissé** = **s'est effondré** = **s'est écroulé** par terre.
• Ma grand-mère, qui dansait la valse, considère que les jeunes ne savent plus danser : « ils ne font que **se trémousser** = **se dandiner** ! C'est ridicule ! »
• Cette vieille table est **branlante** = **bancale**, elle n'est pas stable.
• Cet événement **a déstabilisé** (psychologiquement) l'enfant.
• **D'un geste malencontreux**, Claire **a renversé** le verre d'eau sur la nappe.
• Luc a une jambe plus courte que l'autre, il **boitille** < il **claudique** < il **boite**. **Son boitillement** < **sa claudication** < **son boitement** le gêne pour marcher.

ABSENCE DE MOUVEMENT

• J'admire **le flegme** de cet homme. Quand on l'a provoqué, il est resté **imperturbable** = **impassible** = il **n'a pas bronché** *(= il n'a pas bougé)*.
• Au lieu de **rester planté*** = **rester les bras ballants** *(= immobile et inactif)*, tu ferais mieux de m'aider !
• Il **s'est calé** *(= solidement installé)* dans un bon fauteuil et ne bouge plus.
• Comme ce meuble est bancal, on doit mettre **une cale** pour **le stabiliser**.
• Ève **est clouée au lit** par la grippe tandis que son mari s'est cassé la jambe. Il **sera immobilisé** pendant quelques semaines. **Son immobilisation** l'empêche de travailler.
• Visiter un musée est fatigant, car **on piétine** beaucoup = on **fait du sur-place**.

EXERCICES

1 **Choisissez le ou les terme(s) possible(s).**

1. Il s'est [cramponné] [affalé] [trémoussé] [répandu] sur le canapé.
2. Elle est maladroite, elle [s'est cassé* la figure] [a renversé la casserole] [a rebroussé chemin] [a fait volte-face].
3. Malgré le bruit soudain, il n'a pas [bronché] [tressailli] [claudiqué] [déambulé].
4. La vieille dame n'est plus très solide sur ses jambes, elle [se dandine] [tourbillonne] [chancelle] [manœuvre].
5. Léo bouge tout le temps, il [gigote] [sursaute] [ne tient pas en place] [reste les bras ballants].
6. Le ministre est resté [impassible] [bancal] [planté*] [imperturbable] quand il a été hué.

2 **Les phrases suivantes sont-elles de sens équivalent ?**

1. Sous le choc, la jeune femme s'est effondrée = elle a chancelé.
2. Le meuble est branlant = il faudrait lui mettre une cale.
3. Le jeune homme titube = il gigote.
4. Elle ne bronche pas = elle ne boite pas.
5. André a tressailli quand je suis entré = je l'ai fait sursauter.

3 **Complétez.**

1. Le clochard a trop bu, il ____________________ dans la rue.
2. Chez un brocanteur, nous avons acheté une vieille commode un peu ____________________.
3. Zut, que je suis maladroite, j'ai ____________________ la bouteille de vin par terre.
4. Quand l'homme a été insulté dans la rue, il n'a pas réagi, il est resté ____________________, il n'a pas ____________________.
5. Selma s'est fait mal à la cheville, et maintenant, elle est ____________________ chez elle.
6. Le bâtiment ____________________ à la suite du tremblement de terre.

4 **Trouvez une autre manière de dire.**

1. Cet homme <u>fait trop de gestes</u> en parlant. ____________________
2. Le chef d'orchestre <u>se penche</u> pour saluer le public. ____________________
3. Il a trop bu, il <u>a du mal à marcher correctement</u> ! ____________________
4. La petite fille <u>n'a absolument pas bougé</u> quand on lui a fait une piqûre. ____________________
5. Cette chaise <u>n'est pas stable.</u> ____________________

5 (11) **Écoutez et dites quelles phrases sont vraies.**

Texte 1. **a.** Aline est restée les bras ballants. **b.** Elle est restée imperturbable.
Texte 2. **a.** Patrick a titubé. **b.** La table était bancale.
Texte 3. **a.** Alice ne tient pas en place. **b.** Elle claudique encore.

6 APPARAÎTRE – CACHER

APPARAÎTRE

• Les volets verts **ressortent** = **tranchent sur** (≠ **se fondent dans**) les façades couleur brique.
• Le bleu vif de cette écharpe **jure avec** = **détonne parmi** les rouges *(nuance de mauvais goût).*
• Les arbres **se profilent sur** l'horizon, ils **se détachent sur** le ciel, ils **se découpent en ombre chinoise sur** le ciel.
• Une lumière blanchâtre **accentue** = **renforce l'impression** de tristesse.
• Sur ce dessin, un trait noir **souligne** le contour des personnages.
• Dans cette exposition, la couleur du mur **met** admirablement **en valeur** les tableaux.
• La réaction des habitants **met en évidence** = **fait apparaître** des tensions au sein du village.

VOIR AVEC DIFFICULTÉ

• Un rideau ouvert **laisse voir** / **laisse entrevoir** une autre pièce, que l'on **aperçoit** = **entrevoit** = **discerne** = **distingue** dans la pénombre.
• Une solution politique **se dessine** enfin. Des propositions concrètes **se sont dégagées des** discussions et un consensus **a émergé**.
• Peu d'informations **ont transpiré** = **filtré** *(= sont sorties)* de cette réunion, dont le caractère secret **transparaît** dans le communiqué de presse. **En apparence**, tout se passe bien, mais il **apparaît en filigrane** *(= implicitement, discrètement)* que les participants ne sont pas parvenus à un accord. Comme il est important de **sauver les apparences**, tout le monde fait croire qu'un compromis sera atteint.
• Robert « **ne paye pas de mine** », mais il gagne à être connu. Comme le dit le proverbe, **« il ne faut pas se fier aux apparences** ».
• Le père **surveille du coin de l'œil** *(= discrètement)* sa petite fille qui joue dans le jardin.

EXERCICES

1 Choisissez le ou les terme(s) possible(s).

1. Cet article met en [valeur] [filigrane] [apparence] [évidence] les découvertes effectuées.
2. La silhouette se [détache] [fond] [profile] [découpe] sur le mur blanc.
3. De loin, elle [accentue] [aperçoit] [apparaît] [distingue] les enfants qui jouent sur la plage.
4. Elle essaye de sauver les [évidences] [apparences] [impressions] [filigranes].
5. Une tendance [accentue] [tranche] [émerge] [se dégage] des études d'opinion effectuées.
6. Les fleurs jaune d'or [se fondent] [se profilent] [ressortent] [se dégagent] sur le pré vert.

2 Les phrases suivantes sont-elles de sens équivalent ?

1. La fierté transparaît dans le ton que le père a employé pour parler de son fils = sa fierté apparaît en filigrane.
2. Ce député ne paye pas de mine = il veut sauver les apparences.
3. Ce bâtiment ultramoderne détonne dans ce quartier médiéval = on entrevoit le bâtiment dans le quartier médiéval.
4. Ils entrevoient une maison au fond du parc = la maison se découpe en ombre chinoise.
5. Le vent renforce l'impression de froid = le vent accentue l'impression de froid.
6. Les gratte-ciel se détachent sur le ciel = ils se profilent sur le ciel.

3 Complétez.

1. La jeune actrice portait une robe bariolée qui ____________ parmi les noirs et blancs très sobres de ses collègues.
2. Cette femme ne semble pas intéressante, elle ne paye pas de ____________.
3. Le mari refuse de divorcer, car il veut absolument sauver ____________ et faire comme si tout était normal.
4. Dans un paysage méditerranéen, la couleur verte des pins ____________ sur le bleu profond du ciel.
5. Il ne faut pas ____________ aux apparences qui sont trompeuses…
6. Le ciel et l'océan sont presque de la même couleur, le gris de l'eau ____________ dans celui du ciel.

4 Trouvez une autre manière de dire.

1. Ils ont du mal à <u>distinguer</u> les formes dans l'obscurité. ____________
2. <u>On ne sait pas ce qui s'est passé pendant</u> la rencontre entre les chefs d'État. ____________
3. La grand-mère surveille <u>discrètement</u> son petit-fils. ____________
4. La vulgarité de cette starlette <u>choque</u> dans cette assemblée élégante. ____________
5. Les objets en or <u>se voient bien</u> sur la couleur choisie pour les murs de l'exposition. ____________
6. La conférencière a <u>bien montré</u> les points les plus importants de cette étude. ____________

VOIR CLAIREMENT

- Nous avons **constaté** = **relevé** plusieurs erreurs dans ce texte. Nous **remarquons** d'ailleurs que cela se produit souvent chez cet auteur !
- Du sommet de la montagne, elle **contemple un** superbe **panorama. Le regard embrasse** toute la région, **la perspective** est splendide.
- La police **surveille** le suspect « **comme du lait sur le feu** », elle **épie** ses moindres gestes. Elle va **inspecter** le quartier où il habite. Pour retrouver l'individu, les policiers **ont visionné** toutes les vidéos dont ils disposaient.
- La vieille dame **scrute** l'horizon, elle **guette** l'arrivée de ses enfants.
- Xavier nous **a jaugés** *(= regardés et évalués)* un peu trop vite !
- Je **louche*** = **lorgne sur** le gâteau au chocolat auquel je ne dois pas toucher…
- Nous **avons repéré** un petit restaurant vietnamien dans le quartier. **Le point de repère**, c'est ce grand bâtiment bleu au milieu du boulevard.
- On peut **voir** cette étoile **à l'œil nu**. Pour d'autres planètes, il faut un télescope.
- Il est impoli de **dévisager** = **fixer** quelqu'un, cela met mal à l'aise.
- Il m'**a toisé** du haut de son 1,95 m, je me suis senti tout petit.
- Quentin est jaloux de Daniel, je l'ai compris **au premier coup d'œil**. C'est **flagrant** = **ça « saute aux yeux »**.
- Les enfants **dévorent des yeux** les jouets présentés dans les vitrines.

INCLURE

- Cet ouvrage **comporte** = **comprend** = **compte** 30 chapitres qui **englobent** = **réunissent** toutes les notions connues sur le sujet.
- Le musée **contient** = **renferme** des manuscrits précieux.
- Un encart publicitaire **a été inséré** dans le magazine.
- Le cours **consiste en** une série de séminaires et d'ateliers.
- Le musée **est constitué** = **se compose de** trois étages, qui **forment un ensemble** cohérent.
- Dans cette étude, nous avons **intégré** = **incorporé** les dernières statistiques disponibles.

EXERCICES

1 **Choisissez le ou les terme(s) possible(s).**

1. Le château | incorpore | comprend | contient | des tapisseries médiévales.
2. Les enfants | épient | visionnent | guettent | leurs parents.
3. Ce recueil d'essais | réunit | comprend | relève | des textes publiés il y a 20 ans.
4. Ils ont compris la situation | à l'œil nu | au premier coup d'œil | comme du lait sur le feu |.
5. Les policiers | inspectent | dévisagent | surveillent | le lieu du crime.
6. Le grand chef a | jaugé | toisé | englobé | son nouveau collaborateur.

2 **Les phrases suivantes sont-elles de sens équivalent ?**

1. Il n'arrête pas de me dévisager = il me regarde à l'œil nu.
2. Elle surveille les enfants = elle repère les enfants.
3. Il lorgne sur le dessert = il louche* sur le dessert.
4. Les défauts de ce film sont flagrants = ils sautent aux yeux.
5. Elle a relevé deux fautes de frappe dans le texte = elle a remarqué deux fautes de frappe.
6. Ce livre comporte un index = ce livre est composé d'un index.

3 **Trouvez une autre manière de dire. Il faudra parfois reformuler la phrase.**

1. Le bâtiment <u>a</u> dix étages. ______
2. Nous <u>regardons et attendons</u> l'arrivée de nos amis. ______
3. Le coffre-fort <u>contient</u> des documents secrets. ______
4. La secrétaire <u>a trouvé</u> deux incohérences dans le texte écrit par son patron. ______
5. Nous avons <u>immédiatement</u> compris les relations que ces deux hommes entretenaient. ______
6. La jeune femme aime <u>regarder</u> le coucher de soleil sur l'océan. ______
7. Le professeur <u>a ajouté</u> des commentaires intéressants au travail de son étudiant. ______

4 **Complétez.**

1. Cette boîte ______ les bijoux de la vieille dame.
2. Les services de l'hygiène vont ______ le bâtiment.
3. Ce manuel ______ 42 chapitres thématiques.
4. La solution technique à ce problème ______ aux yeux.
5. Ce livre ne ______ pas d'illustrations.
6. En quoi ______ cet ouvrage ?
7. Ce recueil de poèmes ne ______ pas un ensemble cohérent.

5 **À vous ! Répondez librement aux questions par des phrases complètes.**

1. Vous est-il arrivé de surveiller quelque chose ou quelqu'un « comme le lait sur le feu » ?
2. Dans votre culture, est-il impoli de dévisager quelqu'un ? Quelle manière de regarder une personne est acceptable ?

RÉVÉLER

• Oui, j'ai l'intention de me marier, **on ne peut rien te cacher** ! De toute façon, je sais que Dora « **a vendu la mèche** » = elle **a révélé** = **trahi mon secret**.
• **Je ne trahis aucun secret en** parlant de cette réunion. De toute façon, **il est de notoriété publique que** les deux hommes ont décidé de former une alliance. **Je ne vous cacherai pas que** les réunions vont bon train. Cela dit, je ne **divulguerai** pas le nom de la ville où elles se tiennent.
• Ce médecin a été mis en cause pour **violation du secret professionnel**.
• Le mystère du cambriolage **a été élucidé**. Le malfaiteur **a été démasqué** grâce au témoignage d'un voisin.
• Dans cette affaire, il s'agit d'une tentative **manifeste** = **flagrante** = **patente** = **notoire** de dissimuler de l'argent au fisc.
• Les archéologues **ont décelé** = **détecté** des traces d'habitat sur ce site préhistorique. Les **fouilles ont mis au jour** des pierres taillées très intéressantes.
• Après ce regrettable incident technique, l'entreprise a promis de **faire toute la lumière sur** ce qui s'est passé. Tout **indique** que l'erreur est d'origine humaine.
• Où est-ce que tu **as déniché*** = **dégoté*** *(= découvert)* ce service à thé ? Chez un brocanteur ?

• Norbert est **indiscret**, il « **met son nez dans les affaires des autres** » = il « **fourre* son nez** » **partout** et il « **écoute aux portes** » ! Et il **ne s'en cache pas**, il le fait **ostensiblement** !
• Les sociologues constatent **l'émergence** de comportements agressifs et **soulignent l'importance des** malaises sociaux.
• Hélas, Henri **a mis** ce document confidentiel **sous les yeux de** Jean-Marie.
• Heureusement, les projets d'attentat ont **été percés à jour** = **découverts** = **déjoués**. Les autorités **ont levé le voile sur** certaines actions policières qui avaient été engagées.
• Le journaliste a **fait montre d'**une rare pugnacité en interviewant cette femme politique. La dureté des questions était **révélatrice de** son état d'esprit.

EXERCICES

1 Choisissez la bonne réponse.

1. Il [ne divulguera] [n'élucidera] jamais ces secrets d'État.
2. Les enquêteurs ont mis [à] [au] jour les malversations commises par le suspect.
3. L'imposteur a été [révélé] [démasqué].
4. Elle [fourre*] [cache] son nez partout !
5. Je ne vous [divulguerai] [cacherai] pas que nous avons trouvé une issue au problème.
6. Les secrets de ce mystérieux site archéologique ont été [dénichés] [percés] à jour.
7. Hélas, ils ont [vendu] [révélé] la mèche.

2 Les phrases suivantes sont-elles de sens équivalent ?

1. Il s'agit d'une injustice patente = l'injustice est évidente.
2. Romane nous a mis la photo sous les yeux = elle a déniché* une photo.
3. Le plombier n'a détecté aucune fuite d'eau = il n'en a décelé aucune.
4. La fraude a été percée à jour = la fraude est de notoriété publique.
5. L'énigme a été élucidée = elle est flagrante.
6. Le petit garçon écoute aux portes = il trahit des secrets.

3 Trouvez une autre manière de dire.

1. Dans le ton de sa voix, j'ai perçu un peu de découragement. ____________________
2. Tout le monde sait que Nadège a trompé son mari avec le maire du village. ____________________
3. Les enquêteurs révéleront ce qui s'est passé. ____________________
4. Sabine a découvert ce sac bien caché tout au fond de sa cave. ____________________
5. Il ne faut pas montrer ces images aux enfants. ____________________
6. Cet homme a manifesté beaucoup de courage dans cette situation. ____________________

4 Complétez.

1. Le professeur ____________________ l'importance de ces recherches, qui ____________________ au jour de nouvelles découvertes.
2. Cet étudiant a rendu un travail ____________________ de sa passion pour le sujet.
3. Damien ne confiera plus de secrets à Émilie, car elle les ____________________ immédiatement.
4. André a l'intention de se présenter aux élections municipales, ce n'est pas un secret, il ne ____________________ pas.
5. Le gouvernement ____________________ le voile sur ses projets de réforme.
6. Je ne vous ____________________ pas que la situation économique de la ville m'inquiète.
7. Armelle ____________________ toujours des objets insolites dans les brocantes.
8. Benoît est très discret, il ne ____________________ pas le contenu de cette réunion.

CACHER

• Léon est « **l'éminence grise** » du ministre : c'est un « **homme de l'ombre** » qui a joué **un rôle occulte** *(= caché)* dans les nombreux **conciliabules** *(= réunions discrètes)* qui se sont tenus. Le ministre l'a admis **implicitement** = **à mots couverts** = **à demi-mot**, même si son explication est restée **sibylline** = **énigmatique.** Des influences **souterraines** expliquent probablement son attitude.

• Le lieu du mariage est **un secret bien gardé** ≠ « **un secret de Polichinelle** » *(= un « secret » que tout le monde connaît)*. Même les proches des mariés **taisent** le secret. La presse espère qu'ils ne se marieront pas **en secret** = **en cachette** = **en catimini*** (≠ « **au vu et au su de** tout le monde ») !

• La tour **m'empêche de voir** = **me masque** la vue. Elle **fait obstacle à** la vue.

• Cette polémique constitue « **un écran de fumée** », elle **sert d'écran à** = **couvre** des affaires plus graves. En effet, le débat ne doit pas **occulter** = **cacher** le fait que Renaud cherche à **camoufler** ses activités délictueuses. Entre autres, il **a dissimulé** un compte au fisc. « **Il ne faut pas se voiler la face** » *(= il faut être lucide)*, Renaud est prêt à tout pour **étouffer le scandale**.

• Le magicien **a escamoté** un objet, il l'a **fait disparaître** = il **l'a dérobé à la vue des** spectateurs.

• La star, pourtant venue **incognito**, **a éclipsé** les autres comédiens = elle leur a **fait ombrage**.

• Les nuages **voilent** le soleil. Un épais brouillard **recouvre** la région.

• Les policiers se demandent où le voleur **a dissimulé** = **planqué*** les bijoux qu'il a volés. Il les a probablement laissés à **un receleur** qui, s'il est découvert, sera inculpé pour **recel de** bijoux.

• **Ce** petit **cachottier** ne m'avait pas dit qu'il partait pour deux ans en Argentine !

• Avant Noël, le petit garçon a regardé **à la dérobée** = **furtivement** = **subrepticement** ce que **renfermait** le placard de ses parents. Heureusement, ils avaient **enfoui** les cadeaux sous un tas de vieux chiffons.

• C'est la banque qui **détient** le code secret de **ce coffre-fort**.

• Elle **murmure** = **chuchote** = elle **parle en aparté** à son voisin, on ne sait pas ce qu'elle cache. Elle parle **trop bas** et **de manière indistincte**.

• Le garçon est entré **clandestinement** sur le bateau, c'était un passager **clandestin**.

• L'étudiant tente de **pallier** son manque de connaissances par un ton assuré.

EXERCICES

1 **Répondez aux questions par une phrase complète.**

1. Votre collègue a explicitement reconnu son erreur ? – Non, ____________
2. Il a déclaré sa fortune au fisc ? – Non, au contraire, ____________
3. Il s'agit d'un secret bien gardé ? – Pas du tout, ____________
4. Le diplomate est venu officiellement ? – Non, ____________
5. Grégoire a regardé franchement la jeune fille ? – Non, pas du tout, ____________
6. Le scandale a été révélé ? – Non, au contraire, ____________

2 **Complétez.**

1. La déclaration du ministre n'est qu'un ____________ de fumée !
2. Personne ne savait qu'Eugène conseillait le maire, Eugène est ____________ du maire.
3. C'est dommage, ce nouvel immeuble nous ____________ la vue sur la mer.
4. Stéphanie est une ____________, elle ne nous avait pas dit qu'elle attendait un bébé !
5. Je ne comprends pas ce texte non seulement obscur mais vraiment ____________.
6. Les jeunes gens ont passé la frontière ____________, ils n'étaient pas en règle.

3 **Trouvez une autre manière de dire.**

1. J'ai pu partir sans que personne s'en aperçoive. ____________
2. Ils parlent à voix très basse pendant la réunion, c'est désagréable. ____________
3. La famille a tenu plusieurs réunions discrètes pour parler de l'avenir des enfants. ____________
4. Angélique ne veut pas faire ombrage aux autres jeunes filles du fait de sa beauté. ____________
5. Nous ferons de notre mieux pour cacher le manque de moyens financiers ! ____________
6. Les gardes du corps ont caché la princesse pour que les passants ne la voient pas. ____________

4 (12) **Écoutez les phrases et faites un commentaire en employant des expressions imagées présentées dans l'ensemble du chapitre.**

1. ____________
2. ____________
3. ____________
4. ____________
5. ____________
6. ____________

5 **À vous ! Répondez aux questions par des phrases complètes.**

1. Connaissez-vous des secrets de Polichinelle ?
2. Vous est-il arrivé de faire quelque chose en catimini* ?
3. Dans votre pays, des scandales ont-ils été étouffés ?
4. Pouvez-vous donner un exemple d'un « écran de fumée » ?

7 ÉNERGIE ET FATIGUE

L'ÉNERGIE

• Solange avait marché pendant toute une journée et était très fatiguée. Mais après une bonne nuit de sommeil, elle est à nouveau **fraîche et dispose**. D'ailleurs, elle **est sur pied** *(active)* depuis 7 heures ce matin !

• **Ménage-toi, ménage** = **économise tes efforts** / **ton énergie** = **tes forces**, ne **te fatigue** pas !

• Heureusement, notre secrétaire est vive et **dégourdie** *(= active et efficace).*

• Jules a été malade et fatigué, mais il **a retrouvé son énergie** = il **a récupéré** = il « **a repris du poil de la bête** » ! Il a **du ressort** = **de la vitalité** = **des forces** !

• Cette athlète doit **redoubler d'énergie**, **déployer toute son énergie** si elle veut battre le record du monde. Bien sûr, **son endurance** est remarquable, mais il lui faudra **une énergie indomptable** pour réussir cette épreuve. Heureusement, elle est **infatigable** = **increvable*** !

• Cette vieille dame est **pleine d'allant** = **d'entrain** = **de vivacité**. Son mari, lui aussi, est resté **vigoureux** ! **Sa vigueur** = **son tonus** surprend son entourage.

• L'auteur **s'investit** *(= met son énergie)* **dans** le livre qu'il écrit. Pour le finir à temps, il **travaille d'arrache-pied** *(= énormément et intensément)* et relit **inlassablement** *(= sans arrêter)* son texte.

• **Avec l'énergie du désespoir**, le naufragé est parvenu à se hisser sur un radeau, ce qui lui a sauvé la vie.

• Le don de ce généreux mécène **a donné de l'élan** = **une impulsion** au projet d'exposition (≠ **a marqué le coup d'arrêt** du projet).

• Demain aura lieu **le coup d'envoi** *(= le début énergique)* du tournoi des six nations.

• Avec toute **la fougue** = **l'ardeur** = **la flamme** de la jeunesse, Adrien **a foncé tête baissée** dans ce projet !

• Ce vieil avocat montre encore de **la combativité** = il a gardé **le goût de la lutte**, il est resté **combatif**.

• Après un moment de découragement, Léo **s'est ressaisi**, il a repris courage.

EXERCICES

1 **Choisissez le ou les terme(s) possible(s).**

1. La cérémonie a marqué [le coup] [l'impulsion] [l'élan] d'envoi des Jeux olympiques.
2. Ces jeunes gens ont [de la lutte] [du ressort] [d'arrache-pied], ils sont dynamiques.
3. Ils ont [retrouvé] [déployé] [donné] toute leur énergie.
4. Elle montre [l'allant] [l'entrain] [l'énergie] du désespoir.
5. Tu devrais [économiser] [ménager] [redoubler] tes forces.
6. Elle a [de l'endurance] [la fougue] [une énergie indomptable].

2 **Les phrases suivantes sont-elles de sens équivalent ?**

1. Elle a repris du poil de la bête = elle s'est ressaisie.
2. Ils marchent avec entrain = ils économisent leurs forces.
3. Elle est restée combative = elle a des forces pour se défendre.
4. Ils sont sur pied = ils travaillent d'arrache-pied.
5. Elle ne manque pas d'allant = elle a de la vivacité.
6. Il est frais et dispos = il fonce tête baissée.

3 **Complétez.**

1. Toute l'équipe ______________________ dans ce projet, tout le monde considère qu'il est important.
2. Quand on est entrepreneur, il faut avoir ______________________________, il faut être combatif.
3. Après une période de déprime, Naïma a repris ______________________________________.
4. Cette jeune artiste est passionnée par son travail, elle y met toute ________________ de la jeunesse.
5. Laurence impressionne son entourage, elle a toujours du ______________, elle n'est jamais fatiguée !
6. Cet homme politique fonce ______________________________________ dans le débat.

4 (13) **Écoutez et faites des commentaires sur les personnes présentées en vous aidant du vocabulaire de la page ci-contre.**

1. ____
2. ____
3. ____
4. ____
5. ____

5 **À vous ! Répondez librement aux questions par des phrases complètes.**

1. Connaissez-vous des personnes âgées encore pleines d'entrain ? Pouvez-vous décrire leurs activités ?
2. Après une période de découragement, qu'est-ce qui vous aide à vous ressaisir ?
3. Considérez-vous que vous avez de l'endurance ? Pourquoi ?

LA PASSIVITÉ

• Ces jeunes souffrent de **désœuvrement**, ils sont **désœuvrés** = **ils n'ont rien à faire**, ils **s'ennuient à mourir**. « **L'oisiveté** est mère de tous les vices », dit le proverbe.
• L'adolescent est resté **avachi*** = **affalé*** = **vautré** sur le canapé toute la journée. Il est enfin sorti de **son apathie,** ses copains l'ont arraché à **son inertie**.

• Le professeur trouve que les élèves **ne se donnent pas de peine** : « les élèves **ne se foulent* pas** » = ils « **ne se cassent pas la tête** » ! Ils **ont la flemme* de** travailler : ce sont des **feignants*** = **des flemmards*** = **des** « **tire-au-flanc*** » ! Ils « **ont un poil* dans la main** » *(argot).*
• Dimanche dernier, Sonia **a** un peu **paressé**, elle n'a pas fait grand-chose. Pourtant, ce n'est pas **une oisive** !
• Ce médicament provoque **un état de léthargie** : on se sent tout ensommeillé, on est dans un état **léthargique**.
• La situation économique **est atone** = elle **stagne** : **cette atonie** = **cette stagnation** est inquiétante. L'opposition critique **l'immobilisme** du gouvernement.
• Où en sont tes recherches ? – Elles « **sont au point mort** », elles n'avancent pas.
• Cette jeune fille ne fait rien, elle est **indolente** = **molle**, **son indolence** et **sa mollesse** m'exaspèrent. Son frère aussi montre **de la nonchalance**, mais cela ne manque pas de charme.
• Élise n'a aucune autorité ni énergie, elle est un peu **gnangnan***, c'est « **une chiffe* molle** » !
• Dans les embouteillages, on **fait du sur-place**, on n'avance pas.
• Au lieu de **se prélasser** au soleil, il ferait mieux de m'aider ! Il « **se la coule douce** » !

EXERCICES

1 Choisissez le ou les terme(s) possible(s).

1. Ils sont | vautrés | oisifs | nonchalants | sur le canapé !
2. Thérèse ne fait rien, elle est | désœuvrée | gnangnan* | au point mort |.
3. Albert est | atone | flemmard* | feignant* |, il a horreur de travailler.
4. | Le désœuvrement | la léthargie | la nonchalance | entraîne souvent la délinquance chez les jeunes.
5. Nous déplorons | l'atonie | l'indolence | la stagnation | des marchés en ce moment.

2 Trouvez une autre manière de dire.

1. Il ne fait rien de toute la journée, sa vie est facile ! ____________________
2. Nous avons du mépris pour cet homme qui n'a aucune autorité ! ____________________
3. Honnêtement, les étudiants n'ont vraiment pas beaucoup travaillé pour cet examen ! ____________________
4. Ce garçon est allongé sans énergie sur le canapé toute la journée ! ____________________
5. Tout le monde souffre de l'absence de dynamisme économique. ____________________
6. Par nature, Jacqueline aime rester à ne rien faire. ____________________
7. Éléonore est très paresseuse ! ____________________

3 Complétez.

1. Les négociations sont ____________________, elles sont bloquées.
2. Carole commence à sortir de ____________________ provoquée par la canicule.
3. Mon fils a ____________________ dans la main, il est terriblement paresseux.
4. Qu'il est agréable de s'installer dans le jardin et de ____________________ au soleil !
5. Ça fait une heure que je suis bloqué sur l'autoroute, je fais du ____________________.
6. Oh, j'ai ____________________ de faire le ménage aujourd'hui, je n'en ai pas envie.

4 (14) Écoutez et dites si les phrases sont vraies ou fausses.

1. Il ne fait pas grand-chose !
2. Ce sont des chiffes* molles.
3. Tu ne t'es pas cassé la tête !
4. Le projet de loi n'a pas évolué.
5. Matthieu s'ennuie à mourir.
6. Félix est un tire-au-flanc*.

5 À vous ! Répondez librement aux questions par des phrases complètes.

1. Vous arrive-t-il de vous « la couler douce » ? Dans quelles circonstances ?
2. Avez-vous tendance à vous affaler* ? Pourquoi ?
3. Êtes-vous d'accord avec le proverbe « L'oisiveté est mère de tous les vices » ? Pourquoi ?
4. Pensez-vous qu'une certaine nonchalance peut avoir du charme ?

LA FATIGUE

Fatigue plutôt physique

• J'ai marché pendant toute la journée en montagne, je suis **crevé(e)*** = **claqué(e)*** = **moulu(e)*** = **fourbu(e)** = **sur les genoux*** = **sur les rotules*** = **rompu(e)** = **vanné(e)** = **exténué(e)** = **harassé(e)**. **J'en ai** « **plein les bottes*** » = **j'ai les jambes** « **en compote*** ». Demain, j'**aurai des courbatures** *(= des douleurs musculaires)* : je serai **courbatu(e)** = **courbaturé(e)**.
• Cécile **titube de fatigue** = elle **ne tient pas debout** = elle **est ivre** = **morte de fatigue**. Il faudra qu'elle **se remette de** sa fatigue !
• Je suis simplement un peu **flagada*** = **raplapla***.

Fatigue physique ou mentale

• **Par lassitude**, la mère a permis à son fils de partir car elle est **usée par la fatigue**. Il est vrai qu'elle **se lasse** vite **des** demandes répétées de son fils.
• Je **me crève*** = **m'épuise au** travail et personne ne s'en aperçoit !
• Tu **me fatigues** avec tes plaintes continuelles !
• Le rescapé de l'accident **a les traits creusés par la fatigue** = **il a les traits tirés**. Il **a la mine défaite**, il est **blême** *(= blanc)* **de fatigue** = il est **livide** *(= très pâle)*.
• L'étudiant a trop travaillé au moment de ses examens. Il est **vidé*** = **pompé*** = **lessivé*** = **éreinté** = « **KO*** » *(= knocked out)* = « **HS*** » *(= hors service)*.
• Après une journée entière passée en réunion, elle est **à plat** = **à bout de forces** = **elle n'en peut plus** !
• Charlotte est **surmenée,** elle travaille intellectuellement au-delà de ses forces. **Le surmenage** est dangereux pour la santé.

Fatigue brève, mais intense

• Hier soir, j'**ai eu** « **un coup de barre** », j'ai été très fatigué(e) pendant quelques minutes. **J'ai** souvent « **un coup de pompe** » dans la journée, mais j'espère retrouver mon énergie.
• Entre la fièvre et les médicaments, je suis « **dans les vapes** » = « **dans le cirage** » = « **dans le coaltar*** » = je me sens **vaseux (-euse)**.
• Oh là là, je **n'ai pas** « **les yeux en face des trous** » ! Je suis fatigué(e) et je fais des bêtises.

EXERCICES

1 Choisissez la bonne réponse.

1. Nous en avons « plein les | bottes | chaussures | ».
2. Il travaille trop, il souffre de | cirage | surmenage |.
3. Ils ont les traits | défaits | tirés |.
4. Cette infirmière de nuit est | usée | moulue | par la fatigue.
5. Il se | lasse | crève* | au travail.
6. J'ai eu un petit coup de | vapes* | pompe* |.
7. Il est | surmené | vanné | par ce travail dur physiquement.

2 Trouvez une autre manière de dire.

1. Elle est <u>blanche</u> de fatigue. ______
2. Hugues a <u>mal aux muscles des jambes</u>. ______
3. Sébastien <u>n'a plus aucune force</u>. ______
4. <u>Tu travailles beaucoup trop et tu es trop stressé</u> ! ______
5. Ils <u>ont vraiment trop marché</u>. ______
6. Il est <u>un peu fatigué</u>. ______

3 Les phrases suivantes sont-elles de sens équivalent ?

1. Elle a les traits tirés = elle est raplapla*.
2. Ils n'en peuvent plus = ils sont à bout de forces.
3. Elle est sur les rotules* = elle est dans les vapes*.
4. Il a un coup de barre* = il est courbatu.
5. Elles sont claquées* = elles sont vannées.

4 Commentez l'état de ces personnes en vous aidant de la page ci-contre.

1. Il travaille jour et nuit, il est stressé, sa santé s'en ressent. ______
2. Pendant cette longue soirée, il a eu un bref moment de fatigue. ______
3. Nous revenons d'une randonnée de six heures dans les Alpes et nous sommes très fatigués ! ______
4. Elle a repeint son appartement, elle a constamment utilisé son bras droit, qui n'est pas très musclé. ______
5. Les étudiants ont passé huit examens en cinq jours ! ______
6. Cela fait trois nuits de suite qu'il dort très peu, le pauvre. ______

5 À vous ! Répondez librement aux questions par des phrases complètes.

1. Dans quelles circonstances pouvez-vous avoir un coup de pompe* ?
2. Vous est-il arrivé d'être « sur les rotules » après un effort physique ? Pourquoi ?
3. Quels sont pour vous les symptômes du surmenage ?

DORMIR

• Après ce copieux repas, Albert avait sommeil : il a « **piqué du nez** » = il **a** « **piqué un roupillon*** » = il **a fait un petit somme** dans son fauteuil. D'ailleurs, il **roupille*** souvent après les repas.

• Dans le train, tout le monde **somnole** = **sommeille**. Moi aussi, je **me suis assoupi**(**e**) quelques instants.

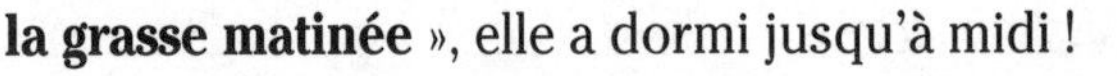

• Il faut faire attention avec certains médicaments qui provoquent **la somnolence**.

• Léonard est **somnambule**, il marche en dormant.

• Dimanche matin, Lise « **a fait la grasse matinée** », elle a dormi jusqu'à midi !

• Madeleine est épuisée, elle « **tombe de sommeil** » = elle « **dort debout** ».

• Le petit garçon dort ? – Oh oui, il **dort** « **à poings fermés** » *(= profondément).*

• Après une journée de ski, **j'ai dormi** « **comme un loir** » = « **comme une souche*** » = « **comme une marmotte** ». J'ai **bien dormi et profondément**. Cela m'a fait du bien, car normalement, je suis **insomniaque** = je **souffre d'insomnies** = je **passe des « nuits blanches »** = je **ne ferme pas l'œil de la nuit**.

• Rémi est très inquiet, il **n'en dort plus** = il **en perd le sommeil** (≠ il peut **dormir tranquille** = il peut **dormir** « **sur ses deux oreilles** »).

• Les jeunes parents « **ne dorment que d'un œil** », car ils sont un peu inquiets pour leur bébé.

• Corentin a du mal à **s'endormir**. **L'endormissement** est difficile.

• On va se coucher ? – Oui, bonne idée, « **dodo** » !

Remarque. « **Faire dodo** » est un mot d'enfant pour « dormir », mais il est aussi employé de manière plaisante par les adultes, par exemple dans la fameuse expression parisienne « métro-boulot-dodo ».

• On « **a laissé dormir** » ce document dans un placard, on l'y a oublié *(volontairement ou non).*

SE RÉVEILLER

• C'est le réveil qui **m'a tiré(e) du lit** ce matin… Quand **j'ai ouvert les yeux**, il faisait déjà soleil. **J'ai sauté du lit** car j'allais être en retard.

• Tu **es déjà debout**, à 6 heures du matin ? Tu **es tombé du lit**, ma parole !

• Il a commencé à travailler **au saut du lit** *(= de bon matin).*

EXERCICES

1 **Choisissez le ou les terme(s) possible(s).**

1. Le petit garçon dort | comme un loir | debout | au saut du lit | comme une souche* |.
2. La jeune femme passe | des insomnies | la grasse matinée | des nuits blanches | un somme |.
3. Il | a fait | a sauté | est tombé | a dormi | du lit.
4. Il s'est | dormi | endormi | assoupi | somnolé |.
5. Elle a fait | un somme | dodo* | à poings fermés | le sommeil |.
6. Il tombe | de sommeil | d'insomnie | d'un œil | du lit |.

2 **Complétez.**

1. Je crois que je vais ____________ un petit roupillon*.
2. Roland est ____________ depuis plus d'une heure, il est déjà prêt à partir.
3. Serge dort mal, il est ________________.
4. La dame ______________ quelques minutes pendant la conférence.
5. Valentin a très bien dormi, il a dormi comme ______________.
6. Germaine n'a pas dormi de la nuit, elle n'a pas fermé ______________.
7. Ils dormaient profondément, ________________.

3 **Trouvez une autre manière de dire.**

1. Tu n'as aucun souci à te faire ! ____
2. Dimanche dernier, ils ont dormi jusqu'à onze heures du matin. ____________________
3. Je connais une personne qui marche en dormant. __________________________________
4. Ils nous ont appelés juste au moment où nous nous levions. ______________________
5. Marius n'a absolument pas dormi cette nuit. ____________________________________
6. Après une grande randonnée en montagne, elle a très bien dormi. __________________
7. La petite fille a dormi pendant une vingtaine de minutes cet après-midi. ____________
8. Oh là là, j'ai extrêmement sommeil ! ____

4 15 **Écoutez les phrases et faites un commentaire en employant des expressions imagées.**

1. ____
2. ____
3. ____
4. ____
5. ____

5 **À vous ! Répondez librement aux questions par des phrases complètes.**

1. Comment dormez-vous, en général ?
2. Vous arrive-t-il de piquer du nez ?
3. Connaissez-vous quelqu'un atteint de somnambulisme ?

8 EFFORTS ET ACTIONS

FAIRE DES EFFORTS

• Les parents **s'évertuent à** = **s'escriment* à** donner une bonne éducation à leurs enfants = **ils se donnent beaucoup de peine** pour les éduquer.
• Félix **s'efforce inlassablement d'**inculquer des notions de grec à ses élèves. Il **s'acharne** = **se tue* à** leur enseigner le grec, mais **au prix de gros efforts** !
• Nous devons **unir nos efforts pour** parvenir à un accord.
• Pour acheter cette maison, je dois **faire un petit effort** (**financier**).
• Le chercheur **tâchera de** rédiger son article avant la fin du mois.
• Ce vieux monsieur **s'astreint à** faire de l'exercice tous les jours. **Cette astreinte** porte ses fruits, puisqu'il est très en forme !
• Elle **s'ingénie à** nous rendre la vie agréable, elle fait tout ce qu'elle peut.
• Il va **tenter de** nous rejoindre, il **fera l'impossible** même s'il ne sait plus où donner de la tête.
• J'ai « **fait des pieds et des mains** » = j'ai « **remué ciel et terre** » = je **me suis démené(e)*** = je **me suis** « **cassé la tête** » = je **me suis donné beaucoup de mal pour** obtenir ce visa !

HÉSITER À AGIR

• Nous sommes devant **un cruel dilemme**, car les deux solutions sont mauvaises ! Nous devons **peser le pour et le contre**, mais à force de « **tourner autour du pot** », nous allons énerver nos partenaires commerciaux. Nous ne pouvons pas **différer** = **retarder** notre décision trop longtemps. Nous **avons** suffisamment **fait traîner les choses** et nos partenaires **ne savent pas** « **sur quel pied danser** ».
• Laurent s'est montré très prudent, voire **circonspect** = il « **marche sur des œufs** ». **La circonspection** est d'usage chez les diplomates, qui s'efforcent de **temporiser**, car ils **attendent le moment propice** pour avancer.
• Le directeur ne prend pas de décision : il « **joue la montre** ». Tout le monde lui reproche **ses atermoiements** = **ses tergiversations**. Dans certains cas, **tergiverser** = **louvoyer** = **atermoyer** devient contre-productif !
• Les enquêteurs **avancent à tâtons**, ils n'ont pas de piste sûre, ils **tâtonnent**. À force de **tâtonnements**, ils finiront par y voir plus clair.
• Personne ne sait vraiment quoi faire. Tout le monde est **perplexe** = **hésitant** = **indécis** = **irrésolu.** Le résultat de la réunion s'avère donc **incertain**.
• La décision **a été ajournée** *(= remise),* ce qui laisse **un répit** aux participants.

EXERCICES

1 **Les phrases suivantes sont-elles de sens équivalent ?**

1. Antonin pèse le pour et le contre = il ne sait plus sur quel pied danser.
2. Max s'évertue à entraîner les garçons au football = il se donne beaucoup de peine pour les entraîner.
3. Joseph joue la montre = il est perplexe.
4. Élodie fera l'impossible pour venir malgré la grève des transports = elle remuera ciel et terre pour venir.
5. Il ne peut plus différer la signature du contrat = il ne peut plus la retarder.

2 **Trouvez une autre manière de dire.**

1. Ils essayeront d'arriver avant 20 heures à la maison. ______________________________
2. Il fera le maximum pour terminer son travail avant ce soir. ______________________________
3. Elle se force à faire un régime pour garder la ligne. ______________________________
4. Le ministre ne répond pas aux questions, il cherche à gagner du temps. ______________________________
5. La conférence a été remise à une date ultérieure. ______________________________
6. Les élèves ne savent plus quoi décider. ______________________________

3 **Complétez.**

1. Il ______________________________ ciel et terre pour trouver une solution.
2. Ils cherchent à retarder la décision, ils ______________________________ la montre.
3. Dans cette négociation délicate, vous devez ______________________________ sur des œufs.
4. Inutile de ______________________________ autour du pot, dis-moi la vérité !
5. Il va falloir ______________________________ le pour et le contre avant d'agir.
6. Il se ____________________ la tête à préparer de bons desserts sans sucre pour sa femme diabétique.
7. Je me ______________________________ du mal pour organiser cette fête.

4 (16) **Écoutez et expliquez ce que font ces personnes en employant des expressions imagées.**

1. ______________________________
2. ______________________________
3. ______________________________
4. ______________________________
5. ______________________________

5 **À vous ! Répondez librement aux questions par des phrases complètes.**

1. Dans quelles situations pouvez-vous remuer ciel et terre ?
2. Vous est-il arrivé de ne pas savoir sur quel pied danser ?
3. Vous arrive-t-il de jouer la montre ?
4. Avant de prendre une décision pour votre vie, passez-vous beaucoup de temps à peser le pour et le contre ?

DÉCIDER

• Maintenant que tu **es au pied du mur**, il faut que **tu te décides** enfin à agir !
• Elle **a pris la ferme résolution de** s'occuper de sa santé. Elle **s'est mis en tête de** = **s'est résolue à** faire du sport.
• Entre ces différentes options, nous avions du mal **à prendre parti. En désespoir de cause**, nous nous sommes adressés à François et c'est lui qui **a tranché**. Un peu énervé, il **a « tapé du poing sur la table »** puis, sans consulter personne, **a décrété que** la première option était la meilleure. Cela **a réglé** le problème !
• Le gouvernement **a pris des mesures en faveur des** plus démunis. Les mauvais chiffres du chômage **ont hâté** = **ont précipité la décision** du gouvernement.
• Les députés ne sont pas sûrs de voter pour cette loi, ils **se détermineront** = **se prononceront** quand ils en connaîtront les détails.
• Je pensais aller dans un bon restaurant, mais comme il était complet, je **me suis rabattu sur** une simple crêperie. Pourtant, on m'avait recommandé de ne pas **me hasarder** dans ce quartier !
• Pendant longtemps, Claire a hésité à acheter un appartement, mais finalement **elle « a sauté le pas »** !

AGIR À CONTRECŒUR

• Ils ont passé de bonnes vacances en Italie et ils en sont partis **à regrets** !
• Ces exercices sont assez **rebutants**, et même **rébarbatifs** *(≠ attirants)*.
• Les salariés **rechignent** = **renâclent à** accomplir ces tâches ennuyeuses, ils manifestent **leur mauvaise volonté** : ils **« traînent des pieds »**, ils les font **contre leur gré (≠ de leur plein gré)** = **à contrecœur (≠ de gaieté de cœur)** = **à leur corps défendant**.
• La vieille dame **s'est résignée à** quitter sa maison, à laquelle elle tenait tant. On lisait **la résignation sur** son visage, car elle est partie **la mort dans l'âme**.
• Kevin est sorti légèrement handicapé de son accident, mais il **« en a pris son parti »** : il **est assez fataliste** et accepte son sort. C'est **du fatalisme** !
• Pour aller voir son vieil oncle grincheux – ce qui est **une corvée** *(= c'est fastidieux)* –, Léa **s'est tapé*** *(= a dû faire, et c'est pénible)* dix heures de route.
• Arnaud **se sacrifie pour** Audrey. Il **fait des sacrifices pour** elle *(= il agit uniquement pour son bien à elle)*.
• Franchement, son apparence me **rebute**, elle ne me donne pas envie de lui parler.

EXERCICES

1 Choisissez le ou les terme(s) possible(s).

1. Les enfants | rechignent | renâclent | se résignent | se prononcent | à faire leurs devoirs.
2. Maintenant, Antoine est | en tête | au pied du mur | fataliste | en désespoir de cause |.
3. Éric va | se décider | se résigner | se déterminer | se rabattre | dans les jours qui viennent.
4. Matthieu | a tapé du poing sur la table | a sauté le pas | s'est mis en tête | a traîné les pieds |.
5. Le père s'est | hasardé | résolu | tapé* | sacrifié | pour ses enfants.
6. Cet article scientifique est assez | ferme | rébarbatif | rebutant | fataliste |.

2 Trouvez une autre manière de dire.

1. Puisque les collègues n'ont pas très envie de prendre une décision, c'est Simon qui décidera. ____________________
2. L'annonce de la grève a rendu urgent notre départ. ____________________
3. Ce genre de travail n'est vraiment pas attirant. ____________________
4. Armelle a décidé, sans rien demander à personne, que la réunion aurait lieu mardi matin. __________
5. C'est toujours moi qui fais le travail désagréable ! C'est injuste ! ____________________
6. Hugo a accepté la situation : il ne participera pas à la compétition à cause de sa blessure. ____________________
7. Valérie s'est résolue à se faire construire une maison à la campagne. ____________________
8. Sami a accepté ce travail à contrecœur. ____________________

3 Complétez.

1. La municipalité a pris des ____________________ en faveur de la culture.
2. Je déteste faire le ménage, c'est une ____________________ pour moi !
3. Les jeunes gens se sont séparés la mort dans ____________________.
4. Pendant longtemps, ils se sont révoltés contre cette situation, mais maintenant ils __________. Ils sont devenus fatalistes.
5. Margot fait ses études contre le ____________________ de ses parents, qui ne voulaient rien savoir.
6. Nous cherchions un hôtel au bord de la mer, mais tout était complet. Nous __________ sur une petite auberge en pleine campagne.
7. Le responsable du personnel a organisé les licenciements à son corps ____________________.
8. Les adolescents n'ont pas caché leur mauvaise ____________________, ils ____________________ à faire ce travail qu'ils trouvent ____________________ !

4 À vous ! Répondez librement aux questions par des phrases complètes.

1. Vous est-il arrivé d'agir à contrecœur, dans votre vie professionnelle ou personnelle ?
2. Avez-vous parfois « tapé du poing sur la table » ?
3. Pour quelle(s) décision(s) pourriez-vous dire que vous avez « sauté le pas » ?
4. Avez-vous parfois dû faire des sacrifices ?

AGIR

• Plusieurs pays ont décidé d'**intervenir militairement** dans ce conflit = **l'intervention armée** a été approuvée par le parlement. Pourtant, les diplomates **avaient œuvré pour / en faveur d'**une solution politique.

• « Nous **mettrons en œuvre tous les moyens nécessaires pour** résoudre ce problème », a déclaré le Premier ministre dans **son intervention** télévisée. « Nous **agirons au coup par coup** = nous **mènerons des actions ponctuelles**, par souci de pragmatisme ». **Dans la lancée** = **dans la foulée**, le Premier ministre a annoncé la tenue d'une réunion interministérielle.

• Pour construire cette école, la municipalité **a eu recours** = **a fait appel à** une entreprise de la région. Le maire **avait lancé ce chantier** dès son élection.

• Finalement, Sonia a « **pris le taureau par les cornes** ». Elle **a** un peu **brusqué les choses**, mais il est certain qu'il fallait **aller de l'avant** !

• La discussion était au point mort : à ce moment-là, Arthur **a joué** « **le tout pour le tout** » = « **sa dernière carte** » = « **son va-tout** ». Il **s'est employé à** = il **a manœuvré de manière à** convaincre ses adversaires de le soutenir = **il a fait en sorte qu'**ils le soutiennent = il **s'est arrangé pour qu'**ils lui apportent leur soutien.

• Désormais, Ronan a décidé de **se consacrer à** la musique. Il va pouvoir enfin **s'adonner à** sa passion pour le violon.

• Les syndicats **se mobilisent contre** (≠ **pour**) ce projet de loi. Ils espèrent **une mobilisation** nationale et ils **se sont empressés** *(= se dépêcher de faire)* **d'**appeler à la grève pour mardi prochain.

• Les douaniers **font du zèle**, ils contrôlent absolument tout à la frontière. « **L'enfer est pavé de bonnes intentions** » : ils recherchent un trafiquant de drogue, mais ils créent d'interminables embouteillages ! Il est vrai qu'ils **ont toute latitude** *(= liberté d'action)* de prendre le temps nécessaire.

• Après sa première médaille, l'athlète **a récidivé**, il **a réitéré son exploit**. Il a gagné une autre médaille, mais **ça ne s'est pas fait tout seul**, c'était un gros effort.

• Pour finir le chantier à temps sans **exercer** de pression **sur** les ouvriers, comment allez-vous **procéder** ? **Quel dispositif** allez-vous **mettre en place** ?

• Dans un monde globalisé, le pays ne peut pas **faire cavalier seul** *(= agir seul)*.

EXERCICES

1 Choisissez le ou les terme(s) possible(s).

1. Le maire a [pris] [attrapé] [mis] [fait] le taureau par les cornes.
2. Il a fait [de bonnes intentions] [du zèle] [en place] [cavalier seul].
3. Louise pourra [s'adonner] [œuvrer] [manœuvrer] [se consacrer] à la poésie.
4. Le gouvernement doit [s'empresser] [intervenir] [agir] [faire appel] au plus vite.
5. La municipalité mettra [en place] [en œuvre] [du zèle] [toute latitude] un système d'aide au logement.

2 Les phrases suivantes sont-elles de sens équivalent ?

1. Sébastien va jouer son va-tout = il va jouer sa dernière carte.
2. Vincent fait cavalier seul = il joue le tout pour le tout.
3. Elle a décidé d'agir au coup par coup = elle s'est empressée d'agir.
4. Ils ont pris le taureau par les cornes = ils ont entamé une action énergique.
5. Bertrand aura recours à un électricien = il fera appel à un électricien.
6. Lucienne s'est employée à aider les enfants = elle a fait en sorte de les aider.

3 Complétez.

1. La direction de l'entreprise ______________ en sorte que les salariés ne perdent pas de pouvoir d'achat.
2. Le professeur ______________________________ que les étudiants obtiennent de bons résultats.
3. Maintenant qu'il est en retraite, Alain peut ____________________ à sa grande passion, la peinture.
4. L'armée ____ des actions ponctuelles.
5. C'est le ministre de la Culture qui a _________________________ ce chantier il y a quelques mois.
6. ___________________________ est pavé de bonnes ______________________________ !
7. Il va à la poste et, dans _________________________________ , il fait aussi les courses pour ce soir.

4 Trouvez une autre manière de dire.

1. Nicolas <u>s'est arrangé pour</u> obtenir l'accord de son patron. ______________________________
2. Irène <u>a renouvelé</u> sa demande. ______________________________
3. Il est important d'<u>avancer</u> dans ce projet. ______________________________
4. <u>Dans le même mouvement</u>, la direction a annoncé un plan social. ______________________________
5. Les participants aux négociations <u>ont travaillé</u> en faveur d'un compromis. ______________________________
6. Corentin <u>prend les décisions et travaille seul</u>. ______________________________

5 À vous ! Répondez librement aux questions par des phrases complètes.

1. Vous est-il arrivé de « jouer le tout pour le tout » ?
2. Dans quelles circonstances pensez-vous que le proverbe « l'enfer est pavé de bonnes intentions » peut se révéler juste ?
3. Connaissez-vous des personnes qui font du zèle ? De quelle manière ?

NE PAS VOULOIR AGIR

• Je **répugne à** réprimander cet élève, qui est si fragile psychologiquement. Cependant, je reconnais qu'il est **réfractaire à** tout effort !

• Le ministre s'est montré **réticent sur** cette proposition. Il **a exprimé ses réticences** dans une interview, mais il **s'est abstenu de** critiquer ses collègues du gouvernement.

• Devant tant de difficultés, la tentation est grande de « **baisser les bras** ».

• Je ne viendrai pas à cette réunion, **j'ai** « **d'autres chats à fouetter** » = d'autres choses plus importantes à faire ! D'ailleurs, **je ne peux pas être partout** = je ne peux pas être « **au four et au moulin** » !

• À la suite des énormes manifestations, le gouvernement **a reculé** = **a** « **fait machine arrière** » = « **a battu en retraite** ». **Cette reculade** a conforté les manifestants dans leurs revendications.

• Kamel m'a **dissuadé** = **déconseillé** de m'adresser directement à Olivia.

• Vincent devait intervenir dans le séminaire, mais il nous « **a fait faux bond** » = il **s'est désisté** à la dernière minute *(= il a annulé sa participation)*. **Ce désistement** nous a contrariés, car nous avons été obligés de « **faire l'impasse** » **sur** plusieurs sujets importants. Heureusement, les autres participants ne nous ont pas **fait défaut**. **Une** autre **défection** aurait été désastreuse, nous aurions dû **renoncer à** organiser ce séminaire.

• Submergée par la somme de tâches à accomplir, Zohra a failli **perdre pied**. Heureusement, avec l'aide d'Adèle, elle est parvenue à **reprendre pied**.

• L'entreprise **a cessé** *(= arrêté)* toute activité. Son activité **est suspendue** pour le moment.

• Il n'y a plus de tarte ? Eh bien, je **m'en passerai** ! Pourtant, j'ai du mal à **me passer** = **me priver de** dessert.

• La petite fille **a été dispensée de** sport pour raisons de santé, on l'a autorisée à ne pas en faire. Son médecin lui a donné **une dispense**.

• L'animal est **immobilisé** = **figé** par la peur.

• Avec l'âge, on redoute **la sclérose** physique et intellectuelle *(= la rigidité)*. Il est important de ne pas **se scléroser** !

• La crise économique a entraîné **le gel** *(= l'arrêt)* de certaines décisions et **a mis un terme à** plusieurs projets. D'autres restent **en suspens** *(= en attente)*.

EXERCICES

1 Trouvez une autre manière de dire.

1. Mes amis ne sont pas très enthousiastes à l'idée de participer à cette cérémonie. ______
2. Le conférencier a annulé sa participation la veille du colloque ! ______
3. Clément n'a pas voulu donner son opinion sur la question. ______
4. Finalement, nous ne partirons pas en voyage, cela nous coûterait trop cher. ______
5. Comme il est diabétique, il ne doit absolument pas manger de sucre, alors qu'il adore ça. ______
6. Le vieux médecin a arrêté son activité. ______
7. Franchement, notre chef a des choses plus importantes à faire ! ______
8. La maman ne peut pas être partout ! ______

2 Complétez.

1. Le conférencier a fait faux ______, nous avons donc dû faire ______ sur plusieurs sujets qui devaient être traités.
2. Gaël redoute de ______ pied, car le projet dont il est chargé est très complexe.
3. Cet étudiant a été ______ de cours d'espagnol, car il est déjà bilingue.
4. Fort heureusement, les malfaiteurs ont battu ______ avant de commettre leur vol.
5. Le professeur ______ son étudiant de choisir ce thème de recherche, qui est à la fois trop complexe et trop vaste.
6. Nous ne devons pas ______ les bras !
7. Les syndicats ont exprimé des ______ sur ce projet.
8. Dans des situations extrêmes, beaucoup de gens sont ______ par la peur, ils ne bougent pas.

3 (17) Écoutez et faites un commentaire en employant des expressions imagées.

1. ______
2. ______
3. ______
4. ______
5. ______
6. ______

4 À vous ! Répondez librement aux questions par des phrases complètes.

1. Avez-vous parfois l'impression d'être au four et au moulin ?
2. Avez-vous tendance à baisser les bras ?
3. Vous est-il arrivé de faire faux bond à quelqu'un ?
4. Existe-t-il dans votre langue une expression analogue à « avoir d'autres chats à fouetter » ?
5. De quoi ne pouvez-vous pas vous passer ?

9 LA PERSONNALITÉ

Au cours de l'enfance, **la personnalité se développe**, **s'affirme**, **se forge**. Certains traits de caractère font partie de **la nature profonde** d'un individu.

ASPECTS SOMBRES

• Norbert est **cynique**, il fait preuve de **cynisme**, c'est **une de ses tares** *(= gros défaut)* : il n'a **aucun scrupule**, il assume ses opinions immorales avec brutalité, et même **une** certaine **effronterie**. Quelle **impudence** ! Dans certains cas, cela devient de **l'obscénité** morale, ses opinions sont tellement choquantes qu'elles en sont **obscènes**.

• Gérard est **désabusé**, **blasé**, **dégoûté** par ce qu'il a vu, il **ne croit plus à rien**, il **a perdu ses illusions**. C'est le **désenchantement**, il est **désenchanté**.

• Avec les années, Bernard **s'est aigri**. Son **aigreur** s'est transformée en une véritable **rancœur** = il est **amer** et il a **du ressentiment**. Il **tient** = **garde rancune à** ses collègues de leur attitude, il **leur en veut à mort**.

• Odette « **reste dans son coin** », elle a tendance à **se replier sur elle-même** : **le repli sur soi**, hélas, caractérise souvent les personnes âgées. Elles **se recroquevillent** tant physiquement que mentalement.

• Fernand a toujours été **arrogant**, mais cela empire avec l'âge : désormais, plus personne ne supporte **la morgue** dont il fait preuve. « **La modestie ne l'étouffe pas** » !

• **Cet horrible** = **abominable individu** est **un pervers** qui a violé des enfants : il est **ignoble** = **abject** = **immonde** = **infâme** : il fait montre d'autant de **perversité** que **d'ignominie**. Son attitude est **exécrable** = **répugnante** = elle provoque **la répulsion**.

• Thérèse **a mauvais esprit**, elle **fait du mauvais esprit** : elle est toujours en train de tout critiquer, avec une certaine méchanceté, elle **gâche** = **pourrit*** l'atmosphère dans son équipe de travail.

• Mourad est **un rabat-joie** = **un trouble-fête** : quand tout le monde est joyeux, il ne voit que ce qui ne marche pas.

• Xavier a toujours été **malveillant**, il est **fielleux** = **perfide** : ses propos sont remplis de **fiel** = **perfidie** et de **malveillance**.

EXERCICES

1 **Choisissez la bonne réponse.**

1. Ils ont [du mauvais esprit] [mauvais esprit].
2. La perversité est [une tare] [un scrupule].
3. Georges [garde] [en veut] rancune à son camarade.
4. Clémentine nous a [gâché] [étouffé] la soirée.
5. Il [reste] [se replie] sur lui-même.

2 **Complétez.**

1. Le vieux monsieur est en train de ______________________ sur lui-même, il se renferme.
2. Avec l'âge, on est moins naïf, on perd un peu ses ______________________ !
3. Ils éprouvent un fort ressentiment, ils en ______________________ à mort à leur cousin.
4. Ne reste pas dans ton ______________________, viens avec nous !
5. Il est difficile de travailler avec Raymond, il a mauvais ______________________.
6. Il est fascinant de voir la personnalité de cette petite fille ______________________.

3 **Trouvez une autre manière de dire.**

1. Les propos de cet homme sont <u>ignobles</u>. ______________________
2. Sa réponse était <u>fielleuse</u>. ______________________
3. La mauvaise humeur de Justine <u>a détruit</u> la soirée. ______________________
4. Nous ne supportons plus <u>l'extrême arrogance</u> de cette collègue. ______________________
5. Émilie <u>éprouve du ressentiment envers</u> sa sœur. ______________________
6. Jean-Charles tient des propos <u>qui font du mal aux autres</u>. ______________________
7. Aurélien <u>a perdu ses illusions</u>. ______________________

4 **Complétez.**

1. Jean-Marie gâche toujours la joie des autres, c'est un ______________________.
2. Dans le monde politique, on rencontre malheureusement des gens qui n'ont aucun scrupule et qui font preuve d'un grand ______________________.
3. Attaquer une vieille dame faible pour lui voler son portefeuille, c'est ______________________ !
4. Cette riche jeune femme a déjà tout vu, plus rien ne lui fait plaisir, elle est ______________________.
5. Comme Sonia a raté sa carrière, elle ______________________, elle est amère.

5 **À vous ! Répondez librement aux questions par des phrases complètes.**

1. En voulez-vous à quelqu'un ? Pourquoi ?
2. Avez-vous perdu certaines de vos illusions ? Lesquelles ? Pourquoi ?
3. Avez-vous eu l'occasion de rencontrer quelqu'un d'infâme ? Pouvez-vous décrire cette personne et sa personnalité ?

TRAITS PLUTÔT POSITIFS

• Frédéric répond avec **une** certaine **affabilité** et **bonhomie** : il est toujours **affable** (= **aimable** et **courtois**). C'est agréable, car dans une équipe, il faut être **coopératif. La courtoisie** aide à **une** bonne **coopération.**
• Guillaume est **un épicurien**, il sait profiter des plaisirs de la vie. Grâce à **son épicurisme**, il s'entend bien avec Paul, son voisin « **haut en couleur** » *(= « pittoresque »)* qui, lui, est un vrai **rabelaisien**. Les deux amis sont **des boute-en-train**. Par leur **verve**, ils mettent de l'animation dans une soirée !

Remarque. 1. L'adjectif « épicurien » renvoie au philosophe grec Épicure. **2.** On considère comme « rabelaisien » (= digne de l'écrivain français du XVIe siècle Rabelais) quelqu'un ou quelque chose de joyeux, sensuel et un brin grossier.

• Ce jeune homme, plein de **bon sens**, est mûr et **a l'esprit pratique** = **il a** « **les pieds sur terre** ».
• Romain **a le goût du risque**, il aime les activités dangereuses. Il a toujours été **casse-cou**, mais certains le considèrent comme « **une tête brûlée** » !
• Nathalie est **une femme de tête**. Elle est **équilibrée** = elle « **a la tête sur les épaules** ». Elle « **mène sa barque** » avec **de l'autorité** sans être **autoritaire**. Elle montre de **la bienveillance** envers ses collaborateurs, elle est **foncièrement bienveillante**.

INTELLIGENCE, BÊTISE

• Cet homme est **un ignorant**. Pire, c'est **un ignare** : il **ne sait rien sur rien.** Moi, je suis **ignare dans ce domaine**, je **n'y entends rien**.
• Béatrice n'est vraiment pas cultivée, elle est **inculte**. Quant à Raoul, il est quasi **illettré**, il ne sait même pas écrire. C'est normal, c'est **un bon-à-rien** ! Ce pauvre garçon **n'a rien dans la tête** ! *(= Il n'est vraiment pas intelligent.)*
• Cet homme « **n'est jamais sorti de son trou** », il a des idées étroites, il est **borné** = **obtus**. À cause de **son étroitesse d'esprit**, il est impossible de discuter avec lui, « **c'est un vrai boulet*** » ! Son fils, au contraire, **a fait** = **parcouru du chemin**, il **a évolué** = il **a bougé***, il fait preuve d'une grande **largeur d'esprit**.
• Michel a un esprit **pénétrant** = **perspicace** = **aigu** = **sagace.** Il est **clairvoyant** = **lucide**. Il **a l'esprit fin** = **subtil**, il est plein de **sagacité**, **de perspicacité** et **de pénétration**. Ce n'est pas **la matière grise** qui lui manque !
• Elsa est vive et rapide, elle **a les yeux pétillants d'intelligence** et de **vivacité**.

EXERCICES

1 **Choisissez la bonne réponse.**

1. Martin fait preuve d'une regrettable étroitesse [de tête] [d'esprit].
2. Odilon ne sait et ne veut rien faire, c'est [un bon-à-rien] [un boulet*].
3. Virginie a fait du [chemin] [risque].
4. Michèle aime les plaisirs de la vie, elle est [rabelaisienne] [épicurienne].
5. Violaine n'était jamais [sortie] [partie] de son trou.

2 **Les phrases suivantes sont-elles de sens équivalent ?**

1. Cet homme est inculte = il est ignare.
2. Nous apprécions l'affabilité de Laurent = Laurent a les pieds sur terre.
3. Anaïs a parcouru du chemin = c'est une femme de tête.
4. Jocelyne a toujours été casse-cou = elle aime prendre des risques.
5. Noëlle est un boute-en-train = elle a de la verve.
6. Gaston a l'esprit obtus = il est borné.
7. Thomas a la tête sur les épaules = il est autoritaire.

3 **Trouvez une autre manière de dire.**

1. Daniel est d'un contact très agréable. ______________________
2. Anatole ne connaît rien en géographie. ______________________
3. Dans une soirée, Bérénice est la plus vive et amusante. ______________________
4. Ce médecin a beaucoup de clairvoyance. ______________________
5. Blandine a du bon sens et l'esprit pratique. ______________________
6. Pierre est plein de verve un peu vulgaire. ______________________

4 **Complétez.**

1. Zohra est une femme de ______________________, elle sait gérer son entreprise.
2. Le détective doit faire preuve d'une grande ____________ pour deviner qui a commis le meurtre.
3. Ce petit garçon est vif, il a les yeux ______________________ d'intelligence.
4. Aziz a répondu avec beaucoup de bon ________. C'est normal, ce garçon a ________ sur terre.
5. Ces jeunes entrepreneurs ______________________ leur barque* avec beaucoup de succès.
6. Mes sœurs et moi, nous avons ______________________ du chemin depuis notre enfance !

5 **À vous ! Répondez librement aux questions par des phrases complètes.**

1. Existe-t-il des domaines dans lesquels vous vous sentez ignare ?
2. Vous considérez-vous comme une tête brûlée ?
3. Connaissez-vous des personnes hautes en couleur ? En quoi le sont-elles ?
4. Comment jugez-vous si quelqu'un a l'esprit large ou non ?

SENSIBLE / INSENSIBLE

• Olivier a **une sensibilité à fleur de peau**, c'est **un hypersensible**, voire « **un écorché vif** ». La moindre chose le bouleverse. Il va falloir qu'il **s'aguerrisse** = **s'endurcisse** = **se blinde*** un peu !

• Pour regarder ce documentaire sur des lieux vertigineux, il faut « **avoir le cœur bien accroché** » et **les nerfs solides** ! Il ne faut pas être **impressionnable** !

• Daphné est assez **vulnérable** = **fragile psychologiquement. Sa vulnérabilité** risque de lui jouer de mauvais tours.

• Robert est « **coriace** » = **dur en** politique. Il « **ne fait pas de cadeaux** » **à** ses adversaires politiques.

• Ce juge d'instruction **mène une lutte implacable contre** la corruption : il est **inflexible** = **intraitable** = **intransigeant** = **impitoyable** face aux coupables.

• Gaston a l'air **revêche** = il est « **aimable comme une porte de prison** » !

• Un grand danseur classique s'impose **une discipline draconienne** = **de fer**.

• Francis est **un homme de cœur** : il **a bon cœur** = il **a** « **le cœur sur la main** », il est généreux et compatissant. Claude, en revanche, **n'a pas de cœur**, c'est **un sans-cœur** = il **a** « **un cœur de pierre** ».

• Cet aventurier est **endurci** = c'est « **un dur-à-cuire*** » *(argot)*. Il **ne se laisse pas attendrir facilement** !

LA SUPERFICIALITÉ

• Cet homme s'intéresse à beaucoup de choses, mais superficiellement : c'est « **un touche-à-tout** ».

• Cet acteur est **frivole** et **mondain**, il ne s'intéresse qu'aux **frivolités** = **futilités** et aux **mondanités** : la mode, les réceptions, l'argent, bref à tout ce qui est **futile**.

• Grégoire se conduit avec **désinvolture**, il est **désinvolte** *(= trop libre, à la limite de l'impolitesse)*. Il a toujours **un air dégagé**, mais il est souvent **sans-gêne**.

• Marius est **fanfaron** = **hâbleur** = « **m'as-tu-vu** », il aime « **rouler les mécaniques*** » *(argot)* (= **rouler les épaules** pour montrer son autorité) et faire croire qu'il est le chef. Il n'arrête pas de **fanfaronner** = il fait **de l'esbroufe*** *(argot)*.

EXERCICES

1 **Choisissez le ou les terme(s) possible(s).**

1. Adrien a [le cœur sur la main] [un cœur de pierre] [dur-à-cuire*] [les nerfs solides].
2. Benoît est trop sensible, il doit [se blinder] [s'attendrir] [s'aguerrir] [rouler les mécaniques].
3. Mon patron est dur, il est [mondain] [coriace] [intransigeant] [désinvolte].
4. Nicolas est presque ridicule, il est [fanfaron] [écorché vif] [m'as-tu-vu*] [revêche].
5. Henri a les nerfs [coriaces] [draconiens] [solides] [accrochés].
6. Ce poète a une sensibilité [sur la main] [de pierre] [à fleur de peau] [impressionnable].

2 **Complétez.**

1. La grand-mère ne voulait pas donner de chocolat à son petit-fils, mais elle s'est laissé ______________ et a cédé.
2. Cela m'énerve de voir Marcel rouler ______________ !
3. Cette adolescente ne s'intéresse qu'à la mode et aux boîtes de nuit, elle est ______________.
4. Pour se rééduquer après son accident, Renaud s'est imposé une discipline ______________.
5. Jacques est froid et insensible, il n'a pas de ______________.
6. Cet employé est très désagréable, il est aimable ______________.

3 **Trouvez une autre manière de dire, en employant des expressions imagées.**

1. Cet adolescent a tendance à <u>faire de l'esbroufe*</u>. ______________
2. Aissatou est <u>excessivement sensible, tout la bouleverse</u>. ______________
3. Ce vendeur est <u>particulièrement désagréable</u> ! ______________
4. Dans cet environnement très compétitif, Ronan <u>doit s'obliger à être dur</u>. ______________
5. Berthe <u>n'a aucune sensibilité</u>. ______________
6. Antoinette <u>est d'une très grande générosité</u>. ______________

4 (18) **Écoutez ces portraits. Pour chacun d'entre eux, choisissez la ou les phrases qui correspondent le mieux à la personnalité.**

1. **a.** Elle est désenchantée. **b.** Elle a le cœur bien accroché. **c.** Elle s'est endurcie.
2. **a.** C'est une tête brûlée. **b.** Il est haut en couleur. **c.** C'est un boute-en-train.
3. **a.** Elle se replie sur elle-même. **b.** Elle a mauvais esprit. **c.** Elle n'est jamais sortie de son trou.
4. **a.** Il est hâbleur. **b.** Il est borné. **c.** Il est obtus.
5. **a.** Il a bon cœur. **b.** Il a le cœur sur la main. **c.** Il a un cœur de pierre.

5 **À vous ! Répondez librement aux questions par des phrases complètes.**

1. Avez-vous tendance à être impressionnable ? Pensez-vous que vous devriez vous aguerrir ?
2. Connaissez-vous des personnes qui « roulent les mécaniques » ?
3. Dans quelle situation avez-vous dû avoir le cœur bien accroché ?

10 LE COMPORTEMENT

LE COMPORTEMENT EN GÉNÉRAL

• Dans une entreprise dynamique, il faut **être réactif** = il faut **réagir** rapidement = **avoir des réactions rapides**. **La réactivité** est une qualité appréciée.

• Nora a toujours **un comportement étrange** = **bizarre** = **incompréhensible** = **déroutant** = **déconcertant**. Elle **déroute** = **déconcerte** son entourage par **sa bizarrerie** et **son étrangeté.** Elle a toujours été un peu **lunatique** = **imprévisible**.

• Gautier **ne peut pas s'empêcher de tout contrôler**, c'est **un réflexe**, **une** « **déformation professionnelle** », puisqu'il est contrôleur de gestion.

• Dans ce débat, personne ne comprend **le manège** = **l'attitude** du journaliste.

• Je n'aime pas Estelle, et en particulier **sa manière d'être**, car elle manque de **savoir-vivre** = **de correction** = **d'éducation**. **Par correction** = **par politesse**, elle pourrait au moins me saluer !

• Ces adolescents qui hurlent dans l'église **se conduisent mal**. **Leur conduite** est inacceptable. Ils **manquent de tenue** = **de respect**. Leur accompagnateur leur demande : « **un peu de tenue,** s'il vous plaît ! = **tenez-vous bien** ! »

• Nabil est quelqu'un de réservé, il n'aime pas **se mettre en avant** = **être sur le devant de la scène**, il préfère **se mettre en retrait**. Au contraire, son ami, jeune député, **se rengorge** *(= est ridiculement fier)* de passer à la télévision, d'autant qu'il **est** assez **imbu de lui-même** / **de sa personne** = il **se croit supérieur** à tout le monde !

• Régis **modifie son attitude** en fonction de ses interlocuteurs, il **s'adapte à** eux. On peut appeler cela de **la souplesse**, **de l'adaptabilité** ou alors **de l'hypocrisie** ! Régis a **un côté** « **caméléon** ».

• Adam **a le don de mettre** les gens **à l'aise** (≠ **mal à l'aise**) = **en confiance**.

• Jules n'a ni éducation ni finesse, il est assez **grossier** = **rustre** = **balourd** = « **pignouf*** » *(argot)*. Quand il parle, on voit **sa grossièreté**, **sa balourdise**.

• Dès qu'on lui propose quelque chose de nouveau, Laure **s'enthousiasme** vite, elle a tendance à **s'enflammer** = **s'emballer***, mais malheureusement, il s'agit souvent d'« **un feu de paille** ». Cela ne dure pas.

• Aujourd'hui, Élodie n'**est pas dans de bonnes dispositions** *(= de bonne humeur)*. Pourtant, elle **est de bonne composition** = elle **est d'un abord facile**.

• Juliane sait **tirer parti de** son réseau de connaissances = elle sait **exploiter** les contacts qu'elle a noués, mais elle n'en **abuse** pas.

EXERCICES

1 **Choisissez le ou les terme(s) possible(s).**

1. Renaud est [déconcerté] [mal à l'aise] [imbu] [réactif] par l'attitude de son voisin.
2. Ce bon diplomate fait toujours preuve de [balourdise] [souplesse] [savoir-vivre] [composition].
3. Je suis déconcerté par [la conduite] [le manège] [la réactivité] [l'abord] de cette jeune femme.
4. Pauline se met [de bonne composition] [en avant] [en retrait] [mal à l'aise].
5. Régine tire [tenue] [parti] [caméléon] [déformation] de ses compétences dans le domaine.
6. Ce garçon manque [de tenue] [d'attitude] [de respect] [de composition].
7. Axelle a tendance à [s'empêcher] [s'emballer*] [s'enflammer] [se conduire] facilement.

2 **Complétez.**

1. Elle est ______________________ d'elle-même, elle est très arrogante.
2. C'est le minimum de ______________________ que de remercier quand on vous fait un cadeau !
3. Le public s'est ______________________ pour cette actrice, mais ça n'a pas duré, le succès n'était qu'un ______________________.
4. Ce grand scientifique est d'un ______________ facile, il sait ______________ à l'aise son interlocuteur.
5. Cet étudiant timide n'aime pas se mettre sur ______________________ de la scène.

3 **Trouvez une autre manière de dire.**

1. La réaction de l'employée est <u>difficile à comprendre</u>. ______________________
2. Notre collègue <u>a un caractère accommodant</u>. ______________________
3. Sarah sait <u>exploiter</u> ses compétences en informatique. ______________________
4. Julien <u>a des réactions rapides</u>. ______________________
5. Christelle déteste <u>être sur le devant de la scène</u>. ______________________
6. Magali <u>s'enthousiasme</u> un peu trop vite. ______________________

4 (19) **Écoutez et dites si les phrases suivantes sont vraies ou fausses.**

1. Marcel est rustre.
2. Fabrice est imbu de sa personne.
3. Il faut se mettre en avant.
4. Elle est dans de bonnes dispositions.
5. C'est une déformation professionnelle.

5 **À vous ! Répondez librement aux questions, par des phrases complètes.**

1. Avez-vous parfois été déconcerté(e) par le comportement de quelqu'un ?
2. Dans quels cas diriez-vous que quelqu'un manque de tenue ?
3. Avez-vous des « déformations professionnelles » ?
4. Considérez-vous que vous êtes d'un abord facile ? Pourquoi ?

MANIFESTER SA MAUVAISE HUMEUR

• La petite fille **boude** = « **fait la tête** » car son frère s'est moqué d'elle.

• Les consommateurs **boudent** ce produit, ils ne l'achètent pas.
• Quand on a proposé ce poste à Héloïse, elle **a fait la moue** < **la grimace**, elle l'a refusé car ce n'est pas assez bien pour elle. Pourtant, je serais elle, je « **ne cracherais pas dans la soupe** » = je « **ne ferais pas la difficile** » et j'accepterais !
• Alain est souvent de mauvaise humeur. Ce matin encore, il « **s'est levé du pied gauche** » = il « **fait la gueule*** » *(argot)* = il a l'air **renfrogné** = **maussade** *(= il a le visage fermé et hostile).* Même quand tout le monde est de bonne humeur, il fait « **une tête** = **une gueule*** *(argot)* **d'enterrement** » !
• Même si elle est restée digne, Salomé « **a accusé le coup** » quand on lui a annoncé son licenciement : on a vu qu'elle était très affectée.
• Cet élève refuse de s'investir dans ses études : il **y met de la mauvaise volonté**.
• Cet homme un peu **bourru** = **bougon** *(= de mauvaise humeur)* n'arrête pas de **bougonner** = **ronchonner*** = **grogner*** dans son coin. Quel **ronchon*** !
• Ma fille, qui est **râleuse***, **râle*** = **rouspète*** quand je lui demande de l'aide.
• Le document a été jeté par erreur, **je peste*** ! Je suis furieux = j'**enrage** !

DÉRANGER OU NON

• Ce nouveau collègue « **a été reçu comme un chien dans un jeu de quilles** » : il a été mal accepté.
• Philippe nous a reçus **à la bonne franquette** = **sans cérémonie**. Il **ne fait pas de chichis***, il **ne fait pas de manières**. Gloria, au contraire, « **met les petits plats dans les grands** ».
• Il est désagréable d'être **importuné(e)** par un inconnu dans le métro, surtout quand il **fait un geste déplacé**.
• La chaleur m'**incommode** = me **dérange** = me **gêne**.
• Suite à cet événement, le ministre a dû **bousculer** son emploi du temps, qui a **été perturbé** = **désorganisé** = **bouleversé**.
• Cela m'**assomme*** d'entendre cette histoire pour la dixième fois. Denis est **assommant*** *(= ennuyeux et fatigant)* !
• L'accusation de racisme **a empoisonné** le débat avec ce député.

EXERCICES

1 Choisissez le ou les terme(s) possible(s).

1. Le jeune homme fait la [moue] [grimace] [bonne franquette] [tête].
2. Ce vendeur est désagréable, il a l'air [déplacé] [renfrogné] [bougon] [assommant*].
3. À cause des orages, la circulation a été [perturbée] [importunée] [incommodée] [empoisonnée].
4. Elle a été reçue [du pied gauche] [sans cérémonie] [comme un chien dans un jeu de quilles] [à la bonne franquette].
5. Il est de mauvaise humeur, il [rale*] [fait des manières] [rouspète*] [accuse le coup].

2 Les phrases suivantes sont-elles de sens équivalent ?

1. Il est toujours en train de ronchonner* = il râle* tout le temps.
2. Nous avons dîné à la bonne franquette = nous avons mis les petits plats dans les grands.
3. Rachel a fait la moue = Rachel « a accusé le coup ».
4. Ce monsieur est bourru = il est assommant*.
5. Emma fait une tête d'enterrement = elle a l'air très maussade.
6. Ils sont incommodés par la chaleur = la chaleur les gêne beaucoup.

3 Complétez par une expression imagée.

1. Elle est de très mauvaise humeur, elle n'ouvre pas la bouche, elle fait ______________________ .
2. Quentin est au chômage depuis un an, il ne va pas refuser ce travail pourtant ennuyeux, il ne va pas ______________________ .
3. Quand les grands-parents reçoivent toute la famille, ils font un repas de fête et sortent leur plus belle vaisselle. Ils mettent ______________________ !
4. Christophe a été mal reçu, comme ______________________ .
5. Ce soir, nous recevons nos amis en toute simplicité, ______________________ .
6. Véronique est de mauvaise humeur, ce matin ! Elle s'est ______________________ .

4 Complétez.

1. Cette vieille dame n'est jamais contente, elle ______________________ tout le temps !
2. Qu'est-ce que tu as ? Arrête de ______________________ et viens jouer avec nous !
3. Nous aimons bien Odile, elle ne ______________________ pas de chichis* quand elle nous reçoit.
4. Malheureusement, les désaccords commerciaux ______________________ les relations entre les deux pays.
5. Aller à ce dîner nous ______________________, car c'est toujours long et très ennuyeux.

5 À vous ! Répondez librement aux questions par des phrases complètes.

1. Connaissez-vous des personnes bourrues ? Pouvez-vous décrire leur comportement ?
2. Dans quelle(s) situation(s) pourriez-vous mettre les petits plats dans les grands ?
3. Vous est-il arrivé de faire le/la difficile ?

PRENDRE SOIN, PROTÉGER

• Quel père affectueux ! Il **cajole** = **câline** ses enfants, il aime les **choyer** = les **couvrir d'affection**. Il les **couve**. C'est « **un papa-gâteau** », il les **gâte** même un peu trop, il leur fait trop de cadeaux et ils deviennent **des enfants gâtés**.
• Ma fille est malade et un peu déprimée, je vais la **dorloter** = **chouchouter*** = **bichonner*** = je vais **être aux petits soins pour** elle. Parfois, ma fille trouve que je la **materne** un peu trop… C'est normal, j'ai tendance à être « **mère-poule** » !
• Dans cette petite entreprise, le patron est **paternaliste** : il s'occupe de son personnel, mais abuse un peu de son autorité. **Son paternalisme** est critiqué.
• Selim **a de l'empathie**, il **est en empathie avec** ses amis, il sent ce qu'ils ressentent.
• Pourriez-vous **m'accorder** *(= donner)* quelques minutes ?
– Oui, bien sûr, je **suis à vous** ! *(= je suis disponible pour vous)*
• Vanessa **a pris grand soin** de ces documents précieux.
• Je dois agir **avec diplomatie**, car il faut **ménager la susceptibilité** de chacun.
• Les parents tentent de **préserver** leurs enfants, de **leur éviter** les difficultés.
• Aude **prend** sa jeune collègue **sous son aile protectrice** = **sous sa protection**.
• En cas de problèmes, Léa va **se réfugier** chez son frère, qui, très **prévenant**, lui **offre l'hospitalité**. La maison de son frère est **un refuge** = **un havre de paix**.

AIDER

• Des amis sont venus nous « **prêter main-forte** » = « **donner un coup de main** » pour notre déménagement. **Ils** « **se sont coupés en quatre** » **pour** nous aider.
• Cette catastrophe naturelle **a suscité un élan de solidarité** dans le monde entier.
• Le ministre **sera épaulé** = **secondé** *(= soutenu et aidé)* par Simon, « **son bras droit** », qui **restera** / **sera à ses côtés** tout au long de sa mission.
• Julien n'a pas besoin d'une grande aide mais **d'un simple** « **coup de pouce** ». Nous **l'avons donc** « **dépanné** » en lui prêtant 200 euros.
• Thérèse **n'a pas ménagé ses efforts pour** arriver à ce résultat = elle « **y a mis du sien** ». C'est **à elle que nous devons** le succès de cette entreprise.
• Ce généreux mécène **a** beaucoup **apporté** à la région. **Son apport** est important, car il a **contribué au** développement économique.
• La municipalité **a octroyé une** forte **subvention** à ce festival de musique.
• Quand Alex a été agressé, des passants **sont venus à son aide** = **à son secours**. Ils **l'ont secouru. S'entraider** est important, **l'entraide** est précieuse.

EXERCICES

1 Choisissez le ou les terme(s) possible(s).

1. Elle m'a prêté son vélo pour me [ménager] [dépanner] [dorloter].
2. Nous [restons] [sommes] [donnons] à vos côtés dans cette épreuve.
3. Elle [se coupe] [est] [prend] aux petits soins pour eux.
4. Ce médicament [contribue] [octroie] [doit] au bien-être des malades.
5. Cet homme a tendance [au secours] [à l'aide] [au paternalisme].

2 Les phrases suivantes sont-elles de sens équivalent ?

1. Malika est le bras droit du directeur = il l'a prise sous sa protection.
2. Elle est un peu mère-poule = elle materne trop ses enfants.
3. Il va bichonner* ses enfants = il est paternaliste.
4. Ce projet apportera beaucoup à la ville = il contribuera au développement de la ville.
5. Ils ont besoin d'un coup de pouce = ils veulent être choyés.

3 Trouvez une autre manière de dire.

1. Lise <u>se donne beaucoup de mal</u> pour aider ses enfants. ______________________________
2. Le directeur est <u>aidé</u> par deux collaborateurs très sérieux. ______________________________
3. Gautier <u>protège</u> sa petite sœur. ______________________________
4. Amandine était en danger mais personne n'est venu <u>l'aider</u>. ______________________________
5. Les grands-parents vont <u>dorloter</u> leur petit-fils qui a été malade. ______________________________
6. Cette maison est <u>un abri paisible</u> pour le jeune homme. ______________________________
7. Le député <u>a accepté de donner</u> une interview aux journalistes. ______________________________

4 Complétez.

1. Clémence ne ______________________________ pas ses efforts pour que le projet aboutisse.
2. Cette mère-poule ______________________________ ses enfants, c'est un peu exagéré.
3. Le ministère de la Culture ______________________________ une subvention à la troupe de théâtre.
4. Nos voisins nous ______________________________ un coup de main pour porter ce meuble.
5. Cette grand-mère affectueuse ______________________________ sa petite-fille.
6. Les amis ______________________________ l'hospitalité à Élise, qui se trouvait dans une situation difficile.

5 Complétez par une expression imagée.

1. Christine s'occupe beaucoup de ses amis. Elle ______________________________ pour eux.
2. Ce paquet est très lourd, je vais te ______________________________ pour le porter.
3. Ce papa ne refuse rien à ses enfants, c'est un ______________________________ !
4. Le grand frère protège son petit frère, il ______________________________.
5. Yasmina a besoin d'une toute petite aide, je vais lui ______________________________.

CALME OU AGITÉ ?

• Ce malade difficile **met ma patience à rude épreuve**. Comme infirmière, **j'ai une patience d'ange**, mais chaque fois que j'entre dans sa chambre, je dois « **m'armer de patience** » !
• José est **flegmatique**, j'admire **son flegme** : il reste **impassible** = **imperturbable**, il **ne répond pas à la provocation**. Qu'est-ce qui pourrait **le faire** « **sortir de ses gonds** » ?
• Je ne veux pas **réagir à chaud**, je lirai ce document demain, **à tête reposée**. Dans ce genre de situation, en effet, il faut « **garder la tête froide** » = **garder son sang-froid**.
• Nina cherche **fébrilement** son passeport. **Sa fébrilité** l'empêche de le trouver !
• Nos enfants adorent jouer dans le sable, ils « **s'en donnent à cœur joie** » !
• Carole reste à la fois calme et courageuse dans l'adversité, elle est **stoïque**.

LOYAUTÉ ET DÉLOYAUTÉ

• Le candidat malheureux à la mairie de la ville **a été beau joueur**, il a chaleureusement félicité son rival vainqueur.
• Dans une discussion ouverte et honnête, il faut **jouer / mettre cartes sur table**, il faut « **jouer franc jeu** », sinon, cela « **brouillera les cartes** ». Celui qui « **prépare un mauvais coup** » risque de « **perdre sur tous les tableaux** ».
• L'étudiant s'est trompé, mais il était **de bonne foi**, il n'a pas essayé de mentir.
• Adèle avait promis de laisser ses collaborateurs libres de décider, et elle « **a joué le jeu** », elle **a tenu parole** = elle **a tenu sa promesse**.
• Emmanuelle a fait preuve de **déloyauté** = **duplicité** = **perfidie**, elle a été **déloyale** = **perfide**. Sous des dehors souriants, elle était **fourbe** = **sournoise**. Elle **a trahi** ses collègues. **Sa trahison** a choqué tout le monde.
• Le candidat **a triché sur** ses diplômes. Il a prétendu avoir un master, ce qui est faux. Ce n'est pas une erreur sur son CV, il l'a fait exprès, il est **de mauvaise foi**.

SÉVÉRITÉ OU LAXISME

• Le professeur **ne transige pas** = **ne badine pas avec** la discipline dans sa classe. Il est **intransigeant** = **inflexible** = **intraitable** = **inébranlable sur** la discipline. **Sa sévérité**, **son exigence** et **son intransigeance** impressionnent les élèves. Son collègue, au contraire, fait preuve d'une grande **indulgence**, voire de **laxisme**, il est trop **indulgent** = **laxiste**.

EXERCICES

1 Choisissez la bonne réponse.

1. Nous allons jouer / mettre franc jeu.
2. Elle répondra à ce message à tête reposée / froide.
3. Il est fourbe, il est sournois / impassible.
4. Ils n'ont pas tenu / joué le jeu.
5. Vous mettez ma patience à rude / dure épreuve.

2 Les phrases suivantes sont-elles de sens équivalent ?

1. Il redoute l'intransigeance de son père = il a peur de son flegme.
2. La duplicité de cet homme politique nous écœure = il a brouillé les cartes.
3. Ils ont joué le jeu = ils ont tenu parole.
4. Elle a été belle joueuse = elle a joué franc jeu.
5. Il reste imperturbable = il est impassible.
6. Il est de mauvaise foi = il est trop laxiste.

3 Complétez.

1. Ces parents enseignent la politesse à leur fils, ils ne ____________ pas avec la politesse !
2. Anne-Catherine ____________ parole, elle est venue à la réunion.
3. Lors de cette réunion, les dirigeants ____________ cartes sur table.
4. Ces élèves dissipés ____________ la patience du professeur à rude épreuve.
5. Le ministre a refusé de ____________ à chaud, il a insisté sur la nécessité de ____________ son sang-froid.
6. Cet adolescent ____________ un mauvais coup, malheureusement !
7. Il ____________ à cœur joie pendant les vacances à la montagne !

4 (20) Écoutez les phrases et faites un commentaire en employant le vocabulaire de l'ensemble du chapitre.

1. ____________
2. ____________
3. ____________
4. ____________
5. ____________

5 À vous ! Répondez librement aux questions par des phrases complètes.

1. Dans quelle(s) situation(s) vous armez-vous de patience ?
2. Avez-vous déjà vu quelqu'un être beau joueur ?
3. Vous est-il arrivé de vous tromper de bonne foi ?
4. Avez-vous tendance à sortir de vos gonds ?

11

S'EXPRIMER

INTERROGER / DEMANDER

• Manon va **s'enquérir** *(= se renseigner)* auprès de la mairie des possibilités de bourse. Elle **s'interroge sur** le bien-fondé de **sa démarche**. Elle avait d'ailleurs **un ton interrogateur** quand elle m'en a parlé.
• Le ministre **a été interpellé** = **apostrophé** sur son action. Il **a été** « **mis sur la sellette** » à la télévision. Le journaliste l'**a cuisiné*** pendant une heure !
• La journaliste **a sollicité** un rendez-vous avec le directeur, qui n'a pas donné suite à **ses sollicitations**. Elle **fait des démarches auprès du** secrétariat du directeur et espère que **cette requête** = **cette demande** recevra une réponse favorable.
• Je **lance / fais une pétition en faveur de** (≠ **contre**) la construction d'une école.
• Maud **revendique** *(= réclame)* la totalité de l'héritage de la vieille dame. **Cette revendication** contrarie les autres héritiers !

RÉPONDRE OU NON

• Quelle que soit la question, Jérémie **répond** « **du tac au tac** », il **a une repartie** extraordinaire ! Marc, en revanche, **répond toujours de travers**.
• Daphné a reçu une réponse **lapidaire** = **laconique** *(= brève et froide)* de son chef, qui parle toujours **sur un ton péremptoire** = **tranchant** = **cassant**.
• À la question agressive du journaliste, le ministre **a répliqué vertement** = **sèchement**, il **a fait une réplique cinglante** *(= agressive)*. Il **a rétorqué** = **riposté que** cela ne le concernait pas. Il a « **cloué le bec** » au journaliste et il lui **a renvoyé la balle**.
• Le suspect **a** « **juré ses grands dieux** » qu'il était innocent.
• Brice **élude** = **esquive** les questions *(= il n'y répond pas)*, c'est « le roi de **l'esquive** » !
• Le candidat **a décliné** *(= refusé)* **l'invitation** de son adversaire et il **a rejeté son offre** d'alliance. Hélas, les deux hommes ne se comprennent pas, c'est « **un dialogue de sourds** ».
• J'ai demandé une augmentation de salaire, mais mon chef **m'a ri au nez** = il **m'a rembarré*** *(argot)* = il **m'a** « **envoyé promener** » = il **m'a** « **envoyé sur les roses** » *(= il a agressivement refusé)*.
• Quand j'ai proposé cette solution à Laurence, elle m'a **objecté que** cela coûterait trop cher à l'entreprise.

EXERCICES

1 Les phrases suivantes sont-elles de sens équivalent ?

1. Elle a tendance à esquiver les questions = elle les élude.
2. La réponse de Bastien était cinglante = sa réponse était sèche et agressive.
3. L'employé m'a envoyé promener = il m'a renvoyé la balle.
4. C'est un dialogue de sourds = c'est une revendication.
5. Elle a de la repartie = elle répond de travers.
6. Le message était lapidaire = il était laconique.

2 Trouvez une autre manière de dire.

1. Astrid a demandé un rendez-vous avec le grand chef. ______________________
2. Jean-Philippe a répondu qu'on ne lui avait jamais demandé son avis sur la question. ______________________
3. Malheureusement, la proposition de loi a été refusée. ______________________
4. Mes voisins ont bruyamment affirmé qu'ils n'avaient vu personne entrer dans l'immeuble. ______________________
5. À l'Assemblée nationale, on a posé des questions très dures au député. ______________________
6. Ils ont fait une réponse très brève. ______________________

3 Complétez.

1. Elle ne répond jamais correctement aux questions, elle répond ______________________ .
2. Cela nous attriste que nos cousins ______________________ notre invitation. Pourtant, nous ne sommes pas fâchés !
3. Il a fait une réponse claire et définitive, il a ______________________ le bec à ses amis.
4. Elle cherche à obtenir un visa, elle fait des ______________________ auprès de l'administration.
5. Le garçon ______________________ ses grands dieux qu'il n'est pas responsable de l'accident.
6. Il s'est adressé à nous sur un ton ______________________ , car il voulait avoir notre avis.
7. En entendant la question, Cyrille ______________________ la balle à son interlocuteur.

4 (21) Écoutez les phrases et faites un commentaire sur chacune des situations.

1. Aurélien ______________________
2. Thierry ______________________
3. Sabine ______________________
4. Les parents ______________________
5. Loïc ______________________

5 À vous ! Répondez librement aux questions par des phrases complètes.

1. Vous est-il arrivé d'envoyer promener quelqu'un ? ______________________
2. Avez-vous parfois été mis(e) sur la sellette ? ______________________
3. Comment vous y prenez-vous pour éluder une question gênante ? ______________________
4. Dans quels cas pouvez-vous qualifier une discussion de « dialogue de sourds » ? ______________________

RACONTER

• **On raconte comment** le château a été construit. **Selon la légende**, (= **on raconte que**) c'est un mystérieux personnage qui est venu s'y installer.
• **Ce** merveilleux **conteur** sait **tenir son public en haleine** : tout le monde **retient son souffle** quand il raconte une histoire.
• Pierre nous **a relaté** son aventure en Asie avec **des anecdotes** amusantes.
• L'historien **a** d'abord **retracé les grandes lignes de** cette importante bataille.
• Dans cette émission, Adèle va **témoigner** *(= raconter)* **de** sa propre expérience.

S'EXPRIMER AVEC FRANCHISE

• Julie « **n'a pas la langue dans sa poche** » = elle **a son franc-parler** = elle « **ne mâche pas ses mots** ». Elle répond **carrément*** *(= franchement)* aux questions. Elle « **ne ferme pas sa gueule*** » *(argot)* ! Parfois, elle **répond à l'emporte-pièce,** de manière **mordante** *(= agressive)* et un peu rapide.
• Pour répondre à votre question, je « **n'irai pas par quatre chemins** » = je **parlerai sans ambages** : je pense que ce projet est complètement idiot !
• Blandine **a joué franc jeu avec** nous = elle nous a parlé **à cœur ouvert** : elle ne nous a pas caché la difficulté de sa situation.
• Anne a **explicitement** (≠ **implicitement**) refusé la proposition qui lui a été faite.

EXAGÉRER

• Traiter cet employé de « fasciste » est **outrancier** *(= stupide et exagéré)*. Ces attaques **vont trop loin**, elles sont **démesurées**, nous sommes dans **la démesure**.
• Je demande à mon fils de ranger sa chambre, il trouve cela « cruel » ! **Je ne lui « demande pas la lune »**, tout de même ! Il **dépasse la mesure** *(= il exagère)* !
• Florent a un humour assez lourd, il « **en fait des tonnes** », ce qui est pénible.
• Pour recevoir le préfet, la municipalité **a « mis le paquet*** » = elle « **a déroulé le tapis rouge** ».
• Tu pleures parce que tu n'as pas de stylo ? **Il ne faut pas exagérer = charrier***, ce n'est pas un drame !
• Alain « **se faisait une montagne** » **de** cet examen = il « **en faisait une maladie** » = « **tout un monde** » = « **tout un plat*** » = « **tout un fromage*** » *(argot)*, mais finalement, tout s'est bien passé.
• « **Il ne faut pas être plus royaliste que le roi** » (= faire **trop de zèle**).

EXERCICES

1 Choisissez la bonne réponse.

1. Geoffroy a [roulé] [déroulé] le tapis rouge pour son chef.
2. Ils parlent franchement, ils ne [mangent] [mâchent] pas leurs mots.
3. Avec cette attitude, Ludovic dépasse [les chemins] [la mesure].
4. Elle [tient] [retient] son public en haleine.
5. Je ne vous demande pas [la lune] [le roi].
6. Baudoin a toujours eu son [franc jeu] [franc-parler].

2 Les phrases suivantes sont-elles de sens équivalent ?

1. Estelle en a fait tout un fromage* = elle en a fait des tonnes.
2. Constance répond à l'emporte-pièce = elle en fait tout un plat.
3. Tristan est plus royaliste que le roi = il a tendance à faire trop de zèle.
4. Les termes employés étaient outranciers = ils étaient démesurés.
5. Margot a parlé sans ambages = elle est allée trop loin.
6. Il a raconté des anecdotes sur le village = il nous a tenus en haleine.

3 Complétez.

1. Le député a répondu assez brutalement, il n'a pas ____________________ ses mots !
2. Le lycéen redoute cette épreuve, il en fait tout ____________________.
3. Parfois, notre professeur ____________________ à l'emporte-pièce, un peu trop rapidement.
4. Il n'y est pas allé par ____________________ chemins, il a parlé sans ____________________.
5. Quand je demande à mes voisins de ne pas hurler, on dirait que je demande ____________________ !
6. Il sait raconter une histoire, il tient les enfants ____________________.
7. Nous allons d'abord ____________________ les grandes lignes de ces événements cruciaux.

4 Trouvez une autre manière de dire.

1. Simon <u>n'hésite pas à prendre la parole</u>. ____________________
2. Adrien ne demande <u>rien d'extraordinaire</u>. ____________________
3. Jean-Loup <u>exagère toujours</u> quand il veut être drôle. ____________________
4. Anne-Sophie a répondu <u>de manière un peu vive</u>. ____________________
5. Gaétan <u>s'imaginait que la journée serait très difficile</u>. ____________________
6. Agathe nous a <u>franchement</u> dit qu'elle s'ennuyait dans ce travail. ____________________
7. La France <u>a reçu très officiellement</u> cette délégation européenne. ____________________
8. Myriam a parlé <u>avec confiance et franchise</u> à ses enfants. ____________________

5 À vous ! Répondez librement aux questions par des phrases complètes.

1. De quoi vous faites-vous une montagne ? ____________________
2. Vous est-il arrivé d'être plus royaliste que le roi ? ____________________

S'ÉLOIGNER DU SUJET

• Simon n'est pas franc : il répond par **des circonlocutions**. Il **louvoie**, il **joue la montre**. Inutile de **biaiser** = **tergiverser**, je finirai par connaître la vérité !
• Nous parlions de politique, puis nous **nous sommes éloignés** = **écartés du sujet** = nous **avons dérivé vers** la place de la culture dans la société. Nous **avons perdu le fil de la conversation. Les digressions** sont courantes dans **une conversation « à bâtons rompus »**, on **digresse** aisément vers un autre sujet.
• Le conférencier n'était pas clair, et il **s'est perdu dans** les dates qu'il donnait.
• La question était **saugrenue** (≠ pertinente), **sans rapport avec** le sujet traité.

PARLER INUTILEMENT

• Quand je conseille ma fille, je « **parle dans le vide** » = je « **prêche dans le désert** », elle n'écoute rien. Je lui **rabâche** *(= répète inlassablement)* les mêmes conseils, mais autant « **pisser* dans un violon** », comme on dit vulgairement !
• Ce vendeur me **fait du baratin*** : il **baratine*** sans arrêt, pour que j'achète ce gadget.
• Luc « **a raté une occasion de se taire** », il a parlé « **pour ne rien dire** ».
• On **nous rebat les oreilles** de cet événement *(= on en parle tout le temps).*

LA PAROLE AGRESSIVE

• Léon **a tenu des propos déplacés** et **agressifs** lors d'une réunion : il **a offensé** < **insulté** < **injurié** ses partenaires. **Les insultes** < **les injures** ne sont pas acceptables dans ce contexte !
• Rémi **a dénoncé** ses complices à la police = il **a** « **vendu la mèche** ». **Cette dénonciation** a conduit à l'arrestation des malfaiteurs.
• **Un délateur** pratique **la délation** : il dénonce par pure malveillance.

SE TAIRE

• Yann **ne s'est pas vanté de son échec** ! = il **n'en a pas soufflé mot** = il **n'en a pas dit un mot** = il **l'a passé sous silence**.
• Quand on lui a crié « **Ta gueule*** ! *(argot)* = **La ferme*** ! *(argot)* » *(= « tais-toi »)*, il a été tellement surpris qu'il **en est resté sans voix** !
• Rémi sait **tenir sa langue** = **garder les secrets**, il **reste** « **muet comme une carpe** ». Nous avons **un accord tacite** *(= silencieux)* : ce que je lui dis reste **confidentiel**.
• Il arrive qu'on **muselle** un chien avec **une muselière,** pour qu'il n'aboie pas. Dans certains pays, « la presse est **muselée** = **bâillonnée** » *(≠ libre).*
• Léa **n'a pas ouvert la bouche** = **a gardé le silence**. Elle est souvent **taciturne**.

EXERCICES

1 Choisissez le ou les terme(s) possible(s).

1. Jean-Philippe a tenu des propos [déplacés] [offensés] [agressifs] [rompus].
2. Ils se sont [vantés] [éloignés] [écartés] [perdus] du sujet de la discussion.
3. Le jeune homme a [louvoyé] [biaisé] [dénoncé] [muselé] le responsable du crime.
4. Personne n'aime les [insultes] [digressions] [propos] [injures], c'est trop blessant.
5. Max n'a pas [dit un mot] [ouvert la bouche] [raté une occasion] [vendu la mèche].
6. C'est pénible, elle [baratine*] [rabâche] [tergiverse] [injurie] les mêmes histoires.

2 Les phrases suivantes sont-elles de sens équivalent ?

1. Lionel a l'impression de pisser* dans un violon = il parle dans le vide.
2. Ariane ne s'est pas vantée de son échec = elle en est restée sans voix.
3. Il ne veut pas injurier ses voisins = il louvoie.
4. Ne nous écartons pas du sujet = ne dérivons pas.
5. Mathieu passe cet événement sous silence = il n'en souffle pas mot.

3 Trouvez une autre manière de dire.

1. Le député a été <u>très offensé</u> par son adversaire. ____________________
2. Richard <u>ne répond jamais directement aux questions</u>. ____________________
3. Maurice <u>ne trahit jamais les secrets</u>. ____________________
4. Adam <u>n'a pas parlé de</u> la négociation en cours. ____________________
5. Eustache pratique <u>la dénonciation par méchanceté</u>. ____________________
6. Pendant cette réunion, Laure et Anne-Sophie <u>se sont éloignées</u> du sujet. ____________________
7. Cette remarque <u>n'était pas du tout pertinente</u>. ____________________

4 Complétez.

1. La presse a accusé le gouvernement de vouloir la ____________________ , l'empêcher de parler.
2. Nous avons bavardé ____________________, sans sujet particulier.
3. Le professeur ____________________ les oreilles de ses élèves avec ce sujet.
4. Il existe un accord ____________________ entre les participants : personne ne doit vendre ____________________ en ce qui concerne les enjeux de cette négociation.
5. Le directeur ne ____________________ pas des mauvais résultats de son entreprise, il n'en ____________________ un mot.

5 À vous ! Répondez librement aux questions par des phrases complètes.

1. Savez-vous toujours tenir votre langue ? ____________________
2. Vous arrive-t-il de prêcher dans le désert ? ____________________
3. Dans quelle(s) situation(s) vous sentez-vous obligé(e) de tergiverser ? ____________________
4. Dans une conversation, avez-vous tendance à digresser ? ____________________

AIMER PARLER

• Cette avocate est connue pour **son éloquence**, son art de convaincre.

• Michel m'a jeté un regard **éloquent** *(= expressif)*.

• Yvon est **loquace** = **prolixe** *(= bavard)* = « **intarissable sur le sujet** » *(= impossible à arrêter)*. Il est **volubile** = c'est « **un moulin à paroles** » = il est **bavard** « **comme une pie** ». **Sa loquacité**, **sa volubilité** sont un peu fatigantes.

• **Cet orateur** = **ce tribun** adore **haranguer** la foule du haut de son estrade. Il parle avec **une** certaine **emphase**, ses phrases sont **emphatiques**. Il « **se gargarise** » de certaines tournures = il **s'écoute parler**.

• **La rhétorique** est l'art de la parole. Cependant, dire « je vous en prie » est une simple **formule de rhétorique**, sans profondeur.

• François a de **la faconde**, il parle beaucoup, avec aisance et drôlerie.

• Quand Roger entre dans un magasin, il salue tout le monde **à la cantonade** *(= en parlant fort et sans s'adresser à quelqu'un de particulier)*.

HUMOUR, PLAISANTERIE ET IRONIE

• Cette actrice était connue pour **son esprit**, elle **avait beaucoup d'esprit**. **Ses traits d'esprit** = **mots d'esprit** sont célèbres, car elle tenait à « **mettre son grain de sel** » dans toutes les discussions.

• Peter est **pince-sans-rire**, il a **un humour froid** parfois déroutant.

• On a annoncé que les taxis seraient gratuits aujourd'hui, mais c'était **un canular** = **une blague*** = **un poisson d'avril**, car nous sommes le 1er avril.

• Le député a répondu à une question agressive par **une boutade**, il s'en sort toujours par **une pirouette**.

• Certains adorent faire **des jeux de mots** = **des calembours**.

• Jean Gabin ou Arletty étaient connus pour **leur gouaille** = **leur verve** insolente. Ils répondaient sur un ton **gouailleur** (= **moqueur** et un peu vulgaire) et racontaient **des vannes*** *(argot)* = **des plaisanteries**.

• Patrice se moque de tout, il **tourne** tout **en dérision**, même les sujets sérieux. Il est **acerbe** = **caustique** = **sarcastique**. **Ses sarcasmes** sont parfois agressifs et cela devient **du persiflage** = **de l'ironie** méchante. Il **fait du mauvais esprit**, et cela met une mauvaise ambiance.

• Dans ses pièces de théâtre, Molière **tourne en ridicule** = **raille** les travers humains : il **se moque des** défauts de ses personnages, qui **sont** souvent **la risée** du public.

• Dans cette célèbre caricature, le dessinateur « **se paye la tête** » **du** roi.

EXERCICES

1 **Choisissez le ou les terme(s) possible(s).**

1. Alexandre est bavard comme [un moulin à paroles] [une pie] [un grain de sel].
2. Tout le monde déteste [son persiflage] [sa gouaille] [son mauvais esprit].
3. L'humoriste [se paye la tête] [raille] [se gargarise] des politiciens.
4. Tout le monde apprécie [la gouaille] [l'emphase] [la faconde] de Marcel.
5. Marius salue tout le monde à [l'esprit] [la risée] [la cantonade].

2 **Trouvez une autre manière de dire.**

1. Le ton de ces articles est toujours sarcastique. ______________________
2. J'admire ses mots d'esprit. ______________________
3. Simone est très bavarde. ______________________
4. Cette information n'était pas sérieuse, c'était une plaisanterie. ______________________
5. Cet humoriste est connu pour ses jeux de mots. ______________________
6. Léonard a un humour sec et froid. ______________________
7. La verve un peu vulgaire de ce marchand de légumes fait rire ses clients. ______________________
8. Selma a répondu par une plaisanterie. ______________________

3 **Complétez.**

1. Le syndicaliste ______________________ les militants du haut de la tribune.
2. Quand Antoine dit qu'il est content, ce n'est pas une ______________________ de rhétorique.
3. Les humoristes aiment bien ______________________ en ridicule les personnages importants.
4. Cette critique était ______________________, dure et agressive.
5. Pascale adore parler de littérature russe, elle est ______________________ sur le sujet.

4 (22) **Écoutez et faites des commentaires en employant des expressions imagées présentées dans l'ensemble du chapitre.**

1. ______________________
2. ______________________
3. ______________________
4. ______________________
5. ______________________
6. ______________________
7. ______________________

5 **À vous ! Répondez librement aux questions par des phrases complètes.**

1. Connaissez-vous des « moulins à paroles » ?
2. Parvenez-vous à faire des jeux de mots en français ?
3. Existe-t-il des sujets sur lesquels vous êtes intarissable ?

12 CRITIQUER – COMPLIMENTER

PROTESTER / CONTESTER

• Sabine n'arrête pas de **nous contredire**. Elle **a l'esprit de contradiction**. Elle nous **dénie le droit d'**avoir une opinion différente de la sienne !
• Cette découverte archéologique **remet en cause nos certitudes sur** ce sujet.
• Ce professeur **chicane** = **ergote** = **chipote* sur** le moindre détail et oublie de voir les qualités du travail. Il **cherche** toujours « **la petite bête** ».
• Des rapports **dénoncent** des violations des droits de l'homme dans ce pays.
• **Les** « **contestataires** » **contestent** l'organisation de la société actuelle. On parle maintenant de vote **protestataire** *(= vote de* **protestation** *et non de conviction).*
• Ce projet de loi **a provoqué un tollé** = « **une levée de boucliers** » = **une fronde** chez certains parlementaires dont on connaît **l'esprit frondeur** *(= rebelle).* Ils **se sont insurgés** = ils **ont vigoureusement protesté contre** ce projet, d'autant qu'il a été soumis par une personnalité **controversée**.

• Sa famille **s'est indignée du** manque de soin dont a souffert ce vieux monsieur dans la maison de retraite. Nous comprenons **cette indignation**.

CRITIQUER

• Cette mise en scène **a été décriée**, elle a **fait scandale** chez les amateurs de théâtre. **Les détracteurs** du spectacle lui reprochent sa vulgarité. Des critiques **virulentes** sont parues dans la presse, qui « **tire à boulets rouges** » sur le metteur en scène. Même les acteurs ont **été** « **descendus en flammes** ».
• Dans **ce pamphlet**, le critique **a éreinté** le roman qui vient de paraître.
• La presse **a fustigé** le bilan **désastreux** = **catastrophique** = **calamiteux** du maire.
• Quand j'ai présenté mes idées, je **me suis fait** « **assassiner** » **par** mon chef : il m'**a sabré** mon projet !
• On dit que les Français sont spécialistes de « **l'autoflagellation** » : ils « **se flagellent** » eux-mêmes, ils **se critiquent durement**. Ce n'est plus de la critique, c'est **du dénigrement**. On **dénigre** tout, on « **noircit le tableau** ».

EXERCICES

1 Choisissez la bonne réponse.

1. Cette phrase agressive a provoqué [un tollé] [une levée] de boucliers.
2. Fanny [chipote*] [dénigre] sur le moindre détail.
3. La pièce de théâtre a été [tirée] [descendue] en flammes.
4. Nadine me [contredit] [dénie] le droit de critiquer le film.
5. Ce crime a provoqué [l'indignation] [le dénigrement].
6. Roxane a l'esprit [virulent] [frondeur].

2 Les phrases suivantes sont-elles de sens équivalent ?

1. Denise cherche la petite bête = elle chicane sur des détails.
2. Le journaliste tire à boulets rouges sur le gouvernement = il fustige le gouvernement.
3. Élisabeth a l'esprit de contradiction = elle dénigre tout.
4. Ce film a fait scandale = il est calamiteux.
5. Je m'insurge contre cette idée = je suis indigné(e).
6. Ce sont des contestataires = ce sont des détracteurs.

3 Trouvez une autre manière de dire.

1. La décision de fermer l'hôpital a provoqué <u>un scandale</u> dans la région. ____________________
2. Ce collègue <u>critique</u> le plus petit détail dans un document de 200 pages. ____________________
3. L'opposition <u>n'arrête pas de critiquer violemment</u> le gouvernement. ____________________
4. Les étudiants <u>disent beaucoup de mal de</u> leur professeur, mais c'est exagéré. ____________________
5. Le député a publié <u>un texte très agressif</u>, critiquant le projet. ____________________
6. Le parlement <u>a fortement critiqué</u> le projet de loi. ____________________

4 Complétez ces expressions imagées.

1. La décision de la direction a provoqué une levée ____________________ parmi les salariés.
2. L'étudiante se critique tout le temps et exagérément, elle pratique ____________________.
3. Il me contredit tout le temps, il a ____________________ de contradiction.
4. Ce client n'est jamais satisfait, il cherche toujours la ____________________ !
5. Le film a été très critiqué, il a été ____________________.
6. Dire que la situation est dramatique est une façon de ____________________ le tableau.
7. L'employé s'est ____________________ par son chef car il a commis une erreur importante.

5 À vous ! Répondez librement aux questions par des phrases complètes.

1. Avez-vous l'esprit de contradiction ? ____________________
2. Dans votre culture, « l'autoflagellation » est-elle courante ? ____________________
3. Qu'est-ce qui, récemment, a provoqué une « levée de boucliers » dans votre pays ? ____________________
4. Quel est le dernier spectacle qui a fait scandale ? ____________________

DIRE DU MAL

• Quand on accuse quelqu'un de corruption, il répond souvent en disant que ce sont **des allégations infondées** = **des racontars***.
• Denis **a répandu des calomnies** = **des ragots*** sur le compte de Gaël, il « **a traîné** Gaël **dans la boue** ». La réputation de Gaël a été **salie** = **souillée** par les propos de Denis. Je trouve odieux de **calomnier** ainsi quelqu'un d'innocent.
• Cette rumeur **a jeté le discrédit sur** Gaël. Gaël **a été discrédité**, cela **a nui à sa réputation**. Sa réputation **a été écornée par** ces mensonges. Gaël a donc accusé Denis de l'avoir **diffamé** : il le poursuit en justice pour **diffamation**, car ces propos étaient **diffamatoires**.
• Je ne voudrais pas **médire de** Paul, mais **les mauvaises langues disent** qu'il est un **piètre** conducteur ! C'est de **la médisance**, je le sais… mais c'est vrai !
• Sylvie n'a pas arrêté de « **casser du sucre sur le dos** » de Brice : elle a **dit beaucoup de mal de** lui = elle a dit « **pis que pendre** » **de** lui.

REPROCHER

• Les parents **désapprouvent** vivement = **réprouvent** la conduite de leur fille. Ils ont fait part de **leur désapprobation** et même de leur **réprobation**. Ils lui ont parlé sur un ton **réprobateur**. Ils **l'ont réprimandée** < **sermonnée**, mais **les remontrances** = **les blâmes** n'ont pas eu grand effet !
• On ne peut pas **blâmer** Stéphanie d'avoir renoncé à son projet.
• Sarah était furieuse qu'Alexandre ait mal fait son travail : Sarah **a accablé** Alexandre **de reproches**, elle « **lui a passé un savon** ». Alexandre « **en a pris pour son grade** » = il « **a passé un mauvais quart d'heure** » = il **s'est fait engueuler*** *(argot)* **par** Sarah. **L'engueulade*** *(argot)* a duré une heure !

• Dans son rapport, la Cour des comptes **épingle** = **pointe du doigt** le ministre pour sa mauvaise gestion financière. Le ministre **s'était** déjà **fait** « **taper sur les doigts** » par la Cour des comptes.
• Louis **m'a fait des réflexions désobligeantes sur** mon travail, mais je **ne me suis pas gêné(e) pour** lui dire ce que j'en pensais !
• Ce pauvre homme subit constamment **les récriminations de** sa femme, qui n'arrête pas de **récriminer** = **le harceler**.

EXERCICES

1 Choisissez le ou les terme(s) possible(s).

1. L'adolescente a été [réprimandée] [sermonnée] [calomniée] par ses parents.
2. Blaise a encore [médit] [harcelé] [dit pis que pendre] de ses concurrents.
3. Elle a parlé à son équipe sur un ton [diffamatoire] [infondé] [réprobateur].
4. Valérie s'est fait [pointer du doigt] [taper sur les doigts] [engueuler*].
5. Gilles a accablé Jean-Yves de [reproches] [réprobation] [calomnies].
6. Léo proteste contre les [ragots*] [remontrances] [racontars*] dont il fait l'objet dans cet article.

2 Les phrases suivantes sont-elles de sens équivalent ?

1. Nadège a passé un mauvais quart d'heure = elle en a pris pour son grade.
2. Grégoire « a cassé du sucre » sur le dos de Carine = Carine lui « a passé un savon ».
3. Le professeur a réprimandé les élèves = il les a sermonnés.
4. Raoul a fait des réflexions désobligeantes sur Iris = il a traîné Iris dans la boue.
5. Cet article de presse est rempli de ragots* = il est plein de racontars*.
6. Christophe a épinglé les choix de son prédécesseur = il les a critiqués.

3 Trouvez une autre manière de dire.

1. Les grands-parents de Mathilde <u>désapprouvent complètement</u> son choix de vie. ____________________
2. La maman <u>a fait de gros reproches</u> à son petit garçon qui a fait des bêtises. ____________________
3. Charles <u>dit beaucoup de mal</u> de ses collègues. ____________________
4. Le maire, accusé de malversations, a répondu qu'il s'agissait de <u>mensonges.</u> ____________________
5. Le syndicat <u>a critiqué</u> certaines dispositions prévues par la loi. ____________________
6. La réputation de cet artiste a été <u>abîmée</u> par ces insultes. ____________________

4 Complétez.

1. Cette sombre affaire ____________________ le discrédit sur cet homme politique.
2. Mon collègue me ____________________ tout le temps des ____________________ désobligeantes.
3. Le nom de cette actrice a été ____________________ dans la ____________________, c'est terrible pour elle.
4. Ce mauvais journal est rempli de ____________________ absolument odieux.
5. Le comportement de cette femme politique a suscité la ____________________ de son entourage. Tout le monde l'a ____________________ de s'être conduite de cette manière.
6. Après l'erreur qu'il a commise, l'employé a passé un mauvais ____________________.

5 À vous ! Répondez librement aux questions par des phrases complètes.

1. Dans votre pays, quelqu'un de connu a-t-il été la cible de calomnies ? ____________________
2. Vous est-il arrivé d'en prendre pour votre grade ? ____________________
3. De qui pourriez-vous dire pis que pendre ? ____________________
4. Qui avez-vous réprimandé de manière justifiée ? Dans quelles circonstances ? ____________________

MENACER

• Le directeur de l'école **met en garde** = **avertit** les élèves quand ils se conduisent mal : ils reçoivent **une mise en garde** = **un avertissement**.
• La direction de l'entreprise « **souffle le chaud et le froid** », annonçant alternativement des nouvelles rassurantes ou inquiétantes.
• Avec ses élèves, le professeur emploie la technique de **la carotte et du bâton**…
• Hubert m'a fait du mal, il « **me le paiera** » = il « **ne l'emportera pas au paradis** » !
• Valentine reste patiente, mais quand elle rencontre une injustice, elle « **sort ses griffes** » *(comme un tigre)* = « **montre les dents** » *(comme un chien)* !
• Cet opposant au régime ne s'est pas **laissé intimider** : **les intimidations** et même **les menaces de mort** n'ont pas de prise sur lui, même si le régime **fait pression sur** lui.

COMPLIMENTER, FLATTER

• Quand nous avons présenté notre projet au directeur, il **n'a rien trouvé à redire** *(= il n'a fait aucune critique)*, il nous **a** même **félicités pour** notre inventivité.
• Le chef d'entreprise **a fait l'apologie de** la collaboration avec son partenaire étranger : il a **vanté les mérites de** son partenaire commercial. Il fait **un plaidoyer en faveur d'une** collaboration plus étroite encore.
• Tout le monde **prône les vertus du** sport : les médecins **préconisent** *(= recommandent)* la pratique régulière du sport.
• Les professeurs « **ne tarissent pas d'éloges** » sur cet élève = ils le « **couvrent d'éloges** » < ils « **l'encensent** » : ils sont **dithyrambiques** = très **élogieux** sur cet élève. **Ces louanges** sont justifiées, car cet élève est exceptionnel.
• Je « **tire mon chapeau** » **à** cet athlète handicapé qui a gagné la médaille d'or.
• Au début de la conférence, on **rend hommage à** ceux qui en ont permis la tenue.
• Si Max **jette des fleurs à** Rémi, ce dernier pense que Max essaye de le **flatter** = **de lui** « **lécher les bottes** » *(argot)* = **de lui** « **cirer les pompes*** » *(argot)*. **La flatterie** est courante dans ce milieu, et elle tourne parfois à **la flagornerie**, car **chacun** « **caresse l'autre dans le sens du poil** » pour obtenir satisfaction.
• Jean-Marc est tellement poli et **flatteur** qu'il en devient **obséquieux** ! Je ne supporte pas **cette obséquiosité**.

EXERCICES

1 **Choisissez la bonne réponse.**

1. Son entraîneur sportif ne tarit pas [d'éloges] [de louanges] sur cette nageuse.
2. Le philosophe a publié un [avertissement] [plaidoyer] en faveur de la réforme.
3. Le petit garçon ne s'est pas [fait] [laissé] intimider par les grands.
4. Ce document est parfait, je n'ai rien trouvé à [redire] [médire].
5. Certains économistes [font] [disent] l'apologie de cette politique commerciale.
6. Dans ce livre, les auteurs [rendent] [tirent] hommage à ce grand écrivain disparu.

2 **Trouvez une autre manière de dire.**

1. Les conseillers du ministre <u>l'avertissent des</u> risques de dépassement de budget. ____________
2. Les critiques <u>disent énormément de bien de</u> cet acteur. ____________
3. Ce collègue n'arrête pas de <u>flatter</u> notre chef. ____________
4. Chantal <u>a dit beaucoup de bien</u> du médecin qui l'a soignée. ____________
5. J'ai trouvé étrange que mon chef <u>me fasse tant de compliments</u>. ____________
6. Raymond s'est mal conduit avec nous, <u>nous nous vengerons</u> ! ____________
7. Le gouvernement alterne <u>les bonnes et les mauvaises nouvelles</u>. ____________

3 **Complétez.**

1. Romain est très diplomate, il ____________ ses collègues dans le sens du poil.
2. Josiane ____________ l'apologie de ce projet.
3. Manon ____________ ses griffes quand on critique ses enfants.
4. Arrêtez de nous ____________ des fleurs !
5. Le professeur tire ____________ à cet étudiant qui a si brillamment réussi.
6. Le ministre ne ____________ pas d'éloges sur sa collaboratrice.

4 (23) **Écoutez les textes suivants et faites des commentaires en vous aidant de l'ensemble du chapitre.**

1. ____________
2. ____________
3. ____________
4. ____________
5. ____________
6. ____________

5 **À vous ! Répondez librement aux questions par des phrases complètes.**

1. Utilisez-vous parfois la technique de la carotte et du bâton ? ____________
2. D'après vous, à quel moment les louanges deviennent-elles de la flagornerie ? ____________

13

TROMPER – SE TROMPER

TROMPER QUELQU'UN

• Les bouteilles de vin placées dans la vitrine sont **factices** *(= fausses)*. Cependant, leur apparence est **trompeuse** ! « **On s'y laisserait prendre**. »
• Ce faussaire a fabriqué **des faux papiers** : il **a falsifié** des passeports. **La falsification** de documents est punie par la loi.
• Ces sacs à main ne sont pas authentiques, ce sont **des contrefaçons**, arrivées ici en **contrebande**. **Les contrebandiers** seront poursuivis.
• Les statistiques **ont été truquées**, quelqu'un les a modifiées **frauduleusement**.
• On **a fait miroiter** une promotion à Loïc, mais c'était « **un attrape-nigaud*** » = **une promesse fallacieuse** = **mensongère**. On l'**a berné** = **dupé** = **roulé*** = **floué**.
• Luc est **rusé comme un renard** = il est **roublard*** ; **sa ruse** = **sa roublardise*** l'aide à **déjouer les pièges** que lui **tendent** ses adversaires. Pourtant, ils emploient **des feintes** = **des stratagèmes** pour le **mettre en difficulté**.
• Jacques a un côté **machiavélique** : il est capable de monter de véritables **machinations** contre ses adversaires. **Après le** (**sale***) **coup qu'il leur a fait** = **le mauvais tour qu'il leur a joué**, personne ne lui fait plus confiance !
• Nous avons dû **faire diversion** et changer de sujet, car une dispute risquait d'éclater entre ces deux femmes.
• **Mine de rien** = **l'air de rien** = **sans en avoir l'air**, Dominique s'est révélé un redoutable négociateur. Pourtant, il **ne payait pas de mine** *(= on n'aurait jamais pensé qu'il avait de la valeur)*.
• Mis en cause dans un scandale, cet homme politique a tenté **un subterfuge** = **une échappatoire** = **un faux-fuyant** pour **détourner l'attention de** la presse. C'est **une mascarade** ! **Ce jeu de dupes** n'**a trompé** personne.
• Proposer de créer un jardin dans ce village n'est pas un vrai projet écologique, il s'agit juste de « **jeter de la poudre aux yeux** » des électeurs et de les tromper en « leur **faisant prendre des vessies pour des lanternes** » !
• Romain a essayé de séduire Salomé, il lui **a fait le grand jeu** !
• Xavier **triche** en jouant aux cartes. C'est **un tricheur**, qui pratique **la tricherie**.
• **Ce faussaire** a prétendu être un expert en tableaux. Il **a grugé** = **escroqué** des collectionneurs de tableaux, qui ont acheté très cher ses **faux** Matisse. **La mystification** = **la tromperie** a été découverte. **L'escroc** a été arrêté et condamné pour **escroquerie**.

EXERCICES

1 **Trouvez une autre manière de dire. Vous devrez parfois reformuler la phrase.**

1. Pour éviter un problème diplomatique, elle a détourné l'attention des participants. ______
2. Ce ne sont pas de vrais diamants qui sont exposés. ______
3. On ne dirait pas, mais Samia est un professeur plutôt sévère. ______
4. On a fait croire à Martin qu'il deviendrait responsable de son équipe. ______
5. Cette femme politique est très rusée. ______
6. Ce marchand a trompé le client un peu naïf. ______

2 **Complétez.**

1. Le cheval de Troie a été un ______ particulièrement réussi.
2. Elle ne répond jamais directement aux questions, elle trouve toujours ______.
3. Quelqu'un a joué un mauvais ______ à cette pauvre fille.
4. Il va falloir ______ diversion pour ______ l'attention des enfants.
5. Mine de ______, Simon a parfaitement organisé le déménagement.
6. Ce ______ a peint des faux Picasso.

3 **Répondez aux questions.**

1. Elle est tombée dans le piège tendu par ses adversaires ?
– Non, au contraire, ______
2. Les comptes de l'entreprise sont-ils sincères et honnêtes ?
– Non, au contraire, ______
3. On voyait que Muriel était aussi intelligente que compétente ?
– Non, au contraire, ______
4. Lucien joue honnêtement ?
– Non, au contraire, ______
5. Ces diamants sont authentiques ?
– En fait, non, mais ______

4 **Comment expliqueriez-vous les situations suivantes en insistant sur la tromperie ?**

1. On m'a vendu ce meuble en me faisant croire qu'il était ancien. ______
2. Le chèque, qui était adressé à Brigitte, a été encaissé par quelqu'un d'autre. ______
3. Avec sa grosse voiture, Paul fait croire qu'il est riche, alors qu'il ne l'est pas. ______
4. On voudrait nous faire croire que cet appartement vaut une fortune alors qu'il est en mauvais état !
______
5. Le vieux milliardaire a fait croire à sa secrétaire qu'elle serait son héritière, mais cela n'a pas été le cas ! ______

MENTIR

• Bernard **ment « comme il respire » = « comme un arracheur de dents »** !
Il dit **des contre-vérités** à longueur de journée, il **fait mensonges sur mensonges**.
• Fabien ment, mais il croit « dur comme fer » à ses propres mensonges. C'est **un affabulateur = un mythomane. La mythomanie** est une pathologie.
• On a reproché à Jérôme **un mensonge par omission** : il **a omis** *(= « oublié »)* de déclarer qu'il avait un compte bancaire dans un paradis fiscal.
• Mon étudiant m'a expliqué qu'il avait été malade. En réalité, il ne voulait pas faire les devoirs, « **c'était cousu de fil blanc** » ! Il **m'a raconté des histoires** = il m'**a** « **raconté des salades*** » = **des bobards***, il n'a jamais été malade !
• On **a bourré* le crâne** de Rémi avec des idées fausses, il s'est laissé influencer.
• Léo ne raconte pas sobrement ce qu'il a fait ; il « **en rajoute** » = il **brode**...
• Il me sourit gentiment alors qu'il me déteste. Il est **hypocrite**, c'est **un faux jeton*** ! Quelle **hypocrisie** ! C'est un **tartuffe**, **sa tartufferie** me fait horreur.

Remarque. Tartuffe est le protagoniste de la pièce de Molière du même nom, qui dénonce l'hypocrisie en général, et l'hypocrisie religieuse en particulier.

• Louis **a usurpé** *(« volé »)* un nom prestigieux, c'est **un usurpateur**. **L'usurpation** a été découverte par hasard.
• Si le candidat aux élections promet de baisser les impôts, cela peut être de **la démagogie** = une promesse **démagogique** et **fallacieuse**, destinée à flatter et à tromper les électeurs. Ce candidat est **un démagogue**.

FAIRE SEMBLANT

• Clément **a feint** = **simulé** l'enthousiasme mais c'était **une feinte**, il **jouait la comédie**. C'est **un** vrai **simulateur**, qui fait preuve de **dissimulation**. Il ment sur ses vrais sentiments.
• Mélanie **joue double jeu**, elle essaye de s'allier à des personnes ennemies. Sa **duplicité** me fait horreur.
• Roger **s'est fait passer pour** un médecin, mais c'était **un imposteur**, il n'a jamais étudié la médecine. **Son imposture** a été révélée par un de ses proches.
• Jean est très malade, mais il « **donne le change** », il agit courageusement comme si tout allait bien.
• Il ne s'agit pas d'un procès en bonne et due forme, mais d'**un simulacre** *(= une imitation trompeuse)*.

EXERCICES

1 Comment appelle-t-on quelqu'un qui...

1. montre une grande hypocrisie ? ____________________
2. fait croire qu'il a une compétence qu'il n'a pas en réalité ? ____________________
3. croit fermement à ses propres mensonges ? ____________________
4. flatte les gens et leur crédulité ? ____________________
5. est capable de simuler des sentiments ? ____________________
6. commet une usurpation ? ____________________

2 Complétez.

1. François exagère un peu quand il raconte quelque chose, il en ____________________ toujours !
2. Margot ____________________ l'indifférence alors qu'elle est folle amoureuse de Gaspard.
3. Afin d'entrer dans ce bâtiment interdit au public, Salomé, qui est étudiante, ____________________ pour une journaliste en reportage.
4. Mounia est épuisée et surmenée, mais elle __________ le change, on dirait que tout va bien pour elle.
5. Cet homme ____________________ comme un arracheur de dents !
6. Mes enfants me ____________________ des salades*, j'en suis sûre !
7. Cette histoire est ____________________ de fil blanc.
8. On ____________________ le crâne de cette fillette avec des histoires idiotes.

3 Commentez ces situations. Vous pouvez les considérer comme plus ou moins graves.

1. Colombe n'a pas montré à quel point elle avait été blessée par la critique de son chef.
____
2. Axelle a prétendu qu'elle pourrait aider le ministre grâce à ses relations, mais c'est faux, elle ne connaît personne ! ____________________
3. Myriam prétend qu'elle a rencontré Bruno par hasard dans la rue, mais je sais bien qu'elle l'a fait exprès, parce qu'elle s'intéresse à lui ! ____________________
4. Il se prétend écologiste, mais il conduit une très grosse voiture ! ____________________
5. Viviane n'arrête pas de mentir ! ____________________
6. Julie et Sarah se détestent, mais devant les autres, elles donnent l'impression de bien s'entendre.
____

4 À vous ! Répondez librement aux questions par des phrases complètes.

1. Avez-vous été confronté(e) à un tartuffe ?
2. Quelle serait selon vous une promesse électorale démagogique ?
3. Vous est-il arrivé de « donner le change » ?
4. Avez-vous parfois raconté des salades* ? Dans quelles circonstances ?

ÊTRE TROMPÉ

• Je **me suis laissé embobiner*** par **ce charlatan**. Je **me suis fait avoir*** et j'ai acheté ce produit défectueux. Le voleur **m'a eu**, j'ai été « **le dindon de la farce** ».
• Agnès a prétendu qu'elle avait été invitée à Hollywood. Elle « **m'a fait marcher** » = elle « **m'a mené(e) en bateau** » ! Je « **suis tombé(e) dans le panneau** » *(= dans le piège)*, mais c'était une plaisanterie. Anne, en revanche, **n'a pas été dupe** = « **on ne la lui fait pas** » !
• Rémi a utilisé mon mot de passe **à mon insu**, et je « **n'y ai vu que du feu** » *(= je n'ai rien vu)*. Je croyais que Rémi était honnête, je **me faisais des illusions** !
• On a l'impression que la montagne est toute proche, mais **c'est une illusion d'optique** : en réalité, elle est à plus de cent kilomètres d'ici.
• Thomas a été victime d'**une supercherie** *(= une tromperie)*.
• Imaginer devenir concertiste est **une chimère** = **un vœu pieux**, car je ne suis pas assez doué !
• Éric est tombé dans **un traquenard** (= **un piège** criminel) et on lui a tout volé.

SE TROMPER

• **Si je ne m'abuse** = **si je ne me trompe (pas)** = **sauf erreur de ma part**, Molière est mort en 1673. La date de 1680 est **erronée** = **fautive**.
• Il a pris la mauvaise direction : il **s'est trompé** = il **s'est gouré*** = il **s'est fichu*** = **foutu*** *(argot)* **dedans** ! Il a **été induit en erreur par** sa collègue qui **a confondu** la rue Saint-Martin **et** la rue du Faubourg-Saint-Martin. Il faut dire que **cela prête à confusion** !
• L'élève n'avait pas étudié, il a répondu **une bêtise** = **une ânerie*** = **une connerie*** *(argot)*. Je **me suis mépris(e) sur** lui : je croyais qu'il était très sérieux.
• Raphaël **est aveuglé par** son amour, il croit que Julie l'aime pour lui-même en non pour son argent. C'est **une illusion** = **un leurre**. Il **se leurre** = il « **se met le doigt dans l'œil** » = il « **croit au Père Noël** » !
• Tu penses que je t'ai oublié ? **Quelle idée** ! = **En voilà une idée** ! *(= c'est faux !)*
• Hugo est ingénieur, mais il **s'est fourvoyé**, il aurait dû choisir une autre voie.
• Jean ne veut pas voir la réalité en face, il « **a des œillères** » *(= comme un cheval)* = il « **se voile la face** » = il « **fait l'autruche** » !
• Penser que *La Comédie humaine* de Balzac est une œuvre comique est **un contresens** *(= une grosse erreur d'interprétation)*.
• Vous pensez que Fred n'est pas ambitieux ? **Détrompez-vous** *(= au contraire)* **!**

EXERCICES

1 **Répondez aux questions.**

1. Tu as vu que Jacques te trompait ? – Non, au contraire, ____________
2. Cette date est juste ? – Non, au contraire, ____________
3. D'ici, on a l'impression que le château est énorme. – Oui, en effet, c'est ____________
4. Elle s'est trompée de date ? – Oui, ____________
5. Ils ont dit des bêtises ? – Oh oui, ____________
6. Elle accepte de voir la réalité en face ? – Non, au contraire, ____________
7. Ce projet de changer de travail est réaliste ? – Non, je ne crois pas, ____________

2 **Les phrases suivantes sont-elles de sens équivalent ?**

1. Ils ont dit une ânerie* = ils se sont mis le doigt dans l'œil.
2. Elle nous a fait marcher = nous sommes tombés dans le panneau.
3. Détrompe-toi ! = tu ne t'es pas trompé !
4. Elle a des œillères = on ne la lui fait pas.
5. Ils se sont gourés* = on leur a tendu un piège.
6. Victoire n'a pas été dupe = elle ne s'est pas fait avoir.
7. Noémie n'y a vu que du feu = cela s'est passé à son insu.

3 **Trouvez une autre manière de dire.**

1. <u>Si je ne me trompe pas</u>, Jean-Jacques Rousseau est né à Genève. ____________
2. Jocelyne a fait <u>une bêtise</u>, elle a envoyé ce document à la mauvaise personne. ____________
3. Il ne faut pas <u>se faire d'illusions</u>, cette situation ne s'améliorera pas facilement. ____________
4. Nadia a été volée <u>sans qu'elle le sache</u>. ____________
5. Les soldats sont tombés dans <u>un piège</u>. ____________
6. Il <u>mélange</u> toujours ces deux peintres dont les noms sont si proches. ____________

4 (24) **Écoutez et faites un commentaire sur chacune des situations.**

1. ____________
2. ____________
3. ____________
4. ____________
5. ____________
6. ____________

5 **À vous ! Répondez librement aux questions par des phrases complètes.**

1. Vous est-il arrivé de vous faire avoir ? ____________
2. Avez-vous tendance à faire l'autruche ? ____________
3. Certains de vos projets ou de vos rêves sont-ils des chimères ? ____________

ERREURS PRATIQUES

• Claire a renversé le verre d'**un geste malencontreux**. Elle a **malencontreusement** renversé le verre. Ce n'était pas volontaire, c'était **une maladresse**.
• À l'aéroport, j'ai pris la valise de ma voisine **par inadvertance** = **par mégarde** = **par étourderie** *(= par manque d'attention).*
• Ninon ressemble énormément à Flore, c'est **à s'y méprendre** ! On pourrait, **par méprise**, prendre l'une pour l'autre.

• Paul a oublié de mettre les verres sur la table, c'est **une étourderie** *(= un petit oubli).*
• À cause **d'une défaillance** du système informatique, je ne peux plus accéder à ce site.
• Il y a **de petites erreurs** dans ce texte, et en particulier **des coquilles** = **des fautes de frappe**, mais ce sont **des broutilles*** *(= des bricoles).*
• Quand des émeutes ont lieu, la police cherche à éviter **les bavures** : elle ne doit pas blesser ou tuer des innocents par erreur.

ERREURS DIPLOMATIQUES

• À la suite d'**un quiproquo** = **une confusion** = **une méprise** = **un malentendu**, Carine a été invitée à la soirée à la place de Caroline.
• Hier, Armelle **a fait** / **a commis une gaffe** = **une bourde*** = elle « **a mis les pieds dans le plat** », elle a critiqué les gens trop gros devant Sylvie, qui est obèse. Il est vrai qu'Armelle est **gaffeuse**, elle **commet** souvent **des bévues**.
• Dans une réunion diplomatique, il est essentiel d'éviter de **commettre un impair** = **un faux pas**.
• Quand un personnage public dit quelque chose de choquant, on parle désormais d'**une dérive** de la pensée ou d'« **un dérapage verbal** » : « Jean-Marie **a dérapé sur** le sujet. »
• Ne pas surveiller les enfants à la piscine est **un manquement aux** règles de sécurité.

EXERCICES

1 Les phrases suivantes sont-elles de sens équivalent ?

1. Il s'agit d'une coquille = c'est une faute de frappe.
2. Félix a commis une bévue = il s'agit d'un quiproquo.
3. Antoine a pris le mauvais bus par inadvertance = il ne faisait pas attention.
4. On reproche ce dérapage au député = on lui reproche une bavure.
5. Ce site Internet a connu des défaillances = il a connu des dérives.
6. Thomas a mis les pieds dans le plat = il a fait une gaffe.

2 Complétez.

1. Cet élève fait beaucoup de fautes par ______________________, c'est vraiment dommage !
2. Nathan casse souvent des objets d'un geste ______________________.
3. Le service du protocole tente d'éviter les ______________________ lors de réceptions officielles.
4. On ne sait pas si cet accident est dû à une ______________ technique ou à un ______________ grave aux règles de sécurité.
5. Cet homme a été arrêté à la suite d' ______________________, on l'a pris pour quelqu'un d'autre.
6. Martine fait des fautes de ______________________ en tapant cette lettre.

3 Trouvez une autre manière de dire.

1. Le député a dit quelque chose de très choquant. ______________________
2. Corinne fait souvent des gaffes ! ______________________
3. Anatole a jeté un papier parce qu'il ne faisait pas attention. ______________________
4. Les soldats de la force d'interposition ont commis une tragique erreur. ______________________
5. Le professeur a relevé de très petites erreurs dans le devoir de l'étudiant. ______________________

4 (25) Écoutez et commentez les situations en employant des expressions imagées présentées dans l'ensemble du chapitre.

1. ______________________
2. ______________________
3. ______________________
4. ______________________
5. ______________________
6. ______________________

5 À vous ! Répondez librement aux questions par des phrases complètes.

1. Avez-vous parfois commis des gaffes ? ______________________
2. Y a-t-il eu un malentendu dans votre entourage, récemment ? ______________________
3. Un personnage politique a-t-il déjà commis « un dérapage verbal » ? ______________________

14

LES CONFLITS

LES DISSENSIONS

• Entre Lucien et Clément, **il y a « de l'eau dans le gaz »**, **ça va mal tourner** ! Lucien cherche à **nuire à** Clément qui prépare **une riposte** = **une contre-attaque**. À mon avis, il ne faut pas **interférer** = **intervenir** dans **cette querelle**.
• Colette a tendance à « **mettre de l'huile sur le feu** », à **attiser les dissensions**, elle provoque facilement **la zizanie** parmi ses collègues. Mais un jour, **cela va se retourner contre** elle.
• **La pomme de discorde** entre les deux frères est une sombre histoire d'héritage, qui **a exacerbé** *(= aggravé)* **les dissensions** à l'intérieur de la famille.
• Sébastien est **un farouche opposant à** cette loi. Il **s'est toujours affronté à** sa sœur sur ce sujet, et **l'affrontement** dure depuis longtemps.
• Jean-Paul « **règle des comptes** » avec ses anciens partenaires. **Le règlement de comptes** entre ces malfaiteurs est à l'origine de nombreux crimes.
• L'évolution de l'Europe est liée aux **soubresauts** de la politique internationale et aux **vicissitudes** de l'histoire.
• Lors de la réunion, Éric **a fait entendre un ton / un son discordant**, il a émis un avis très différent des autres, ce qui a donné lieu à **des frictions** = **des désaccords** = **des crispations** = **des tiraillements** entre ses collègues et lui.
• Le Premier ministre **a désavoué** son ministre. **Ce désaveu** s'explique par **une** profonde **inimitié** *(≠ amitié)* entre les deux hommes.
• Pendant la manifestation, le nom du ministre **a été hué** = le ministre **s'est fait huer**. Il est apparu **sous les huées de** la foule.
• En s'installant dans ce village, Tom **s'est confronté à des réactions hostiles** = **il a affronté l'hostilité** des habitants. Il **a** parfois **été stigmatisé** (= **désigné** négativement), car il est différent des autres.

• Ce pauvre enfant **a été maltraité**, il a subi de nombreuses **brimades** : ses parents le **brimaient**, **l'humiliaient**. Ils ont été arrêtés pour **maltraitance**.
• Entre ces deux hommes politiques, **le contentieux** est lourd. Ils ont eu **des litiges** dans le passé et ils **sont « à couteaux tirés »**. **Leur antagonisme** ne facilite pas le travail à leur entourage !

EXERCICES

1 **Choisissez le ou les terme(s) possible(s).**

1. Cette situation | attise | stigmatise | exacerbe | les dissensions.
2. Des | frictions | désaveux | tiraillements | ont surgi pendant la réunion.
3. Ces | ripostes | brimades | zizanies | répétées constituent de la maltraitance.
4. Il vaut mieux ne pas | huer | intervenir | se confronter | dans ce litige.
5. Nous pensons qu'ils cherchent à nous | nuire | désavouer | humilier |.
6. Les guerres font hélas partie des | antagonismes | hostilités | vicissitudes | de l'histoire.

2 **Complétez.**

1. Les deux femmes vont ________________ leurs comptes pendant la réunion.
2. L'agressivité de Norbert risque de ________________ contre lui.
3. Le ministre n'a pas soutenu son directeur de cabinet ; au contraire, il l'a ________________.
4. Au milieu de cette unanimité, le député a ________________ un son discordant.
5. En faisant allusion au divorce, tu risques de ________________ de l'huile sur le feu !
6. C'est horrible, ces mauvais parents ________________ leur petit garçon.

3 **Trouvez une autre manière de dire.**

1. <u>La raison de la dispute</u> est la rivalité entre les deux hommes pour devenir PDG. ________________
2. Il existe <u>des désaccords</u> au sein de l'équipe. ________________
3. Encore maintenant, il arrive que l'on <u>désigne agressivement</u> certaines catégories de la population.
____
4. Les grévistes ont <u>crié</u> le nom des dirigeants de l'entreprise. ________________
5. Mon collègue fait tout pour créer <u>le conflit</u> au sein de l'équipe. ________________
6. Le responsable du parti, très critiqué, prépare <u>une réponse agressive</u>. ________________

4 **Complétez.**

1. Nelson Mandela était un ________________ opposant à l'apartheid.
2. Les deux frères ont un lourd ________________ entre eux. Leurs ________________ remontent à plusieurs années, quand leur entreprise a fait faillite.
3. Ce problème est la ________________, il est à l'origine de la dispute.
4. Un membre du personnel a été arrêté pour ________________ envers des personnes âgées.
5. Il n'est pas prudent ________________ dans cette douloureuse querelle.

5 (26) **Écoutez les phrases et faites un commentaire en employant des expressions imagées.**

1. ________________
2. ________________
3. ________________
4. ________________

LA DESTRUCTION, LA VIOLENCE

• Après l'ouragan, qui **a tout emporté sur son passage**, on recherche des survivants dans **les décombres** des maisons, dont il ne reste que **des débris**.

• L'incendie **a fait des ravages** dans la région, il **a ravagé** = **dévasté** des hectares de forêt.

• Hélas, le jeune homme s'est fait **battre** = s'est fait **tabasser*** *(argot)* = s'est fait **casser la gueule*** *(argot)* par des voyous, qui « **n'y sont pas allés de main morte** » *(= ont été violents)*.

• **Des vandales ont vandalisé** *(= détruit par plaisir)* toutes les voitures garées dans la rue. **Le vandalisme** est **un** vrai **fléau** = **une calamité** dans ce quartier !

• La manifestation **a été** violemment **réprimée**, **la répression** a été **sanglante**. Heureusement, Bénédicte avait **flairé** *(= senti)* **le danger** et n'y était pas allée.

• Entre ces deux familles ennemies, c'est « **l'escalade de la violence** » : **la vengeance** est terrible et sans fin, puisque chaque famille **se venge** sur l'autre d'un crime commis. C'est **un** véritable **engrenage**. D'ailleurs, **le sang a encore coulé** la semaine dernière.

• **Un attentat terroriste** a eu lieu hier soir. **Les terroristes** ont **fait sauter** un pont = ils ont **fait exploser une voiture piégée** sur un pont et **la bombe a éclaté** au passage d'un train. **Cette tuerie** = **ce carnage a fait de nombreuses victimes**.

• **Le fanatisme** conduit souvent à **des actes barbares**, à **de la barbarie**. Ce sont **des fanatiques** qui les commettent.

• Le bateau **a été torpillé** (= **détruit à l'explosif**) pendant la guerre : il **a coulé** = il **a fait naufrage**, il **a disparu corps et biens**. Un autre navire **s'est sabordé** *(= s'est détruit volontairement)*.

• Certaines communautés **ont été opprimées**, puis véritablement **persécutées** *(= traitées avec violence)*, **les persécutions** ont fait des morts, et ont parfois abouti à **des massacres** : des populations **ont été massacrées**. Lorsque **ces atrocités** se passent à une grande échelle, on parle de **génocide** = c'est **l'extermination** systématique d'un peuple.

• **Les milices se livrent à des représailles** *(= vengeances)* sur la population civile. On redoute un véritable « **nettoyage ethnique** ».

EXERCICES

1 **Choisissez le ou les terme(s) possible(s).**

1. Cet attentat est [une extermination] [un acte barbare] [une escalade] [une répression].
2. Les deux ennemis veulent [se faire battre] [se saborder] [se venger] [se faire tabasser*].
3. Ce groupe de personnes est [opprimé] [persécuté] [torpillé] [ravagé] par un autre.
4. La police lutte contre [la vengeance] [le vandalisme] [les débris] [la calamité].
5. La tempête a [dévasté] [ravagé] [piégé] [opprimé] la région.

2 **Les phrases suivantes sont-elles de sens équivalent ?**

1. Le bateau a été torpillé = il s'est sabordé.
2. Le boxeur n'y est pas allé de main morte = il a fait des ravages.
3. Ce peuple entier a été massacré = il s'agit d'un génocide.
4. On a fait sauter un bâtiment = une explosion s'est produite.
5. C'est l'escalade de la violence = c'est un terrible engrenage.
6. Des représailles ont eu lieu = il s'agit d'une vengeance.

3 **Trouvez une autre manière de dire. Il faudra parfois reformuler la phrase.**

1. La bombe <u>a éclaté</u>. ______________________________
2. L'ouragan <u>a ravagé</u> la région. ______________________________
3. Le bateau <u>a fait naufrage</u>. ______________________________
4. <u>Les violences s'enchaînent sans arrêt</u>. ______________________________
5. Cet attentat <u>a fait de très nombreux morts</u>. ______________________________
6. La boutique <u>a été détruite par pure malveillance</u>. ______________________________
7. <u>On n'a jamais retrouvé le bateau après son naufrage</u>. ______________________________
8. Ces violences sont <u>un terrible problème</u> pour la région. ______________________________

4 **Complétez.**

1. Les deux jeunes gens se sont fait ____________________ par des voyous qui leur ont volé leur téléphone.
2. On a retrouvé des survivants dans les ______________________________ du bâtiment détruit.
3. Le sang a encore ______________________________ hier soir.
4. Un attentat à la voiture ______________________________ s'est produit l'autre soir.
5. Le typhon a tout ______________________________ sur son passage.

5 **Que se passe-t-il ?**

LA GUERRE

• On parle souvent d'**un « incident »** dans **un conflit armé**, pour désigner un acte violent, mais isolé. Quand les incidents se multiplient, cela devient **des troubles**.

• Devant les risques de guerre **civile** *(= entre compatriotes)*, le gouvernement **a déclaré l'état d'urgence** et **a décrété un couvre-feu**.

• **L'armée marche sur** *(= se dirige vers)* la capitale pour **déclencher un assaut** = **une offensive** = **une attaque. Les tirs d'obus** n'arrêtent pas. **Les soldats** tentent de **reprendre le contrôle du territoire « pied à pied ». L'avance des troupes** provoque parfois **un exode** *(= une fuite des populations civiles).*

• L'armée **a lancé une contre-attaque** = **une riposte**. Elle a **fait une incursion** *(brève entrée)* **en territoire ennemi. Des combats** ont eu lieu.

• **Les opérations de guerre** ont débuté il y six mois.

• Faut-il **armer** ces personnes ou au contraire les **désarmer** ? **La course aux armements** est toujours dangereuse !

• Il s'agit d'**une guérilla** qui **mène une guerre d'usure** contre l'armée **régulière** = **les militaires.**

• Le gouvernement ne sait plus comment « **se sortir de ce bourbier** », car les risques militaires et politiques sont **inextricables**.

VERS LA PAIX

• **Les démineurs** sont parvenus à **désamorcer** la bombe qui n'a donc pas explosé. **Le déminage** du terrain a pris du temps.

• Ce pays tente de **s'interposer entre les** deux **belligérants** et voudrait envoyer **une force d'interposition**. Cela permettrait peut-être **d'apaiser les tensions**.

• Les belligérants **ont observé** = **ont respecté une trêve**. Les diplomates ont ensuite obtenu **l'arrêt des combats** = **des hostilités**, ce qui a conduit à la signature d'**un cessez-le-feu**.

• Après de longs **pourparlers de paix**, l'un des belligérants s'**est enfin rallié** à **la proposition de paix** qui lui a été faite. Les deux pays **ont conclu** = **signé** = **ratifié un traité de paix**.

• Les adversaires **ont** longuement **délibéré**. Finalement, **les délibérations** ont débouché sur **un compromis, un consensus** = **un accord**.

• La plupart des peuples **aspirent à la paix**, surtout quand ils sont **pacifistes** : ils préfèrent **vivre en paix**.

EXERCICES

1 Les phrases suivantes sont-elles de sens équivalent ?

1. Les soldats ont respecté la trêve = ils ont momentanément arrêté le combat.
2. Un assaut a été déclenché = l'état d'urgence est déclaré.
3. Il s'agit d'une guerre d'usure = ce sont des incidents.
4. La contre-attaque s'est produite hier = la riposte a eu lieu hier.
5. On essaye de désamorcer la bombe = on veut empêcher la bombe d'exploser.
6. Les soldats sont pris dans un bourbier = ils sont pris dans une guerre civile.
7. Le traité a été ratifié = les pourparlers ont bien avancé.

2 De qui ou de quoi parle-t-on ?

1. Ils prennent part à une guerre. ____________________
2. Ce sont les premières négociations lors d'un conflit. ____________________
3. Il s'agit d'une situation militaire très complexe, dans laquelle on ne voit pas de solution. __________
4. Il est parvenu à désamorcer la bombe. ____________________
5. C'est une pause décidée au milieu des combats. ____________________
6. C'est une armée neutre qui intervient entre deux armées ennemies. ____________________
7. C'est l'interdiction de sortir de chez soi après une certaine heure. ____________________

3 Complétez.

1. Les militaires ____________________ une contre-attaque.
2. Le gouvernement ____________________ un couvre-feu.
3. Les deux armées ____________________ la trêve, heureusement.
4. L'armée cherche à ____________________ le contrôle de la région.
5. Les démineurs ont réussi à ____________ la bombe, qui n'a pas ____________.
6. Ces milices ____________________ une guerre d'usure.
7. Le peuple est épuisé par la guerre et ____________________ à la paix !
8. Les deux anciens ennemis ____________________ un traité de paix.

4 Trouvez une autre manière de dire.

1. Les combats ont cessé, fort heureusement. ____________________
2. Le journaliste rapporte que de très nombreux incidents se sont produits. ____________________
3. Les deux pays ont définitivement signé le traité de paix. ____________________
4. Les deux armées ont décidé un arrêt temporaire des combats. ____________________
5. Les discussions entre les belligérants ont permis d'arriver à un accord. ____________________
6. Le pays a décidé d'envoyer des groupes de soldats. ____________________
7. Les militaires ont déclenché une offensive. ____________________

SE BATTRE (PSYCHOLOGIQUEMENT)

• **Une polémique** a opposé un ministre à un journaliste. Ce dernier **a battu en brèche** (= *attaqué)* les arguments du ministre, qui prétendait qu'on ne pouvait pas **polémiquer sur** ce sujet.

• Le député **a ferraillé** pendant tout le débat pour convaincre **son adversaire** de ses arguments. La discussion a été **âpre** *(= dure).*

• Nous avons dû **batailler** = **nous battre** = **nous bagarrer** *(figurativement)* pour obtenir l'autorisation de construire ce bâtiment.

• Cette femme politique **combat** le racisme. Elle **se bat contre** le racisme et **pour** la tolérance. **Son combat** dure depuis des années.

QUELQUES EMPLOIS IMAGÉS

• Nous avons tenté de **désamorcer le conflit** entre les cousins, car la situation était **explosive**, mais Albert **a sabordé** = **torpillé** nos efforts qui ont échoué.

• Le professeur a mis 6/20 à ce devoir ? Il « **n'y est pas allé de main morte** » ! *(= il a été dur)*

• On nous **matraque*** = **assomme*** avec des slogans publicitaires !

• Face à cette situation, elle s'est retrouvée **désarmée** = **désemparée**, elle ne savait plus quoi faire. Bastien, en revanche, **est bien armé** pour la vie, car il **s'est aguerri** avec le temps.

• Je ne vais pas parler d'argent avec mon grand-père, car **le terrain est miné** !

• La nouvelle de l'inculpation du ministre **a fait l'effet d'une bombe**.

• Le prix des loyers **a explosé** dans cette région *(= il a fortement augmenté).*

• Les enfants, je suis fatigué, **j'aimerais bien avoir la paix** ! « **Fichez-moi* la paix** » ! *(= laissez-moi tranquille)*

• Entre ces deux hommes politiques, **les hostilités** sont ouvertes !

• Le mauvais pianiste **a massacré** ce magnifique prélude de Chopin !

• Le débat au parlement a été **sanglant** *(= violent).*

• Pour ce meeting, les militants sont **en ordre de bataille** *(= prêts à se battre).*

• Après les critiques de l'opposition, le gouvernement a décidé de **contre-attaquer** = **riposter**. C'est le Premier ministre qui s'est chargé de **la contre-attaque** = **la riposte**.

• L'opposition continue **son offensive** sur le plan économique.

• Dans cette entreprise, c'est évidemment l'argent qui est « **le nerf de la guerre** ».

EXERCICES

1 **Les phrases suivantes sont-elles de sens équivalent ?**

1. Le terrain est miné = je suis bien armé(e) pour me défendre.
2. Nous allons contre-attaquer = nous allons riposter.
3. Il a désamorcé le conflit = il a sabordé le conflit.
4. Ils ont bataillé toute la soirée = ils ont ferraillé toute la soirée.
5. Les professeurs nous assomment avec des exercices = ils nous massacrent !
6. Thibaut voudrait avoir la paix = Thibaut est complètement désemparé.

2 **Trouvez une autre manière de dire.**

1. À l'ouverture du testament du milliardaire, la dispute entre les héritiers a été très violente. ____________
2. Le vieux monsieur n'était pas préparé face à l'agressivité de ses voisins. ____________
3. Mon collègue a ruiné tous nos efforts pour réussir ce projet à temps. ____________
4. La ministre doit se battre pour faire adopter sa loi à l'Assemblée nationale. ____________
5. L'annonce de la faillite de la banque a été un énorme choc. ____________
6. Les deux responsables politiques ont vigoureusement discuté à la télévision. ____________

3 **Complétez.**

1. Les députés de l'opposition sont en ordre de ____________ pour obtenir que le gouvernement renonce à son projet de loi.
2. Lucien a fait de son mieux pour ____________ le conflit entre ses collègues.
3. Pour répondre aux critiques, le ministre a décidé de ____________ par une nouvelle proposition.
4. Pour mener cette bataille, nous avons besoin du ____________ de la guerre : l'argent.
5. Non, je ne jouerai pas cette sonate, je joue trop mal, je risque de la ____________ !

4 27 **Écoutez et faites un commentaire en employant des expressions imagées.**

1. ____________
2. ____________
3. ____________
4. ____________
5. ____________
6. ____________
7. ____________

5 **À vous ! Répondez librement aux questions, par des phrases complètes.**

1. Dans quelles circonstances pouvez-vous vous bagarrer pour obtenir quelque chose ?
2. Vous est-il arrivé de vous retrouver désarmé(e) dans une situation ?
3. Du point de vue politique, une nouvelle a-t-elle fait l'effet d'une bombe dans votre pays ?
4. Vous est-il arrivé de désamorcer un conflit dans votre entourage ?

15 RÉUSSITES ET ÉCHECS

LES RISQUES

- Loïc nous **défie** = **nous met au défi de** faire mieux que lui.
- Succéder à Aude est **une gageure** (= **un défi** très difficile). Martin **a relevé le défi**. Il « **s'est piqué** = **s'est pris au jeu** », même si c'était **risqué** = **hasardeux**.
- L'entreprise **joue gros** avec ce projet, qui **met en jeu** un budget énorme, mais elle **mise** = **parie** = **table sur** l'esprit d'équipe pour **surmonter les obstacles**. Il va falloir **jouer serré**, car les concurrents sont **redoutables**.
- Cette famille trop pauvre pour payer son loyer **risque d'**être expulsée de son logement : elle vit avec « **une épée de Damoclès au-dessus de la tête** ».
- Maud a hésité avant de s'exprimer, mais enfin, elle « **s'est jetée à l'eau** » ! **Au risque de déplaire à** sa hiérarchie, elle a critiqué les solutions proposées.
- Alain est cardiaque, mais il continue à faire des sports violents : il le fait **à ses risques et périls**. Il « **joue avec le feu** », il risque d'« **y laisser sa peau** » *(= mourir après avoir pris des risques)*.
- Cet avocat **prend des risques** = il **s'expose** = il **se mouille*** *(argot)* = il « **mouille sa chemise** » *(argot)* pour défendre ses clients. Ce sont **les risques** = **les aléas du métier** !
- Annabelle **ne veut pas courir le risque de** perdre son emploi. Cela dit, **il n'y a pas de danger** = **de risque qu'elle** le perde, car c'est une employée modèle.
- En acceptant ce nouveau travail, Simon « **plonge dans l'inconnu** » ! Il **s'aventure sur** un terrain nouveau. Il se demande si « **le jeu en vaut la chandelle** » = si **cela en vaut la peine** : c'est lui qui va « **essuyer les plâtres** » *(= prendre les premiers risques)* et il risque de « **se brûler les ailes** ».
- Je ne vais pas **me hasarder** = **me risquer à** répondre à cette question délicate.
- Je proteste contre mon chef, mais **n'ai rien à perdre**.

LES DIFFICULTÉS

- « **Ce n'est pas de la tarte** » *(argot)* = c'est « **la croix et la bannière** » = **une** vraie **galère*** *(argot)* **pour** obtenir ce document ! J'**ai galéré*** *(argot)* pour y arriver. Que c'est compliqué !
- Théo est allé « **se jeter dans la gueule du loup** » *(= dans le danger)*.
- Finir ce rapport pour demain est **jouable** *(= possible)*, même s'il me « **donne du fil à retordre** » = même si **je rame*** *(argot)* !
- En entrant dans la pièce, j'ai vu que quelque chose **clochait** = **était anormal**.

EXERCICES

1 Les phrases suivantes sont-elles de sens équivalent ?

1. Le jeu n'en vaut pas la chandelle = je n'ai rien à perdre.
2. Elle risque de se brûler les ailes = elle prend de gros risques.
3. C'est une gageure = le défi est très difficile à relever.
4. Cette députée n'hésite pas à s'exposer = elle prend des risques.
5. Elle doit jouer serré = elle s'est prise au jeu.
6. Romain se jette à l'eau = il joue avec le feu.

2 Trouvez une autre manière de dire.

1. Il mise sur la générosité de sa tante qui l'aidera financièrement. ______
2. Réussir cette réforme est un pari difficile. ______
3. Dans les réunions, c'est toujours Stéphane qui s'expose le plus fortement. ______
4. Il y a quelque chose qui ne va pas dans cette organisation. ______
5. L'enjeu est très important pour l'équipe de football. ______
6. Déménager en si peu de temps n'est vraiment pas facile. ______

3 Complétez.

1. Nous ne voulons pas ______ le risque d'échouer.
2. Ils sont allés ______ dans la gueule du loup !
3. Ce grand reporter part dans des pays en guerre et finira par y ______ sa peau !
4. Romane a réussi à ______ tous les obstacles, c'est très bien.
5. Comme il ne connaît pas bien le sujet, Louis ne ______ pas à critiquer ce film.
6. Le gouvernement ______ sur une reprise de l'économie, mais ce n'est pas sûr !

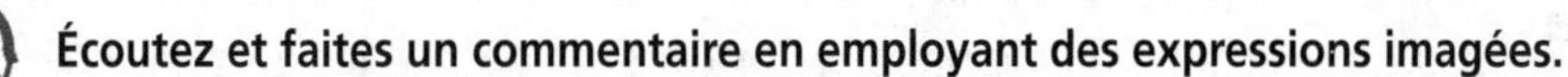

4 (28) Écoutez et faites un commentaire en employant des expressions imagées.

1. ______
2. ______
3. ______
4. ______
5. ______
6. ______

5 À vous ! Répondez librement aux questions par des phrases complètes.

1. Avez-vous déjà relevé un défi difficile ?
2. Dans quelles circonstances avez-vous estimé que le jeu n'en valait pas la chandelle ?
3. Vous est-il arrivé de jouer avec le feu ?
4. Dans votre pays, de quelle situation pourriez-vous dire que c'est la croix et la bannière ?
5. Vous est-il arrivé d'aller vous jeter dans la gueule du loup ?

• Ce texte philosophique est **ardu**, mais les difficultés ne sont pas **rédhibitoires**.
• Ce ministre **a été en butte** = **a prêté le flanc à** de nombreuses critiques. En effet, sa mission relève du **casse-tête**. Le ministre **est « sur la corde raide »** *(= dans une situation risquée).* Il doit gérer des intérêts contradictoires, il se trouve « **entre le marteau et l'enclume** ».
• En politique, il faut savoir « **avaler des couleuvres** » *(= être humilié sans broncher).*
• Hugo **s'est mis** « **dans de beaux draps** » = « **dans le pétrin*** » = « **dans la merde*** » *(argot) (= dans une situation très difficile)*, et cela peut **compromettre** = **mettre en danger** sa carrière. Cependant, si la situation est grave, **tout n'est pas perdu**.
• Le skieur a descendu la piste **sans anicroche** = **sans accroc** = **sans encombre**.

LES OBSTACLES

• Mourad a eu un parcours **semé** / **parsemé d'embûches** : il a rencontré **des écueils** = **des obstacles**, qu'il est parvenu à **surmonter**. Nous admirons sa lutte contre **l'adversité**, mais ces obstacles lui **ont servi de tremplin** pour sa carrière.
• En acceptant cette mission risquée, Bernard **joue un jeu dangereux**, d'autant que **des obstacles insurmontables se dressent devant** lui.
• Les négociations **achoppent** = **butent sur** le montant de la taxe : la taxe est **la pierre d'achoppement** *(= un obstacle)* dans cette discussion. Il ne faudrait pas que certains participants **se braquent* contre** les autres *(= deviennent hostiles).*
• Romane veut **me** « **mettre des bâtons dans les roues** » = elle **contrecarre** mes projets. Elle cherche à « **se mettre en travers du chemin** ».
• Quand on fait le tour du monde, on vit toutes sortes de **péripéties**, mais certaines **mésaventures**, parfois pleines de **rebondissements** *(= surprises)*, permettent de « **franchir un cap** » = **passer une épreuve**.
• Alain voulait démarrer le projet, mais son chef **a freiné** = **bridé** = **réfréné** son enthousiasme. Avec son tempérament fonceur, Alain doit souvent **se réfréner** = **se contenir** !
• Félix n'a pas confiance en lui et il échoue souvent, ce qui renforce son manque de confiance. C'est **un cercle vicieux qu'il faudrait briser** = **casser**.
• Claude a été accusé d'**entraver** = **gêner** le cours de la justice : son attitude constitue **une entrave à** la justice, ce qui est un délit.
• Le séminaire était en anglais, ce qui **a handicapé** et **défavorisé** = **désavantagé** certains. C'est **un handicap** de ne pas maîtriser l'anglais !

EXERCICES

1 **Choisissez le ou les terme(s) possible(s).**

1. Henri est [handicapé] [parsemé] [désavantagé] [défavorisé] par sa méconnaissance de l'espagnol.
2. Le voyage a été [franchi] [semé] [parsemé] [surmonté] d'embûches.
3. Cette mission difficile a servi de [tremplin] [rebondissement] [pierre d'achoppement] [pétrin*] pour la carrière de Côme.
4. Le marin a vécu toutes sortes [de casse-tête] [de mésaventures] [de péripéties] [d'épreuves] lors de sa traversée de l'Atlantique.
5. Les explorateurs sont arrivés au but sans [encombre] [embûches] [anicroche] [handicap].
6. Norbert s'est mis [des bâtons dans les roues] [dans de beaux draps] [en travers du chemin] [sur la corde raide].
7. Jeanne ne veut pas [contrecarrer] [surmonter] [handicaper] [compromettre] ce projet.

2 **Trouvez une autre manière de dire.**

1. Nous sommes rentrés à la maison <u>sans difficulté</u>. ____________________
2. Le pauvre Gabriel est <u>dans une situation très difficile</u> ! ____________________
3. Bertrand n'arrête pas de nous <u>créer des obstacles</u>. ____________________
4. Les parents ont <u>un peu bloqué</u> l'enthousiasme de leur fils. ____________________
5. Dans la vie politique, il y a certainement des <u>obstacles</u> à éviter. ____________________
6. Christophe a été <u>la cible de</u> sévères reproches de sa hiérarchie. ____________________
7. Cette histoire est remplie de <u>surprises intéressantes</u> ! ____________________

3 **Complétez.**

1. Victor a dû ____________________ des couleuvres au cours de sa carrière.
2. Jérémie ne veut pas ____________________ le flanc à des critiques.
3. Les tractations au niveau européen ____________________ sur une question de budget.
4. Des obstacles ____________________ devant les diplomates.
5. Quand il est entré à l'université, Lucas ____________________ un cap.
6. Kamel aimerait bien ____________________ ce cercle vicieux.
7. Ce scandale financier risque de ____________________ la carrière de ce ministre.

4 **À vous ! Répondez librement aux questions par des phrases complètes.**

1. Vous êtes-vous parfois trouvé(e) dans un cercle vicieux ? ____________________
2. En français, sur quelle(s) difficulté(s) butez-vous encore ? ____________________
3. Vous est-il arrivé d'être dans le pétrin* ? ____________________
4. Vous êtes-vous parfois trouvé(e) entre le marteau et l'enclume ? ____________________
5. Dans quelles circonstances avez-vous l'impression de franchir un cap ? ____________________

LES ÉCHECS

• Le résultat des élections est désastreux. C'est **une déroute** < **une défaite** < **un naufrage** < **une débâcle** *(= la fonte des glaces)* < « **c'est la Bérézina** » !

Remarque. La bataille de la Bérézina est l'une des plus terribles et humiliantes défaites de Napoléon Ier pendant la campagne de Russie (novembre 1812).

• Ce projet théâtral ne marchera jamais, il **est voué à l'échec**. Vous **courez à l'échec**. D'ailleurs, c'**est mal barré*** *(argot) (= mal parti),* puisque le maire de la ville veut **faire échouer** ce projet. Vous allez **essuyer un échec cuisant** !
• Je devais partir faire du ski, mais **c'est raté** = **c'est** « **tombé à l'eau** » = **c'est loupé*** = **c'est fichu*** = **c'est foutu*** *(argot)* car je me suis cassé le bras.
• Le dossier était mal **ficelé*** *(= mal conçu),* donc ça **a échoué** = ça **a foiré*** *(argot)* !
• Ce spectacle **n'a pas reçu le succès escompté** *(= espéré)*. C'est **un vrai fiasco** = il « **a fait un four*** » *(argot)* !
• Ce projet a été « **un coup d'épée dans l'eau** » *(= inutile).* Il « **s'est écroulé comme un château de cartes** », car il était construit « **sur du sable** ».
• L'entreprise **a subi un revers** à la suite d'une erreur de marketing. Elle « **n'est pas au bout de ses peines** » = elle **n'en voit pas la fin**, car le lancement du nouveau produit **a avorté**. Le projet **s'est enlisé** *(comme une voiture dans le sable)*. Rien ne marche et les promoteurs du projet **vont de déconvenue en déconvenue** = **d'échec en échec**. **Ces déboires** ne m'étonnent pas, car tout était mal organisé. C'est **la faillite** du système imaginé par le directeur.

LA RÉUSSITE

• Après des épreuves, Julien « **voit enfin le bout du tunnel** » = il « **sort de l'ornière** ».
• Luc a eu un grave accident, mais maintenant, il **est sorti d'affaire** = il **s'en est sorti**, mais il « **revient de loin** » = il « **l'a échappé belle** » = il « **a eu chaud*** » !
• La patineuse **a réalisé une prouesse** = **un** véritable **exploit**. Cela se comprend, car elle est **à l'apogée de** sa carrière. Cette médaille d'or constitue **le couronnement de sa carrière**, c'est **une consécration**, elle **a été sacrée** « championne olympique » de patinage. Le patinage a toujours été **un jeu d'enfant** pour elle *(= très facile, car elle est douée).*
• Ce film **a obtenu un triomphe** au festival de Cannes = il **a** « **fait un malheur** » = il **a été couronné de succès**. Il est vrai que ce film est **un coup de maître** = **une réalisation magistrale** !

EXERCICES

1 **Choisissez le ou les terme(s) possible(s).**

1. Le projet | n'en voit pas la fin | est mal barré* | s'est enlisé | revient de loin |.
2. L'échec des négociations est | une prouesse | une défaite | une déconvenue | un jeu d'enfant |.
3. Ce spectacle a fait | un malheur | un four* | un château de cartes | un coup de maître |.
4. Pour notre dîner dans le jardin, hélas, c'est | raté | sur du sable | tombé à l'eau | un exploit |.
5. Le chanteur a obtenu | un triomphe | une prouesse | un échec | un fiasco |.
6. C'est un terrible échec, c'est | un naufrage | un château de cartes | une débâcle | une déconvenue |.
7. Le jeune homme | vient | revient | va | obtient | de loin, il a failli mourir d'une grave maladie.

2 **Complétez.**

1. Toute la stratégie de l'entreprise ______________________ comme un château de cartes.
2. Nous ______________________ belle, nous avons failli avoir un grave accident.
3. L'industrie automobile ______________________ un revers important l'année dernière.
4. La tournée de l'orchestre a été ______________________ de succès.
5. Le professeur pense que l'étudiant ______________________ à l'échec à cause du manque de préparation.
6. L'équipe de football ______________________ un échec cuisant lors de ce match amical.

3 **Trouvez une autre manière de dire.**

1. Tout va mal, nous allons de déceptions en déceptions. ______________________
2. Cette joueuse de tennis a réalisé une performance exceptionnelle. ______________________
3. Ce projet ne marchera jamais. ______________________
4. Cette réunion a été complètement inutile. ______________________
5. Malheureusement, nous n'avons pas reçu le budget que nous espérions. ______________________
6. Cet entrepreneur n'est pas sorti de sa situation difficile. ______________________

4 (29) **Écoutez et faites un commentaire en employant des expressions imagées.**

1. ______________________
2. ______________________
3. ______________________
4. ______________________
5. ______________________
6. ______________________

5 **À vous ! Répondez librement aux questions par des phrases complètes.**

1. Dans votre pays, des élections ont-elles été une vraie débâcle pour un parti ?
2. Vous est-il arrivé de réaliser un exploit (sportif, intellectuel, professionnel...) ?

• Un nouveau directeur a été nommé, et nous **avons gagné au change**. Cela **a changé la donne** : désormais, tout le monde travaille mieux.
• Cette entreprise innovante **a fait des merveilles** dans le domaine, et est en train **d'affirmer sa suprématie** = **sa domination sur** le marché. Les magasins **ont fleuri** *(= se sont développés)* et ils sont **florissants** *(= prospères).*

LA FACILITÉ

• Utiliser ce logiciel « **n'est pas sorcier** » = c'est « **simple comme bonjour** ». Je m'en suis servie ce matin, et « **ça a marché comme sur des roulettes** ».
• Léo a eu son examen « **haut la main** » = « **comme une fleur** ». Le sujet était « **bête comme chou** » et c'était « **l'enfance de l'art** » de savoir y répondre.
• J'ai soumis mon idée à mon chef et « **c'est passé comme une lettre à la poste** » *(= l'idée a été facilement acceptée).*

LES EFFETS DU HASARD

La malchance

• Dans un projet, on fait souvent face à **un imprévu** *(= un contretemps).*
• La voiture de Roland est tombée en panne le jour de son départ en vacances : **quelle déveine*** ! = **quelle poisse*** ! = **quelle tuile*** ! Roland a toujours **la guigne*** = **la poisse***, il **joue de malchance**.
• Quentin a changé de travail, mais c'est pire qu'avant, il « **est tombé de Charybde en Scylla** ».
• Le sportif s'est blessé pendant un entraînement. Il **n'a pas de chance**, mais **ce sont les aléas du métier / de la vie** !

La chance

• Mon examen se passera bien – **je touche du bois** *(par superstition).* S'il te plaît, « **croise les doigts** » = « **tiens-moi les pouces** », pense à moi !
• **Par un pur hasard** = **par le plus grand des hasards** = **par un concours de circonstances**, Anaïs a rencontré Gaël. « **Le hasard fait bien les choses** » !
• Il faut **mettre toutes les chances de son côté**, mais Max a **les atouts** *(= les bonnes cartes)* pour réussir. Il **est né sous une bonne étoile** », il a toujours **de la veine*** = **du bol***.
• Flo **a gagné le gros lot** ! **Quelle aubaine** ! C'est vraiment **un coup de chance** !
• Adrien a eu 15 à son premier devoir de maths. **C'est de bon** (≠ **mauvais**) **augure pour** la suite = **ça augure bien** (≠ **mal**) **de** la suite de ses études.
• La grand-mère a donné **un porte-bonheur** = **un talisman** à sa petite fille : cet objet **portera bonheur** à la petite fille.

EXERCICES

1 Choisissez la bonne réponse.

1. J'ai un entretien d'embauche demain, tiens-moi les [doigts] [pouces] !
2. Ces difficultés font partie des [hasards] [aléas] du métier.
3. Le nageur a gagné la compétition haut la [main] [fleur].
4. C'est par un concours de [hasards] [circonstances] qu'elle a trouvé ce travail.
5. Cet héritage est une [aubaine] [tuile*] pour cette famille très modeste.

2 Complétez.

1. Jusqu'à présent – je ______________________ du bois –, je n'ai jamais eu d'accident.
2. Claire ______________________ sous une bonne étoile.
3. Ce premier succès éditorial ______________________ bien du prochain livre de l'écrivain.
4. Gardez ce bijou, il vous ______________________ bonheur.
5. Ils doivent ______________________ toutes les chances de leur côté.
6. Ma fille passe un concours difficile, je ______________________ les doigts !

3 Trouvez une autre manière de dire.

1. Franchement, faire une tarte aux pommes n'est pas difficile ! ______________________
2. La pauvre Odile s'est cassé la rotule juste avant le marathon, quelle malchance ! ______________________
3. Comment avez-vous connu Rachid ? – Par un pur hasard ! ______________________
4. Le champion de tennis a gagné très facilement le tournoi. ______________________
5. Basile a déménagé, mais son nouvel appartement est encore pire que le précédent ! ______________________
6. Le transfert de données s'est très bien passé, sans problème. ______________________
7. Eugénie a toujours eu de la chance. ______________________

4 (30) Écoutez et faites un commentaire en employant des expressions imagées de l'ensemble du chapitre.

1. ______________________
2. ______________________
3. ______________________
4. ______________________
5. ______________________
6. ______________________
7. ______________________

5 À vous ! Répondez librement aux questions par des phrases complètes.

1. Vous est-il arrivé d'avoir un vrai coup de chance ? ______________________
2. Qu'est-ce qui marche comme sur des roulettes, dans votre vie ? ______________________
3. Vous est-il arrivé de tomber de Charybde en Scylla ? ______________________

16 ÉMOTIONS ET SENTIMENTS

L'ÉMOTION

• **Ça** « **me fait quelque chose** » **de** quitter ce lieu. J'ai **le cœur serré**.
• En retrouvant un frère qu'il n'avait pas vu depuis 10 ans, Jules **a été en proie à une vive émotion** = il **a été submergé par l'émotion**. **Sous le coup de l'émotion**, il n'a pas pu dire un mot, mais il **se remettra de ses émotions**.
• Nous avons écouté **l'histoire poignante** de ces enfants abandonnés pendant la guerre. Cela **fend le cœur** d'entendre ce genre de choses. Cette histoire **bouleversante** nous **a** beaucoup **remués**.
• J'ai été très touchée de votre cadeau, il **me va droit au cœur** !

LA DOULEUR MORALE

• Quitter son logement a été **un déchirement** = **un crève-cœur*** pour la vieille dame. Maintenant qu'elle habite dans un foyer, elle se sent **désorientée**.
• Ne me reparle pas de mon échec, tu « **remues le couteau dans la plaie** » !
• À l'annonce de ce terrible accident, les familles des victimes se sont retrouvées **en plein désarroi**, dans la stupeur et **la détresse**. Elles **sont atterrées** = **catastrophées**.
• Il **a été brisé par** la mort de sa femme, il **éprouve une grande douleur** = il **est plongé dans la douleur**. Il **est submergé par le chagrin**.

LA DÉPRESSION

• À la fin de l'hiver, Laure **fait** souvent **une petite déprime** (momentanée). Heureusement, cela **ne dégénère pas en véritable dépression**, plus grave et plus longue. Une personne **dépressive** a tendance à être souvent **déprimée**.
• Le mauvais temps me **déprime** = **démoralise** !
• Après avoir raté ses examens, Adrien **a flippé*** *(= était déprimé)*. Il est resté chez lui à **se morfondre** *(= attendre tristement)*, il est resté **prostré** dans son lit, il était vraiment **abattu**. Adrien était « **au 36e dessous** ». Heureusement, grâce à ses parents, il a réussi à « **reprendre le dessus** ».
• Après son divorce, Mathilde **broyait du noir**. Elle **n'avait plus goût à rien**, elle était complètement **démoralisée**. Elle ne mangeait plus, elle **dépérissait**. Heureusement, Mathilde a rencontré Julien, et a **repris goût à la vie**.
• Cet échec **a sapé** *(= détruit)* **le moral** des troupes !

EXERCICES

1 **Choisissez le ou les terme(s) possible(s).**

1. Après ce crime affreux, la population est sous [le cœur] [le coup] [la proie] de l'émotion.
2. Ils ont entendu le récit [bouleversant] [poignant] [abattu] de cette survivante.
3. Me séparer du piano de ma grand-mère est [un crève-cœur*] [une détresse] [une dépression].
4. Ils ont été submergés par [l'émotion] [le déchirement] [le chagrin].
5. [Le désarroi] [la détresse] [le moral] de ces personnes a remué tout le monde.
6. Heureusement, il [se morfond] [se remet de ses émotions] [reprend le dessus].

2 **Les phrases suivantes sont-elles de sens équivalent ?**

1. Ce témoignage était poignant = il était bouleversant.
2. Charlotte fait une petite déprime = elle dépérit.
3. Les habitants du quartier sont atterrés par ce crime = ils ont le cœur serré.
4. Pierre est démoralisé = il est plongé dans la douleur.
5. Hélène est en proie à une vive émotion = elle est sous le coup d'une vive émotion.
6. Liliane reprend le dessus = elle est au 36e dessous.

3 **Trouvez une autre manière de dire.**

1. Cela rend très triste Renaud de voir des enfants gravement malades. ____________________
2. Agnès est déprimée quand elle pense à ses problèmes de travail. ____________________
3. Les enfants sont un peu perdus dans cette nouvelle maison. ____________________
4. Enfin, David a retrouvé le goût de vivre. ____________________
5. Fanny est complètement déprimée après l'annonce de la faillite de son entreprise. ____________________
6. Amandine ressent un grand chagrin. ____________________

4 **Complétez.**

1. Après une période difficile, Naïma a ____________________ le dessus.
2. Il ne veut pas ____________________ le couteau dans la plaie.
3. Ils ne sont pas encore ____________________ de leurs émotions !
4. Mes grands-parents sont un peu déprimés, ils ____________________ du noir.
5. Il a été très touché de recevoir cette lettre, elle lui ____________________ droit au cœur.
6. Nos voisins de toujours sont partis à l'étranger. Cela nous a ____________________ quelque chose.

5 (31) **Écoutez et faites un commentaire en vous aidant de la page ci-contre.**

1. ____________________
2. ____________________
3. ____________________
4. ____________________
5. ____________________

RIRES ET LARMES

• Benoît **a** toujours **le sourire aux lèvres** quand il me parle. Nous **échangeons** souvent **un sourire de connivence** = **un sourire de complicité**, car nous nous comprenons très bien.
• Bruno a **un petit sourire en coin** *(légèrement ironique)* quand il parle de sa vieille tante.
• Philippe est parvenu à **dérider** = **faire rire** ses collègues, qui **n'étaient pourtant pas d'humeur à rire**.
• Tout le monde a commencé à **rire aux éclats** = « **se tordre de rire** » = **s'esclaffer*** en écoutant un sketch **désopilant** = **à pleurer de rire**.
• En entendant ces moqueries, Sarah **a ri jaune** *(= avec amertume)*. Tout le monde **ricanait** *(= sarcastiquement)*, alors qu'**il n'y avait pas de quoi rire** !
• Ils ne sont pas partis **de gaieté de cœur**, ils étaient tristes.

Remarque. L'expression « de gaieté de cœur » s'emploie généralement à la forme négative : « Je ne l'ai pas fait de gaieté de cœur. »

• En public, on doit souvent **étouffer** = **refouler** = **retenir ses larmes**.
• C'est pénible, la petite fille n'arrête pas de **pleurnicher** car elle est fatiguée !
• Le jeune homme a enfin expliqué le traumatisme qu'il avait vécu et il **a eu une grosse crise de larmes** = il **a éclaté en sanglots** = il s'est mis à **sangloter**.

LA JOIE

• On m'a confié une nouvelle tâche, c'est **stimulant** < **exaltant**. Je vais voyager, **ce qui n'est pas pour me déplaire** = je **ne boude pas mon plaisir**.
• L'équipe nationale a gagné le match, ses supporters **jubilent**, ils expriment bruyamment **leur jubilation** = ils **pavoisent** !
• Les diplomates **se sont congratulés** = **se sont félicités** du succès de la réunion.

LA CULPABILITÉ

• Raphaël se sent **culpabilisé** d'avoir quitté sa femme et ses enfants, il **se culpabilise**. Il faut dire que sa femme est une experte en **chantage affectif** !
• Quand tout va mal, il est hélas fréquent de chercher **un bouc émissaire** *(= le coupable idéal)*, à qui on **impute** tous **les torts**, même s'il n'est pas **fautif**.
• Paul **était** « **dans ses petits souliers** » quand il a entendu les reproches qu'on lui faisait, car il savait bien qu'il **n'était pas blanc comme neige**.
• Fred **a du sang sur les mains**, tout le monde sait qu'il a commis un crime il y a trente ans. Pourtant, il déclare **sans vergogne** = **sans honte** être innocent.
• Éric **a la conscience en paix**, car il **n'a rien fait de mal**. Jean-Louis, en revanche, **aura toujours** ce crime **sur la conscience**.

EXERCICES

1 Les phrases suivantes sont-elles de sens équivalent ?

1. Cette situation n'est pas pour me déplaire = elle me fait assez plaisir.
2. Le film était désopilant = il était exaltant.
3. Ils se sont esclaffés* = ils se sont congratulés.
4. Après sa victoire, l'athlète jubile = elle retient ses larmes.
5. Henri n'est pas d'humeur à rire aujourd'hui = il ne va pas être facile à dérider.
6. Impossible de dérider cet employé = il n'y a pas de quoi rire !
7. Elle est dans ses petits souliers = elle n'a pas la conscience en paix.

2 Complétez.

1. Le vieil homme ____________________ ses larmes, car il ne veut pas pleurer en public.
2. Nous avons passé de bonnes vacances, et nous ____________________ notre plaisir !
3. Myriam ____________________ de ne pas assez s'occuper de son vieux père.
4. Séverine ____________________ la conscience en paix.
5. Le frère et la sœur ____________________ un sourire de connivence.
6. Ce petit garçon est exaspérant, il ____________________ dès que sa mère s'éloigne de quelques mètres.

3 Trouvez une autre manière de dire.

1. Ce projet professionnel est excitant. ____________________
2. Les enquêteurs suspectent que ce trafiquant a tué des gens. ____________________
3. L'adolescente n'a pas quitté son collège avec joie. ____________________
4. Brice pensera toujours à ce vol qu'il a commis. ____________________
5. Marion sourit légèrement en marchant. ____________________
6. Les étudiants sont fous de joie d'avoir réussi leurs examens. ____________________
7. C'est Serge qu'on accuse toujours à tort. ____________________

4 (32) Écoutez et faites un commentaire en vous aidant de la page ci-contre.

1. ____________________
2. ____________________
3. ____________________
4. ____________________
5. ____________________

5 À vous ! Répondez librement aux questions par des phrases complètes.

1. Dans quelle(s) circonstance(s) pourriez-vous jubiler ? ____________________
2. Vous est-il arrivé d'être dans vos petits souliers ? ____________________
3. Qu'est-ce qui pourrait vous culpabiliser ? ____________________
4. Qu'est-ce qui vous a fait pleurer de rire, dernièrement ? ____________________

LA RÉACTION DE COLÈRE

• Tu as perdu tes clés ? **Ne dramatise pas** ! = « **Il n'y a pas de quoi en faire un drame** » ! = « **Ce n'est pas la fin du monde** » !
• Céline me parle sur un ton supérieur, elle me **hérisse** !
• Samia doit **mettre un peu d'eau dans son vin** et être moins intransigeante !
• Lors de cette réunion **houleuse** = **orageuse** = **mouvementée, le ton est monté** : les participants **ont haussé le ton**, **se sont échauffés** et en sont venus aux insultes.
• Basile « **me rend chèvre*** » = il « **me fait tourner en bourrique*** » = il me **provoque**. Certains jours, il me « **pousse à bout** » !
• Dès qu'il a compris qu'il n'obtiendrait pas ce document, Antoine **est** « **monté sur ses grands chevaux** » ! **Sous le coup de la colère**, il a insulté l'employé qui n'y était pour rien. Il est pénible de voir quelqu'un « **sortir de ses gonds** » = « **péter* les plombs** » *(argot).* Antoine **était** « **dans une colère noire** » !
• Sylvain est **irascible** = « **soupe au lait*** », il **a** = **pique*** **des colères** terribles. Dans ces cas-là, il **fulmine** = il **enrage** = il **bout***!
• Quand j'ai entendu cette insulte, « **mon sang n'a fait qu'un tour** » !
• Pardon, je **me suis emporté(e)**, j'ai **dit des mots qui dépassaient ma pensée**.

L'INQUIÉTUDE ET LA PEUR

• Impossible de comprendre d'où vient cette erreur dans mes calculs. J'y pense tout le temps, **ça me chiffonne** = **ça me tarabuste*** = **ça me turlupine***.
• Cette route est vertigineuse et le chauffeur du car conduit vite : « **Je n'en mène pas large** », j'ai peur mais j'essaye de le cacher.
• J'ai cru que l'avion allait tomber, cela **m'a** « **donné des sueurs froides** », j'étais **mort(e) de peur**.
• Émilie est **un sujet d'inquiétude pour** ses parents, qui **se font du souci pour** elle. En effet, Émilie a une attitude **préoccupante**, qui les **préoccupe** = **tourmente**. Ils **n'en dorment plus de la nuit**.
• Louise n'est pas encore rentrée, mais il ne faut pas **s'alarmer**. Pourtant, son mari **est** « **dans tous ses états** ». Il « **se fait du mauvais sang** » = « **se ronge les sangs** » !
• Quand on pense aux risques de guerre biologique, cela « **fait froid dans le dos** » = ça « **donne la chair de poule** ».
• Renaud est un étudiant brillant, mais il **perd ses moyens** quand il passe un examen : il est **paralysé par le trac** *(= la peur de se produire en public).*

EXERCICES

1 Choisissez le ou les terme(s) possible(s).

1. Cette situation me | fulmine | chiffonne* | donne des sueurs froides | tourmente |.
2. Léonard est | houleux | soupe au lait* | en bourrique* | dans tous ses états |.
3. Aurore n'en | dort plus de la nuit | mène pas large | fait qu'un tour | fait du souci |.
4. Le ministre a | haussé le ton | mis de l'eau dans son vin | poussé à bout | hérissé |.
5. Hervé se fait | la chair de poule | du souci | du mauvais sang | dans le dos |.
6. Cette situation me donne | un peu d'eau dans mon vin | une colère noire | la chair de poule | des sueurs froides |.
7. Edwige est | sous le coup de la colère | sur ses grands chevaux | dans une colère noire | dans le dos |.
8. La réunion entre syndicats et patronat est | houleuse | mouvementée | orageuse | emportée |.

2 Complétez par une expression synonyme.

1. Éléonore pense tout le temps à son enquête, cela ______________________
2. Ces petits enfants agités me provoquent tout le temps, ils ______________________
3. Clémence est folle de rage, elle ______________________
4. Max a cru que des cambrioleurs entraient dans sa maison, il a eu très peur, cela ______________________
5. Hugues est trop intransigeant, ce serait bien qu'il s'adoucisse un peu, qu'il ______________________
6. Par caractère, Germain se met souvent en colère, il ______________________
7. Franchement, si tu as oublié ton maillot de bain, ce n'est pas grave, ______________________
8. Pierre-Marie a réagi immédiatement et avec colère, ______________________

3 Complétez.

1. Justine a employé des mots qui ______________________ sa pensée.
2. La cliente ______________________ sur ses grands chevaux quand on lui a annoncé un retard dans la livraison.
3. Arlette ______________________ du souci pour sa vieille voisine.
4. Ce film d'horreur nous a donné la ______________________.
5. Erwan n'en ______________________ pas large avant de sauter en parachute.
6. Cet enfant difficile ______________________ de grosses colères.
7. Pendant le repas, les convives ont haussé ______________________, ils se sont ______________________.
8. Jules a perdu son passeport, il est dans tous ______________________.

4 À vous ! Répondez librement aux questions par des phrases complètes.

1. Vous est-il arrivé de dire des mots qui dépassaient votre pensée ?
____
2. Qu'est-ce qui peut vous rendre chèvre* ?
____
3. Vous est-il arrivé d'être paralysé(e) par le trac et de perdre vos moyens ?
____
4. Avez-vous participé à une réunion houleuse ?
____

L'AMERTUME

• David n'a pas reçu de promotion alors qu'il s'est épuisé à son travail, il **est très amer** = **écœuré***. Il **éprouve de la rancœur** : il « **a une dent contre** » sa hiérarchie = il « **l'a mauvaise** ». **Ses griefs** ne sont pas récents, cela fait longtemps qu'il **se plaint de son sort**.
• Le projet sur lequel je travaille depuis six mois est annulé ? « **Les bras m'en tombent** ! » *(= je suis stupéfait et amer)*. Après ça, on ne s'étonnera pas que je sois **aigri** et découragé !
• Léonard **ressasse** = **se repasse** constamment les paroles désagréables de son collègue, qui l'ont **blessé** = **froissé** < **piqué au vif** < **offusqué** < **mortifié**.

DÉTESTER

• Cet homme me **déplaît**, il **m'est antipathique**. Je **ne peux pas le souffrir** = **le supporter** = **le sentir** = je « **ne peux pas le voir en peinture** ». Je « **l'ai pris en grippe** », il « **me sort par les trous de nez** » *(argot)*.
• Il **me répugne** = il **m'inspire de la répugnance** = j'**éprouve** de **l'aversion** = **une vraie répulsion**. Je **l'ai en horreur** = je « **ne peux pas l'encadrer*** » *(argot)*.
• Ce clan familial **voue une haine féroce à** un autre clan. Ils **se haïssent à mort**.
• Léa **exècre** = **déteste** cette région, car le temps y est **exécrable** *(= très mauvais)*.

AIMER

• Avec les années, Chloé a **tissé des liens avec** Magali, d'autant plus que les deux **ont des affinités** = des « **atomes crochus** ». Elles **se comprennent d'un coup d'œil**, **leur connivence** = **leur complicité** fait plaisir à voir.
• Mireille **s'est prise de tendresse** pour sa vieille voisine.
• Félix **en pince* pour** Nina = il **a le béguin pour** elle = il **s'est entiché*** = **amouraché d'**elle. Il croit avoir trouvé **l'amour de sa vie**, mais cela ne durera pas, c'est **une amourette d'adolescents**. Ils **ont noué une idylle** pendant les vacances.
• Christine **a eu un coup de cœur** < **le coup de foudre** pour cette maison. Ce n'est pas **une** simple **toquade***, Christine **raffole* des** vieilles maisons en pierre.
• Joëlle **trouble** Bruno, il **est troublé** = **séduit** par elle. **Le trouble** de Bruno se voit, car il rougit chaque fois qu'il voit Joëlle, qui est très **séduisante** = **charmeuse**.
• Héloïse a **un** grand **respect pour** son vieux professeur. Héloïse **vénère** = **idolâtre** = **adule** son professeur. Elle **a une** véritable **dévotion pour** lui.
• Michel est **épris** *(= amoureux)* de Claire. Il a **des élans de tendresse envers** elle.

EXERCICES

1 **Choisissez le ou les terme(s) possible(s).**

1. Zina a eu [le coup de foudre] [le béguin] [une dent] [une dévotion] pour Roland.
2. Je l'ai [mauvaise] [en horreur] [en peinture] [en grippe].
3. Cette relation n'est qu' [une toquade] [une amourette] [une haine] [un grief].
4. Sami ne peut pas [sentir] [éprouver] [supporter] [encadrer*] Maurice.
5. Basile s'est pris de [complicité] [trouble] [tendresse] [répulsion] pour Violaine.
6. Cyprien a été [noué] [troublé] [séduit] [écœuré] par l'adorable Angélique.

2 **Complétez.**

1. C'est terrible, Émilie a pris Anaïs ______________________, elle ne peut plus la supporter.
2. Nous ______________________ des liens avec plusieurs personnes du village.
3. Lazare ne peut pas voir Charlotte ______________________, elle lui est antipathique.
4. Mon banquier était corrompu ? Les bras m'en ______________________ !
5. Natacha a ______________________ contre sa collègue, qui s'est mal conduite avec elle.
6. Les acteurs ont été ______________________ par ces critiques injustes de leur spectacle.
7. Kevin est plus qu'amer, il est ______________________ par l'injustice qui lui est faite.

3 **Trouvez une autre manière de dire.**

1. Coralie <u>adore les</u> masques africains. ______________________
2. Nicole éprouve <u>une grande aversion physique</u> pour ce garçon. ______________________
3. Ludovic <u>se répète constamment</u> quelques critiques qu'on lui a faites. ______________________
4. Laurence <u>a une dévotion pour</u> sa tante, si belle et si douée. ______________________
5. Nous aimerions connaître vos <u>motifs de plainte</u>. ______________________
6. Thomas <u>déteste absolument</u> ce chanteur. ______________________

4 (33) **Écoutez et faites un commentaire en employant le vocabulaire de l'ensemble du chapitre.**

1. ______________________
2. ______________________
3. ______________________
4. ______________________
5. ______________________

5 **À vous ! Répondez librement aux questions par des phrases complètes.**

1. Vous est-il arrivé d'éprouver de la répulsion pour quelqu'un ? ______________________
2. Avez-vous déjà eu le coup de foudre pour quelqu'un ou quelque chose ? ______________________
3. Quelle situation pourrait vous faire dire : « les bras m'en tombent ! » ? ______________________
4. Existe-t-il des personnes que vous idolâtrez ? ______________________

17 LES COMPÉTENCES

LES APTITUDES

• Michel montre **une** réelle **aptitude à** gérer une équipe. Il **a les qualités requises** pour le faire. De plus, il a **une** grande **capacité** de travail.
• Violaine possède **des compétences** en informatique *(= des connaissances approfondies et reconnues)*. En revanche, parler des langues étrangères **ne fait pas partie de ses compétences** = cela **n'entre pas dans son champ de compétences**.
• Hugo **ne manque pas d'atouts** = il « **a des atouts dans son jeu** », il **l'a emporté sur** = il **a dépassé** ses rivaux. Il « **a tiré son épingle du jeu** », d'autant qu'il **a une faculté d'adaptation** remarquable.
• Farida **a le sens des affaires** *(c'est intuitif, cela vient tout seul)*. Elle **a** aussi **l'esprit d'entreprise** et **l'esprit d'analyse** *(c'est intellectuel, mental)*.
• La comptabilité **n'est pas** « **dans mes cordes** » = je **ne suis pas compétent en la matière**. Pourtant, j'**ai** « **plusieurs cordes à mon arc** » *(= plusieurs compétences)*.
• Ce jeune député fera son chemin, d'autant qu'il **fait preuve d'une** ambition effrénée. **Son point fort** (≠ **faible**) est d'être capable de mener plusieurs tâches de front.
• Anne-Laure **est apte à** remplir cette mission = elle en **est capable**, d'autant qu'elle **est susceptible d'**intégrer l'équipe dirigeante *(= ce sera peut-être le cas)*.

LES TALENTS

• Laurent a toujours voulu être médecin, c'est **sa vocation**.
• La jeune Anna montre **des prédispositions** = **des dispositions exceptionnelles** pour le violon, elle **a du talent**. Elle **a l'étoffe d'**une grande musicienne.
• Lucas **a un don** = **est doué pour** les langues, c'est inné, il a **de remarquables facilités**, il **réussit** presque sans effort. Il **excelle** en langues.
• Jean-Pierre **a le chic* pour** se faire accepter n'importe où.
• Recevoir le prix Nobel de chimie ? Laurence en **a l'envergure** = **la carrure**. C'est **une pointure*** en chimie !
• Mathilde **a conduit** = **mené** cette réunion **de main de maître**, avec autorité et efficacité. Elle « **a les épaules larges** » = elle « **a les reins solides** ».

EXERCICES

1 **Choisissez la bonne réponse.**

1. Ce garçon veut devenir chirurgien, c'est une [capacité] [vocation].
2. La biologie n'entre pas dans son champ [de compétences] [d'atouts].
3. Un bon [esprit] [talent] d'analyse est l'un de ses [points] [dons] forts.
4. Nadia a [la pointure] [le chic*] pour convaincre ses interlocuteurs.
5. Olivier a [l'envergure] [l'aptitude] d'un grand mathématicien.
6. Jean-Pierre a les [épaules] [reins] solides.

2 **Les phrases suivantes sont-elles de sens équivalent ?**

1. La chimie n'est pas dans ses cordes = la chimie n'entre pas dans son champ de compétences.
2. Elle a une grande capacité de concentration = elle est susceptible de se concentrer.
3. Léon ne manque pas d'atouts = il a quelques points faibles.
4. Nora a des prédispositions pour le dessin = elle est douée pour le dessin.
5. Sami a mené ce projet de main de maître = il a plusieurs cordes à son arc.

3 **Complétez.**

1. Christelle a de solides ______________________________ en marketing.
2. Je n'ai pas de véritables ____________________ d'orateur, mais je pense être ____________________ à animer ce colloque.
3. Raphaël a ______________________________ suffisamment larges pour qu'on lui confie cette mission.
4. Maxime a une grande ____________________ de travail et ____________________ de synthèse.
5. Thomas a de nombreuses ______________________________ à son arc !
6. Ils savent vendre, même à des clients tatillons. Ils ont ____________________ du commerce.
7. Vous avez toutes les qualités ______________________________ pour mener à bien ce projet.

4 **Trouvez une autre manière de dire.**

1. Annabelle sait conduire une réunion. ______________________________
2. Il est possible que Samuel devienne directeur du marketing. ______________________________
3. Constance a suffisamment de talent pour devenir un très grand peintre. ______________________________
4. Le droit des entreprises ne fait pas partie de mes compétences. ______________________________
5. Alexandre sait faire beaucoup de choses. ______________________________
6. Laurence est excellente en chimie. ______________________________
7. Denise a été choisie pour le poste au détriment de ses collègues. ______________________________

5 **À vous ! Répondez librement aux questions par des phrases complètes.**

1. Avez-vous plusieurs cordes à votre arc ?
2. Étant enfant, montriez-vous des prédispositions particulières ?
3. Considérez-vous que vous avez « les reins solides » ?

LES TENDANCES

• Nathan **a tendance** à être trop généreux : il **est enclin à** la générosité. Sa générosité **incline** = **pousse** = **incite** les autres **à** en abuser.

• Aurore **a une fâcheuse tendance à** interrompre son interlocuteur et elle **a une (forte) propension à** parler au lieu d'écouter !

• **Il ne faut pas pousser** Vincent **du côté où il tombe**, car il **est déjà sur une pente** descendante !

• Pénélope **a un penchant** = **un faible** pour ce genre de musique.

LES CONNAISSANCES

• Joël « **en connaît un rayon*** » sur un sujet, il **est féru de** ce sujet, mais il doit **approfondir** = **enrichir ses connaissances. Le bagage culturel** est important !

• Lucien n'a que **des rudiments** = **des connaissances élémentaires** = **sommaires** en histoire. Au contraire, Pascal fait preuve d'**une** grande **érudition sur** le sujet : c'est **un érudit**, c'est « **un puits de science** » = il **est calé en** histoire = il est **incollable* sur** l'histoire de France. Pourtant, l'autre jour, je lui ai « **posé une colle*** » *(= une question à laquelle il n'a pas su répondre).*

• Marius est **un esprit encyclopédique** *(= érudit)*, mais il **étale ses connaissances** = **fait étalage de son savoir**, c'est pénible : comme il est **pédant** ! **Sa pédanterie** est ridicule.

• **Que je sache** = **autant que je sache** = **d'après ce que j'en sais**, Robert est biologiste. Il parle donc de biologie **en connaissance de cause**.

• Après un certain temps de pratique, on peut **acquérir une compétence** en langues. Cette compétence **passe par l'acquisition** de **notions** de grammaire et de vocabulaire. Ensuite, le professeur peut **vérifier les acquis**.

• Tu **sais** « **de quoi il retourne** » = **de quoi il s'agit** ? – Oui, j'ai **pris connaissance** *(= examiner)* **de** ce projet et je **sais** « **à quoi m'en tenir** » *(= qu'en penser).*

• Organiser un grand dîner, **ça me connaît** ! Je **m'y entends bien**.

• Nous **en savons un peu plus sur** ce qui s'est passé lundi soir. Il est évident que les voisins **en savent long sur** la situation de la victime. Nous **savons de source sûre que** plusieurs témoins ont été interrogés.

• Grégoire est un professeur **chevronné** *(= très expérimenté)* et un pédagogue **averti** *(= instruit, compétent)*, qui sait **transmettre** = **enseigner** = **inculquer** aux élèves ce qui est important.

EXERCICES

1 **Choisissez le ou les terme(s) approprié(s).**

1. Je ne sais pas de quoi | il retourne | il s'agit | m'en tenir | il tombe |.
2. Ce professeur est | incollable* | enclin | pédant | calé |.
3. Vous devez acquérir | une tendance | une propension | une compétence | un penchant |.
4. L'étudiant aura l'occasion d' | inciter | approfondir | enrichir | étaler | ses connaissances.
5. Le policier en sait | un peu plus | des connaissances | long | un rayon | sur le dossier.
6. Claire | transmet | incline | inculque | acquiert | des connaissances à ses étudiants.

2 **Comment appelle-t-on…**

1. l'ensemble des connaissances culturelles d'un individu ? ____________
2. quelqu'un qui a des connaissances encyclopédiques ? ____________
3. les connaissances minimales dans un domaine ? ____________
4. une question difficile à laquelle on ne sait pas répondre ? ____________
5. l'exhibition de son propre savoir ? ____________

3 **Complétez.**

1. Que je ____________, la cérémonie aura lieu en mai.
2. Ce merveilleux professeur sait ____________ sa passion pour les mathématiques.
3. En fait, Sabrina ne sait pas de quoi il ____________, elle ne connaît pas la situation.
4. Les enquêteurs pensent qu'Arthur en ____________ long sur ses voisins.
5. Hélas, ils ne savent pas à quoi s'en ____________ sur l'avenir de l'entreprise.
6. Nous n'allons pas ____________ Brigitte du côté où elle tombe !

4 **Trouvez une autre manière de dire.**

1. <u>D'après ce que j'en sais</u>, c'est Jean-François qui assurera l'intérim. ____________
2. Simon n'a que des <u>connaissances élémentaires</u> en biologie. ____________
3. Robert a <u>tendance</u> à s'imposer dans une discussion. ____________
4. Régis <u>montre son savoir, c'est désagréable</u>. ____________
5. Alexandre <u>aime et connaît bien le</u> cinéma. ____________
6. Grâce au sang-froid de ce pilote <u>très expérimenté</u>, l'accident a été évité. ____________
7. Adèle <u>a découvert et lu</u> ce document légal. ____________
8. Philippe a <u>un faible</u> pour l'art asiatique. ____________

5 **À vous ! Répondez librement aux questions par des phrases complètes.**

1. Êtes-vous un puits de science dans un domaine ?
2. Dans quel(s) autre(s) domaine(s) n'avez-vous que des rudiments ?
3. Quelle(s) compétence(s) avez-vous acquise(s) récemment ?
4. Vous arrive-t-il de faire étalage de votre savoir ?

LA CRÉATIVITÉ

• Cette jeune fille est **débrouillarde***, elle trouve des solutions **habiles** et rapides. **Sa débrouillardise** l'a plusieurs fois sortie d'un mauvais pas.

Remarque. À tort ou à raison, les Français sont réputés pour leur **système D**[ébrouille].

• Ce meuble est difficile à réparer. Alain est **astucieux** = **ingénieux**, il va trouver **une astuce. Son ingéniosité** fait l'admiration de tous, il est **plein de ressources**.
Il est vrai qu'il « **connaît toutes les ficelles du métier** ».
• Léo est **imaginatif** et **a l'esprit créatif**. Il a de la **créativité** et de l'**imagination**.
• Ce grand peintre était **un novateur** : il a apporté **des innovations**, sa technique était **innovante** = **novatrice**.
• Pour écrire de la littérature, il faut être **inspiré**. Cet auteur est **inventif**, son **inventivité** lui a permis d'écrire des textes variés. Les grands écrivains ont **de l'inspiration**, voire **du souffle** = de **l'énergie créatrice**.

IGNORANCE, INCOMPÉTENCE

• Arthur est « **un petit jeune** » qui n'a pas encore d'expérience dans ce poste, il est **novice** en la matière, c'est « **un bleu** » !
• Gaston est **un incapable** = **un bon à rien** ! Il ne sait rien faire !
• Dora **a de grosses lacunes** en orthographe, elle **fait des fautes**.
• Ce directeur **n'est pas à la hauteur de** sa fonction. Il **a atteint son niveau** = **son seuil d'incompétence**. Il **est inapte à** gérer l'équipe. C'est un **piètre** manager !
• J'ai lu un récit d'un **obscur** romancier du XIXe siècle, qui **a été oublié** = **dédaigné** = **méconnu** pendant longtemps. Je **n'y connais rien** = je **suis nul* en** littérature, mais je trouve son récit tout de même passionnant.
• Vous connaissez Lili ? – Non, je **ne la connais** « **ni d'Ève ni d'Adam** ».
• Tu connais ce poème en entier ? – Non, je **n'en connais que des bribes** = **je le connais par bribes**. Et vous ? – Moi, **je n'en sais pas le premier mot**.
• Je **n'ai pas la moindre idée de** la manière dont le maire va s'y prendre pour mener à bien son projet.
• Rémi **est d'une ignorance crasse** en histoire ! Il **ignore** les dates de la Révolution !
• La lutte contre **l'obscurantisme** (≠ **les Lumières**) et contre l**a superstition** fait partie des tâches du système éducatif.
• Hélas, la mémoire de cette actrice est de plus en plus **défaillante** *(= faible)*. **Ses défaillances** lui posent de graves problèmes au théâtre.
• « **On n'a pas idée** » *(= c'est absurde ou fou)* **de** parler ainsi à un enfant !

EXERCICES

1 **Les phrases suivantes sont-elles de sens équivalent ?**

1. C'est un bleu ! = c'est un bon à rien* !
2. Marie-France n'a pas la moindre idée du nom de la rue = elle est d'une ignorance crasse.
3. Ce peintre a été dédaigné = il a été méconnu.
4. Ce mécanicien est débrouillard* = il est astucieux.
5. Nadège a atteint son seuil d'incompétence = elle a des lacunes.
6. Ce romancier a du souffle = il est plein de ressources.

2 **Complétez.**

1. Michel cherche ______________________ dans la nature pour composer sa symphonie.
2. Nous ne connaissons ni ______________________ cet architecte.
3. Marie-Ange n'a pas la ______________________ idée de la date de cet événement.
4. Axelle n'est pas à ______________________ de sa tâche, elle échouera certainement.
5. Cet ingénieur a été un ______________, il a inventé des outils ______________.
6. Jean-Claude est très ______________________, il trouve des solutions rapides et astucieuses.

3 **Trouvez une autre manière de dire.**

1. Raymond ne sait absolument rien faire. ______________________
2. Solange est pleine de ressources. ______________________
3. Arlette connaît les astuces du métier. ______________________
4. Gaëlle a des manques importants en mathématiques. ______________________
5. Yvon ne connaît que des morceaux de ce texte. ______________________
6. Marc a des problèmes de mémoire. ______________________
7. Ce compositeur a de l'énergie créatrice. ______________________

4 (34) **Écoutez et faites des commentaires en privilégiant les expressions imagées présentées dans l'ensemble du chapitre.**

1. ______________________
2. ______________________
3. ______________________
4. ______________________
5. ______________________

5 **À vous ! Répondez librement aux questions par des phrases complètes.**

1. Dans votre langue, existe-t-il un équivalent du « système D » ?
2. Dans quel(s) domaine(s) faites-vous preuve de créativité ?
3. Quelle(s) lacune(s) aimeriez-vous combler dans votre culture personnelle ?
4. Y a-t-il des textes, des poèmes, que vous ne connaissez que par bribes ?

18 LE PSYCHISME

LA PSYCHOLOGIE

• **La psychologie** est l'étude **du psychisme** = **des phénomènes psychiques**, l'analyse **des conduites et** des **comportements**. C'est aussi la capacité à les comprendre.

• Alain est **très psychologue**, il **fait preuve de** beaucoup de **psychologie** = de **finesse** = **d'humanité** dans ses rapports avec ses collègues. Il est très **humain. Son intuition** = **sa perspicacité** l'aide à travailler avec des personnes difficiles de caractère. Romain, en revanche, **manque totalement** = **est dénué de psychologie**, il **prend** ses collègues **à rebrousse-poil***.

• Il faut comprendre **les ressorts** = **les mécanismes** de **l'âme humaine**.

• **La psychiatrie** est une spécialité médicale, assurée par **un(e) psychiatre**, qui est un médecin. Il/elle travaille peut-être dans **un hôpital psychiatrique**, où l'on soigne **les troubles graves de la personnalité** et **les maladies mentales**.

LES DIFFICULTÉS PSYCHOLOGIQUES

• Dora manque de confiance en elle. Comme elle n'a pas fait d'études, elle **souffre d'un complexe d'infériorité** par rapport à ses sœurs. Elle est **complexée par** ses sœurs. Raphaël, en revanche, a plutôt **un complexe de supériorité** ! Il se croit supérieur aux autres.

• Florian n'ose pas exprimer ses opinions, il **est** vraiment **renfermé** < **inhibé** = **coincé***. **Son inhibition** = **ses complexes** lui posent des problèmes professionnels. Cyprien, en revanche, **est** tout à fait **désinhibé** = **décomplexé**, il **s'est décoincé*** grâce à sa fiancée !

• Valentine **est obsédée par** son travail, c'est **une** véritable **obsession**. Réussir dans son travail est devenu **son idée fixe**.

• Sami **est complètement « à côté de ses pompes*** » *(= ses chaussures)* = il fait n'importe quoi, il se trompe beaucoup. Parfois, il agit **par automatisme** = **machinalement** = **sans réfléchir**.

• Guy a mal au ventre, mais c'est **psychosomatique** : il redoute son entrevue avec son chef. Guy **somatise*** très souvent, il tombe malade dès qu'il est **anxieux. Son anxiété** entraîne **une somatisation** spectaculaire !

EXERCICES

1 **Choisissez le ou les terme(s) possible(s).**

1. Alexandre [souffre] [agit] [fait preuve] d'un complexe d'infériorité.
2. Gontran est très fin, il est [inhibé] [psychologue] [perspicace].
3. Théo fait des tâches routinières, il les fait [machinalement] [à rebrousse-poil*] [par automatisme].
4. Nabila est psychiatre, elle soigne les [phénomènes psychiques] [troubles de la personnalité] [maladies mentales].
5. Pierre-Louis est parfois [anxieux] [psychosomatique] [à côté de ses pompes*].
6. Béatrice a un complexe de [supériorité] [personnalité] [perspicacité].

2 **Répondez aux questions.**

1. Fabrice exprime-t-il facilement ses émotions et ses sentiments ?
– Non, pas du tout, il est plutôt ____________________
2. Valérie comprend-elle et devine-t-elle bien le comportement de son entourage ?
– Oui, elle est très ____________________
3. Estelle était-elle consciente d'avoir emporté cette valise au lieu de la sienne ?
– Non, pas du tout, elle a agi ____________________
4. Matthieu a-t-il des problèmes mentaux ?
– Oui, d'ailleurs il est soigné dans ____________________
5. Zohra a-t-elle de l'eczéma chaque fois qu'elle doit passer un examen ?
– Oui, ____________________
6. Geneviève est-elle diplomate avec ses voisins ?
– Non, pas du tout, elle ____________________

3 **Trouvez une autre manière de dire.**

1. Ce pauvre homme est vraiment <u>inhibé</u>. ____________________
2. José a répondu <u>par automatisme</u>. ____________________
3. Véronique <u>manque totalement</u> de diplomatie. ____________________
4. Hippolyte cherche à comprendre <u>les mécanismes</u> du caractère. ____________________
5. Agnès <u>est malade parce qu'elle est inquiète</u>, cela lui arrive toujours. ____________________
6. Lise <u>montre</u> beaucoup d'humanité. ____________________
7. Permettre à ses enfants de faire des études est <u>une obsession</u> pour Samia. ____________________

4 **À vous ! Répondez librement aux questions par des phrases complètes.**

1. Vous considérez-vous comme psychologue ?
2. Vous intéressez-vous aux ressorts de la personnalité ?
3. Vous arrive-t-il d'être « à côté de vos pompes* » ?
4. Connaissez-vous des personnes ayant un complexe de supériorité ?

LES TROUBLES PSYCHOLOGIQUES

• Romain est **sous** [médicaments] **antidépresseurs** (= il prend **des psychotropes**, des médicaments qui sont censés soigner la dépression) et **sous anxiolytiques** *(contre l'anxiété)*, mais il ne veut pas devenir **dépendant** des médicaments.
• Ce jeune garçon est **dyslexique**, il souffre de **dyslexie**, il a du mal à lire.
• Hélas, Luc est **pervers**, il fait preuve de **perversité** dans ses relations avec ses subordonnés. Il les **manipule** et cherche à leur nuire en même temps.
• La jeune Rose **a** d'abord **souffert d'anorexie**, elle ne mangeait plus, elle était **anorexique**. Ensuite, elle a fait le contraire, elle est devenue **boulimique**. **Sa boulimie** l'a fait grossir. **Les troubles des pratiques alimentaires** sont fréquents chez les adolescentes.
• Laurent souffre de toutes sortes de **phobies** : en particulier, il est **claustrophobe**, il souffre de **claustrophobie**, il a peur d'être enfermé.

• Flore **est sujette à des crises d'angoisse**, elle est souvent **angoissée**, surtout la nuit. Cela se traduit par **des palpitations**, **des vertiges** et **des sueurs**. C'est pénible, elle a l'impression d'**étouffer** = **suffoquer**.
• Valentin vit dans **le déni de réalité** : il **nie le réel**, il est en train de devenir **mythomane**. Il invente des histoires et des faits qui n'existent pas. **Sa mythomanie** perturbe ses relations personnelles.
• Renaud souffre de **troubles bipolaires**, il a une tendance **maniaco-dépressive**. Il **a des hauts et des bas**, son humeur est « **en dents de scie** », d'autant qu'il est **un hyperémotif**.
• Marius **a des pulsions inquiétantes** et quasi **suicidaires**. Il inquiète son entourage.
• Serge a **des problèmes sexuels**. **Sa sexualité** est **perturbée** du fait de **violences** qu'il **a subies** dans son enfance.
• Fanny a un tempérament **mélancolique** = elle a **des accès de mélancolie** *(= des crises de tristesse)*. Son mari, lui, est **hypocondriaque**. C'est **un malade imaginaire** = il souffre d'**hypocondrie**, il se croit malade alors qu'il ne l'est pas. Quel couple !

EXERCICES

1 **Choisissez la bonne réponse.**

1. Cet homme est très perturbé, il a des palpitations | pulsions inquiétantes.
2. Il a des problèmes | accès sexuels.
3. Paule est déprimée, elle est sous médicaments dyslexiques | anxiolytiques.
4. Charline est une malade hypocondriaque | imaginaire, tout le monde se moque d'elle.
5. Jean-Yves a des accès | troubles de mélancolie.
6. Thérèse a tendance à la mythomanie | claustrophobie, elle invente des histoires.
7. Son humeur est en hauts | dents de scie.

2 **De quel genre de trouble souffrent ces personnes ? Faites une phrase complète.**

1. Caroline a une peur terrible d'être enfermée dans un ascenseur.
____
2. Adeline change souvent et brusquement d'humeur, de la tristesse à la joie.
____
3. La jeune Anaïs refuse catégoriquement de manger pour rester mince.
____
4. Benoît a l'impression que des catastrophes vont lui arriver et se sent très mal.
____
5. Eustache est à la fois séducteur et destructeur avec son entourage.
____
6. Doria croit toujours qu'elle est très malade, alors qu'elle est en bonne santé.
____
7. Viviane s'imagine des aventures et invente des expériences qu'elle n'a pas eues.
____

3 **Trouvez une autre manière de dire.**

1. Théophile <u>a des difficultés à lire</u>. _______________
2. Augustin a <u>une humeur en dents de scie</u>. _______________
3. Cette jeune femme a <u>parfois envie de mourir</u>. _______________
4. Thibaut prend des médicaments <u>contre l'anxiété</u>. _______________
5. Jean-Loup <u>a souvent</u> des accès de mélancolie. _______________
6. Quand elle est en crise, Noëlle a l'impression d'<u>étouffer</u>. _______________
7. Patrice prend des <u>antidépresseurs</u>. _______________

4 **À vous ! Répondez librement aux questions par des phrases complètes.**

1. Connaissez-vous des personnes souffrant de phobies ?
2. Avez-vous tendance à avoir des hauts et des bas ?

LES MALADIES MENTALES

• On peut être **perturbé psychologiquement** sans être **psychotique** = **fou**.
• Guillaume est **névrosé**, il souffre de **névrose** mais il en est conscient. Par exemple, il a la manie de tout vérifier, c'est **névrotique**. À l'origine de ces comportements se trouve souvent **un traumatisme psychologique** : la personne **a été traumatisée par** un événement **traumatique** *(= grave)* dans son enfance.
• Ce vieux monsieur est atteint de **démence sénile** = il est **dément** = **sénile**. Il a complètement **perdu la tête**. Il souffre probablement de la maladie d'Alzheimer.
• **La schizophrénie** est **une psychose** = **une maladie mentale**. **Un(e) schizophrène** doit être soigné(e).
• On est parfois obligé d'**interner** = **faire enfermer** le patient dans un **hôpital psychiatrique** (= dans « **un asile d'aliénés** »), où il sera soigné par une **équipe psychiatrique**, sous la direction d'**un(e) psychiatre**.

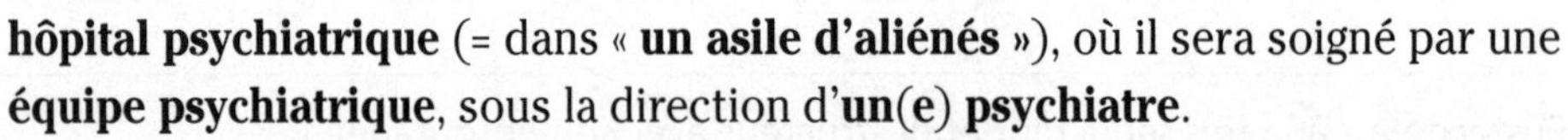

• **Un psychopathe** = **un détraqué*** = **un déséquilibré** = **un pervers** risquent de commettre des crimes horribles. Ce genre de **perversion** est dangereux.
• Sans qu'on sache pourquoi, Lucien est devenu **fou furieux** : il **est « en plein délire »**, il **se prend pour** un justicier. Il s'est enfermé chez lui avec des armes. La police tente de maîtriser **le forcené** et de le calmer.
• Ce petit garçon souffre d'**autisme**, il est **autiste**, mais il **est pris en charge par** une institution spécialisée.

LA PSYCHOTHÉRAPIE

• Denise est **en pleine détresse, en plein désarroi**. Elle va **entreprendre** = **engager** *(= commencer)*, **faire** = **suivre une psychothérapie avec un**(e) **psychologue** = **un**(e) **psychothérapeute**, Denise va aller **chez un**(e) « **psy*** ».
• Le patient **suit une cure analytique** avec **un psychanalyste**. Le travail **psychanalytique** = **de la psychanalyse** se base sur **l'inconscient** du patient, qui s'exprime dans ses rêves et dans **les associations d'idées. L'interprétation des rêves** permet de comprendre les émotions que le patient a **refoulées** *(= réprimées)*. **Ce refoulement** peut conduire à **des comportements déviants**.

EXERCICES

1 **Choisissez le ou les terme(s) possible(s).**

1. Marie-Claude doit [entreprendre] [engager] [atteindre] [suivre] une psychothérapie.
2. Le psychanalyste travaille sur [l'interprétation des rêves] [les associations d'idées] [les comportements déviants] [les hôpitaux psychiatriques].
3. Francine est [névrosée] [analytique] [sénile] [autiste], mais elle en est bien consciente.
4. Charles voudrait soigner [sa cure] [son désarroi] [sa détresse] [son asile].
5. Ce crime a été commis par [un détraqué*] [un déséquilibré] [un forcené] [un traumatisme].
6. Lucienne est atteinte de démence [déviante] [névrotique] [mentale] [sénile].

2 **Les phrases suivantes sont-elles de sens équivalent ?**

1. Agnès va suivre une psychothérapie = elle va être soignée en hôpital psychiatrique.
2. Adam est psychotique = il est fou.
3. Ce crime a été commis par un psychopathe = c'est un détraqué* qui l'a commis.
4. Renaud se prend pour Napoléon = il est en plein délire.
5. Basile souffre de névrose = c'est un forcené.
6. La vieille dame a perdu la tête = elle est atteinte de démence sénile.

3 **Trouvez une autre manière de dire.**

1. Malheureusement, il a fallu <u>faire enfermer</u> cette pauvre femme. ______________________
2. Il <u>a subi un traumatisme</u> pendant son adolescence. ______________________
3. Barnabé ira voir <u>un psychothérapeute</u>. ______________________
4. Avec le temps, Martin découvre des émotions <u>réprimées</u>. ______________________
5. Émilie voudrait <u>commencer</u> une psychothérapie. ______________________
6. Anne-Sophie souffre <u>d'une grave maladie mentale</u>. ______________________
7. Gaétan <u>croit qu'il est</u> le maître du monde. ______________________

4 **Complétez.**

1. La police recherche activement un ______________________ qui commet des meurtres terrifiants.
2. Cet homme souffre d'une grave maladie ______________________, il doit être ______________________ dans un hôpital ______________________.
3. Ces jeunes enfants ont vécu une guerre, cela les a ______________________, ils en souffrent encore.
4. Edwige est assez ______________________, mais elle est consciente de sa ______________________, heureusement !
5. Malheureusement, cette vieille dame est atteinte de ______________________, elle a perdu ______________________. C'est dur pour sa famille.
6. La ______________________ psychanalytique fonctionne d'abord par ______________________ d'idées.
7. Tristan n'est pas fou, mais il est ______________________ psychologiquement.

USAGES FAMILIERS

• Agnès part en vacances avec Basile ? Mais elle est **maso*** (= **masochiste**), Basile est odieux avec elle !
• Gaspard et Margot sont en train de divorcer, c'est **un vrai psychodrame*** familial, avec des crises et des scènes !
• Mon collègue croit que je ne l'aime pas, mais **c'est de la paranoïa**. De toute façon, il est complètement **parano*** (= **paranoïaque**) ! Il **délire** !
• Écrire ce livre en quelques mois est un travail **démentiel** = un travail **de dément** ! D'ailleurs, l'auteur a travaillé **comme un fou** pour respecter les délais !
• Obtenir ce document officiel a été **une histoire de fous** *(= complexe et absurde).*
• Nous considérons que le projet de cet architecte est **délirant** = **fou**. Il faudra dépenser **un argent fou** pour le mener à bien. **C'est du délire** = **c'est insensé** !
• Bénédicte a **une** véritable **boulimie de** culture **:** elle veut tout voir, tout découvrir !
• Irène est **obsessionnelle** = **maniaque**, elle range tout, elle nettoie tout jusqu'à l'excès, c'est **une manie**.

• Agathe a peur des chiens, c'est **une vraie phobie** !
• Alice était folle de rage, elle criait, elle était « **hystérique** » !
• Les enfants **ont fait les fous** sur la plage, ils étaient **fous de joie** !
• Simon est **fou d'**opéra, c'est **un mordu d'**opéra.
• J'ai encore oublié ce rendez-vous, je **perds la tête** = **la boule***, ma parole ! Il va falloir « **m'enfermer dans un asile psychiatrique** » !
• Nous avons dansé toute la nuit : après des mois de travail acharné, cela nous a fait du bien, **nous nous sommes défoulés***.
• **Dans mon subconscient**, je me suis rendu compte que ma voisine avait un comportement étrange, mais **inconsciemment**, je l'ai évitée.
• Kamel accuse Damien d'être **psychorigide**, de ne jamais vouloir changer de comportement.

EXERCICES

1 **Les phrases suivantes sont-elles de sens équivalent ?**

1. Yasmina travaille comme une folle = elle abat un travail démentiel.
2. Adrien perd la boule* = il est complètement parano*.
3. Bernard a proposé un projet délirant = il était fou de joie.
4. Damien est obsessionnel = il est maniaque.
5. Micheline est férue d'art contemporain = elle est folle d'art contemporain.
6. Ophélie s'est défoulée* = elle a créé un psychodrame.

2 **Trouvez une autre manière de dire.**

1. Adeline a l'impression de perdre la tête. ____________________
2. L'annonce du mariage de Léa a déclenché une situation très conflictuelle dans sa famille. ____________
3. Marie-Ève est très maniaque. ____________________
4. Gabin a énormément travaillé. ____________________
5. Tous les cousins étaient extrêmement joyeux. ____________________
6. Faire réparer cette fuite d'eau a été difficile et compliqué. ____________________

3 **Complétez.**

1. Blandine vérifie dix fois qu'elle a bien fermé la porte à clé, elle est ____________________.
2. Ce projet de pont au-dessus de la vallée est complètement disproportionné ! C'est du ____________________ !
3. Quelle idée d'inviter à dîner tes voisins qui sont désagréables ! Tu es ____________________ !
4. La jeune fille s'est mise à hurler, elle était ____________________, tout simplement parce qu'on lui avait volé son téléphone mobile.
5. Après cette longue période de surmenage, Sophie est allée au club de gym, elle ____________________, cela lui a fait beaucoup de bien.

4 (35) **Écoutez et faites un commentaire en employant des termes psychologiques familiers.**

1. ____________________
2. ____________________
3. ____________________
4. ____________________
5. ____________________

5 **À vous ! Répondez librement aux questions par des phrases complètes.**

1. Avez-vous tendance à être maniaque ?
2. Vous arrive-t-il de travailler comme un fou/une folle ?
3. Certaines démarches administratives sont-elles des histoires de fous, dans votre pays ?
4. Êtes-vous parfois un peu parano* ?

19 RAISONNER, NUANCER

RÉFLÉCHIR ET ÉLABORER

• Alex **est plongé dans ses réflexions**. D'ailleurs, je **me suis fait la réflexion** suivante : j'ai du mal à **suivre le cheminement de sa pensée** = **le cours de ses réflexions**, surtout quand il est en train de **méditer** = **échafauder** = **élaborer** = **concevoir** un nouveau projet. Il doit **y réfléchir à tête reposée** (≠ **réagir à chaud**). **L'élaboration** = **la conception** de ce projet prendra un peu de temps.
• Rachel pratique le yoga et **la méditation**.
• Ma recherche **prend tournure** = **prend forme**. Des axes de recherche **se dessinent**. **À la réflexion** = **réflexion faite** *(= finalement)*, le sujet est complexe.
• Lorsqu'on dirige un projet, il est utile de **faire le point** régulièrement, pour voir comment **les choses avancent**. À la fin, il faudra **faire le bilan du** projet et en **analyser** les résultats.
• Au décès de quelqu'un, ses proches vont **se recueillir** *(= méditer en silence)* sur sa tombe : ils se réunissent dans **le recueillement**.

DEVINER

• Je **soupçonne** = **subodore que** mes enfants me feront une surprise pour mon anniversaire. Ils chuchotent entre eux, ce qui « **m'a mis la puce à l'oreille** ».
• Charles nous rend visite par amitié ? **Tu parles** ! Je **le vois venir** « **gros comme une maison** » : il a besoin d'argent !
• La police **suspecte** Henri, dont le comportement étrange **pique la curiosité**. Pourtant, Henri **n'a jamais éveillé de soupçon chez** ses voisins.
• Nora **pressent** = **a le pressentiment que** tout va mal tourner. Elle a déjà eu des rêves **prémonitoires**, puisque les faits se sont produits un peu plus tard.
• La réaction d'Arnaud **est de bon augure** (≠ **de mauvais augure**), elle **laisse présager** que tout se passera bien = ça **augure bien** (≠ **mal**) **de** l'évolution du projet, **c'est un bon présage** (≠ **un mauvais présage**).
• Hugo **se figure que** je ne le comprends pas. Pourtant, **cela ne vous aura pas échappé**, je suis assez perspicace !
• Les enquêteurs **se perdent en conjectures** *(= hypothèses)* pour comprendre le mobile de ce crime qui reste **une énigme**. **Par recoupements**, ils finiront par découvrir la vérité !
• Quand Dora a accepté ce travail, elle **était loin de se douter que** cela l'entraînerait si loin ! **Figure-toi qu'**elle doit partir au bout du monde !

EXERCICES

1 Choisissez le ou les terme(s) possible(s).

1. Nous devons faire [le point] [le bilan] [la réflexion].
2. Ce succès est [un bon présage] [une méditation] [de bon augure].
3. Le livre de l'auteur commence à [faire] [prendre] [avoir] tournure.
4. Elle a [réfléchi] [réagi] [suspecté] à chaud.
5. Suivez-vous le [cheminement] [recueillement] [cours] de ma pensée ?
6. L'architecte va [élaborer] [pressentir] [concevoir] un projet pour ce nouveau quartier.
7. Le chantier commence à prendre [réflexion] [forme] [tournure].

2 Les phrases suivantes sont-elles de sens équivalent ?

1. Par recoupements, Léo a identifié l'auteur de cette lettre = il y est parvenu à tête reposée.
2. La réponse de Frédéric est de bon augure = elle est un bon présage.
3. Nous devons faire le point de la situation = nous devons élaborer une réflexion.
4. Vanessa subodore la vérité = quelque chose lui a mis la puce à l'oreille.
5. Ce détail ne m'a pas échappé = ce détail est de mauvais augure.
6. Ce plan de rénovation prend tournure = il prend forme.

3 Complétez.

1. Les pseudo-déménageurs ont travaillé sans ______________________ de soupçons.
2. À la fin de la formation, nous ______________________ le bilan des connaissances acquises.
3. La remarque de Dominique ______________________ ma curiosité.
4. Les policiers ______________________ en conjectures pour saisir le mobile du crime.
5. C'est la réaction de Vincent qui nous ______________________ la puce à l'oreille.
6. Ne dérange pas Anne-Marie, elle ______________________ dans ses réflexions.

4 Trouvez une autre manière de dire.

1. Émilie est en train de <u>concevoir</u> un projet de formation en entreprise. ______________________
2. Personne n'avait <u>soupçonné</u> l'escroquerie. ______________________
3. Les membres de la famille vont <u>méditer</u> sur la tombe de leur parent. ______________________
4. Juliette ne veut pas répondre <u>en plein milieu de l'action en cours</u>. ______________________
5. <u>Imaginez-vous</u> qu'une amie d'enfance a repris contact avec nous ! ______________________
6. Guillaume <u>devine</u> que la situation va mal tourner. ______________________

5 À vous ! Répondez librement aux questions par des phrases complètes.

1. Vous est-il arrivé d'avoir des pressentiments ou des rêves prémonitoires ?
2. Quelque chose vous a-t-il mis la puce à l'oreille alors qu'on essayait de vous faire une surprise ?
3. Avez-vous tendance à réagir à chaud ?
4. Y a-t-il quelque chose qui a piqué votre curiosité, récemment ?

RAISONNER

• Il existe **une corrélation** = **un lien entre** ces deux idées. **Cela implique** = nous **en déduisons** = nous **en concluons qu'**elles sont proches.
• Mon **postulat de départ est** = je **pars du principe** que le projet sera accepté.
• L'étudiant pose une question **pertinente** (≠ **incongrue**), **appropriée** et **justifiée**.
• Nous parlions de littérature, puis, **par association d'idées** = **de fil en aiguille**, nous en sommes arrivés à discuter d'un fait divers.
• Marianne a fait un discours très **cohérent** (≠ **incohérent**) : elle **a** bien **articulé son raisonnement**, ce qui **a conféré** (= **donné**) de **la cohérence** (≠ **l'incohérence**) à son propos. Il est vrai qu'elle **a de la suite dans les idées** *(= reste cohérente)*. Il lui est donc facile de **réfuter** = **rejeter** = **repousser** les arguments de ses adversaires.
• Renaud a fait un discours rempli **de lieux communs** = **de banalités** = **de vérités évidentes** = **de lapalissades**. Il « **enfonce des portes ouvertes** ».

Remarque. Une vieille chanson sur Monsieur de La Palice dit en particulier : « un quart d'heure avant sa mort, il était encore en vie », ce qui est une évidence = une lapalissade !

• Ce musée possède une collection **homogène** (≠ **hétéroclite**) de dessins du XVe siècle.
• **À l'idée de** déménager, elle se met dans tous ses états. **La simple idée de** déménager la bouleverse.
• Ce raisonnement **repose**, hélas, **sur des prémisses fausses**.
• Tu veux préparer le dîner avant d'acheter les ingrédients ? C'est absurde, tu « **mets la charrue avant les bœufs** » !
• L'analyse faite par ce philosophe est un peu « **tirée par les cheveux** » *(= n'est pas très logique)*. Il « **va toujours chercher midi à quatorze heures** » = il « **coupe les cheveux en quatre** » *(= est trop subtil et trop compliqué)*, mais il le fait **sciemment** = **en (toute) connaissance de cause**.
• **En principe** = **en théorie** = **théoriquement**, ce projet **est de nature à** relancer l'industrie dans la région, surtout si l'entreprise **opte pour** la création d'une usine. Il **serait paradoxal** = **ce serait un paradoxe que** la société n'embauche pas. Ce qui **est en jeu**, c'est l'avenir de la région !
• Grégoire a du mal à **organiser ses idées**. Cette difficulté **est inhérente à** la rédaction d'**une dissertation charpentée** = **structurée** et **argumentée**.
• Le cambriolage a eu lieu la nuit ? C'est **plausible** *(= on peut le penser)*, mais un autre élément vient **se greffer sur** cette histoire : la présence d'un mari jaloux.

EXERCICES

1 **Répondez aux questions.**

1. L'interprétation de ce texte est-elle simple et naturelle ?
– Non, au contraire, ______________________________
2. L'article publié contient-il des idées originales ?
– Non, au contraire, ______________________________
3. Myriam s'y prend-elle de manière logique et ordonnée ?
– Non, au contraire, ______________________________
4. Cet ensemble de sculptures n'est-il pas hétéroclite ?
– Non, au contraire, ______________________________
5. La remarque de cette députée est-elle pertinente ?
– Non, au contraire, ______________________________

2 **Complétez.**

1. Angélique coupe les cheveux ______________________________ .
2. Les élèves ont du mal à ______________________________ leurs idées de manière logique.
3. Christophe part du ______________________________ que son chef le soutiendra.
4. D'autres éléments ______________________________ sur cette histoire déjà compliquée.
5. Victor met ______________________________ avant les bœufs !
6. Tu ______________________________ des portes ouvertes !
7. Le raisonnement des enquêteurs ______________________________ sur des prémisses étranges.
8. Cette réunion n'est pas ______________________________ à remonter le moral de l'équipe !

3 **Les phrases suivantes sont-elles de sens équivalent ?**

1. Bérengère a écrit des lapalissades = elle enfonce des portes ouvertes.
2. Gabriel a tendance à couper les cheveux en quatre = il va souvent chercher midi à quatorze heures.
3. Louise met la charrue avant les bœufs = elle dit des lieux communs.
4. L'article publié par ce chercheur est solidement charpenté = il a bien structuré ses idées.
5. Elle a répondu en connaissance de cause = elle a réfuté les arguments.
6. Je ne comprends pas la corrélation entre ces deux événements = quel est le lien entre ces deux événements ?
7. Laurent trouve ces arguments faciles à réfuter = les arguments sont paradoxaux.

4 **À vous ! Répondez librement aux questions par des phrases complètes.**

1. Pouvez-vous citer quelques lapalissades ?
2. Vous arrive-t-il de couper les cheveux en quatre ?
3. Connaissez-vous des situations paradoxales, sur le plan politique, par exemple ?
4. Avez-vous de la suite dans les idées ?

LE JUGEMENT

• Quand on crée une équipe de travail, le choix des personnes doit être **judicieux**, car plusieurs **facteurs entrent en ligne de compte**. Quelquefois, on pense à quelqu'un, puis **on change d'avis** = **on se ravise**. Il est en effet délicat de **discerner** si un tel conviendra à la fonction.
• J'ai prétendu être enthousiasmé par ce projet, mais **dans mon for intérieur**, je **ne vois pas d'un bon œil** ces propositions ! **À mes yeux**, elles n'amélioreront pas la situation et je ne pense pas **changer de position sur** cette question.
• **À en juger par** son comportement, ce jeune homme n'a pas l'air très heureux ! Ce qu'il m'a confié l'autre jour **corrobore** = **confirme** (≠ **infirme**) mon opinion.
• Il est important d'employer ce mot **à bon escient** (≠ **à mauvais escient**), avec **discernement** *(= intelligence et raison).*
• Guy **n'a pas jugé nécessaire de** me parler. Il **a jugé bon de** faire cavalier seul.
• **Sur quels critères** = **quels paramètres** pensez-vous embaucher un candidat ?
• Céline montre du **manichéisme** : elle voit tout **en blanc ou noir**. Il ne faut pas être **manichéen**, c'est **simpliste** ! Sa critique est un peu **tendancieuse** = **partiale** = **biaisée**. On préférerait qu'elle soit **impartiale** = **équitable** = **juste** = **neutre**.

LES NUANCES

• Dans sa réponse, Louis était **à la limite de** l'hypocrisie. « **À la limite** », je préférerais qu'il dise franchement ce qu'il pense, sans **tempérer** = **modérer** = **pondérer** ses propos. **En l'occurrence** *(= dans cette situation),* cela permettrait de faire progresser les choses.
• **Dans une certaine mesure** = **jusqu'à un certain point**, on peut comparer ces deux auteurs, qui se caractérisent par **une grande subtilité** dans l'analyse.
• Ce séminaire a été très critiqué, mais il faut **faire la part des choses** : certaines **des réserves émises** s'expliquent par la fatigue des participants.
• La soirée s'est plutôt bien passée. **Un seul bémol*** = je **mettrais un bémol*** : le dessert était un peu raté. **Qui plus est** = **De plus**, Julie est partie plus tôt que prévu.
• La proposition de loi a provoqué **des réactions mitigées** *(= sans enthousiasme)*. Même si l'opposition **a fait preuve de retenue** = **modération**, elle s'est montrée **sceptique sur** les avantages de la loi.
• Cet homme n'est « pas très intelligent » ? C'est **un euphémisme** ! Tu veux dire qu'il est complètement idiot !
• Le journaliste écrit avec humour, ce qui **atténue** = **adoucit** un peu sa critique.

EXERCICES

1 Choisissez le ou les terme(s) approprié(s).

1. La direction n'a pas jugé [bon] [nécessaire] [juste] de répondre.
2. Le député a trouvé cette critique [tendancieuse] [équitable] [neutre].
3. Cet écrivain voit tout en blanc ou noir, il est [mitigé] [manichéen] [sceptique].
4. Il serait bon que vous [corroboriez] [pondériez] [tempériez] vos discours trop violents !
5. Ils ont fait preuve de [retenue] [bémol] [discernement].
6. À [mes yeux] [mon œil] [bon escient], cette solution sera la meilleure.

2 Les phrases suivantes sont-elles de sens équivalent ?

1. Nous vous approuvons dans une certaine mesure = nous sommes d'accord jusqu'à un certain point.
2. Adèle doit faire la part des choses = elle ne voit pas d'un bon œil cette situation.
3. Les propos du ministre ont été un peu adoucis = ils ont été atténués.
4. Cette interprétation du texte est simpliste = elle n'est pas subtile.
5. Kamel s'est ravisé = il n'a pas fait preuve de discernement.
6. Le jugement rendu est impartial = il n'est pas biaisé.

3 Trouvez une autre manière de dire.

1. Les deux sœurs se ressemblent <u>dans une certaine mesure</u>. ____________________
2. Finalement, Charlotte <u>a changé d'avis</u>. ____________________
3. Cette substance peut être toxique, il faut l'employer <u>avec discernement</u>. ____________________
4. La découverte de ce document <u>confirme</u> les hypothèses du journaliste. ____________________
5. Lors de la réunion internationale, le président devra <u>modérer</u> ses propos. ____________________
6. Nous devrons établir des <u>critères</u> clairs avant de faire notre choix. ____________________
7. L'opinion du député est un peu <u>partiale</u>. ____________________
8. Dans cette situation, l'État <u>ne doit pas prendre parti</u>. ____________________
9. <u>Dans le secret de mes pensées</u>, je pense que ce projet ne marchera pas. ____________________

4 Complétez.

1. Sur quels ____________________ allez-vous choisir les acteurs de ce film ?
2. Plusieurs ____________ entreront en ____________ de compte. En ____________, le plus important est que ces acteurs soient capables de parler plusieurs langues.
3. Il faut faire ____________________ des choses et ne pas être trop simpliste.
4. La solution proposée a provoqué des réactions ____________________, pas très enthousiastes.
5. Dire que ce projet n'est pas très logique est ____________________, puisqu'il est absurde !
6. Armelle n'a pas l'intention de ____________________ de position sur ce sujet.
7. Vous devriez ____________________ preuve d'un peu de retenue !

LA PRÉCISION ET L'APPROXIMATION

• Le budget à prévoir se situe **aux alentours de** 30 000 euros ? – Oui, « **dans ces eaux-là** ». Nous en **détaillerons** = **préciserons** les éléments plus tard, nous ne voulons pas **entrer dans les détails** maintenant.
• Gilles a écrit un rapport **circonstancié** = **détaillé** sur les questions financières. En revanche, il n'a fait qu'**effleurer** d'autres problèmes posés par ce projet.
• Je vais m'installer dans ce joli village. J'**ai suivi à la lettre** les conseils de mes amis. Je séjournerai ici pour **une durée indéterminée**.
• L'étudiant a fait un résumé **schématique** = **sommaire** de son mémoire.
• Le ministre a fait une réponse **évasive** (≠ **précise**) = a répondu **évasivement** à la question du journaliste.

LA CLARTÉ / LE MANQUE DE CLARTÉ

• L'explication du professeur est **lumineuse**, alors que le sujet est complexe. J'ai tout compris, d'autant qu'il parle **clairement** et **distinctement**. J'ai pris des notes pendant le cours, puis j'ai tout **mis au net** = **au propre** à la maison.
• Le détective **a** enfin **élucidé** ce mystérieux crime : il **a fait la lumière sur** tous les acteurs de cette histoire et **a clarifié** le rôle joué par l'épouse de la victime.
• La réponse de notre chef a été **sans ambiguïté** : c'est « non » !
• Tous ces noms se ressemblent, cela **prête à confusion**. Je **m'y perds** = je « **me mélange les pinceaux*** » = je **confonds** tout !
• Ce texte est à la fois **trop vague** et **embrouillé** = **emberlificoté*** = **alambiqué***. Il **n'a** « **ni queue ni tête** ». De plus, il ne **lève** aucune **ambiguïté** sur le sujet : tout reste **flou** = **ambigu**, dans un véritable « **flou artistique** ».
• Ce dragueur* au regard **trouble** a eu **un geste équivoque** envers la jeune femme.
• L'organisation de cette équipe de travail reste un peu **obscure** = **opaque**.
• « **Il n'est pire aveugle que celui qui ne veut pas voir** », dit le proverbe.
• Cette situation diplomatique est extrêmement compliquée, et cela a donné lieu à des **quiproquos** = **des imbroglios** = **des micmacs***.
• Ce champ de recherches est complexe, et le scientifique a commencé à « **débroussailler*** » = « **défricher** » = **dégager** le terrain, pour éviter les théories **fumeuses** = **nébuleuses** *(= obscures).*
• Le sujet de la conférence était assez **hermétique** = **ésotérique**.

EXERCICES

1 **Choisissez la bonne réponse.**

1. L'intrigue de ce roman policier est trop | emberlificotée* | ambiguë |.
2. Avant d'entreprendre cette étude, vous devrez | clarifier | débroussailler* | le terrain.
3. La présentation de cette théorie compliquée est beaucoup trop | schématique | ésotérique |.
4. Adrien n'aime pas | le flou | la confusion | artistique.
5. L'explication était | circonstanciée | lumineuse |, tout le monde a compris !

2 **Trouvez une autre manière de dire.**

1. La réponse du ministre a été détaillée. ______
2. J'ai respecté très précisément les consignes qu'on m'a données. ______
3. Le gouvernement donnera toutes les explications sur ce drame. ______
4. L'exposé du journaliste était assez rudimentaire. ______
5. Le comique de ce film est fondé sur des malentendus qui font rire le public. ______
6. Aurélien mélange tout, il confond les différents éléments de ce dossier. ______
7. Une centaine de participants sont attendus ? — Oui, à peu près. ______

3 **Complétez.**

1. Les prénoms des deux filles sont presque les mêmes, cela ______ à confusion.
2. Ce poème n'a ni queue ______ !
3. L'étudiant doit ______ au propre les notes qu'il a prises en cours.
4. Le ministre a promis de faire toute ______ sur cette affaire.
5. Nous n'aborderons pas ce sujet, nous ne ferons que l'______
6. Les policiers ______ à la lettre les demandes de leur hiérarchie.
7. Après des mois d'enquête, le mystère est enfin ______.
8. La ministre a présenté son projet de loi et en ______ les différents éléments.
9. L'interrogatoire du suspect ______ toute ambiguïté sur sa responsabilité.

4 (36) **Écoutez et faites un commentaire en vous aidant de l'ensemble du chapitre.**

1. ______
2. ______
3. ______
4. ______
5. ______

5 **À vous ! Répondez librement aux questions par des phrases complètes.**

1. Vous êtes-vous confronté(e) à des situations auxquelles le proverbe « Il n'est pire aveugle que celui qui ne veut pas voir » s'appliquait tout particulièrement ?
2. Dans quelles situations pourriez-vous répondre évasivement à une question ?

20 MODÈLES ET COMPARAISONS

BONS ET MAUVAIS MODÈLES

• Ce jeune auteur publie un roman **digne d'**un grand écrivain. Il est écrit **dans la même veine** *(= le même style)* que Balzac, « **à la** (**manière de**) Balzac ». L'auteur se rapproche d'**un idéal** romanesque.
• Ce roman « **à l'eau de rose** » *(= banal et sentimental)* est rempli **de** thèmes **éculés** = de **stéréotypes** = de **clichés** (par exemple, un beau garçon riche sauve une jolie jeune fille pauvre).
• La bande dessinée est étudiée à l'université, **au même titre que** la littérature.
• Ce peintre a **fait des émules** = ses successeurs ont cherché à l'**imiter** et le surpasser. **L'émulation** est bénéfique entre des personnes de talents équivalents. **L'imitation**, quand elle est faite **à bon escient**, peut être fructueuse.
• Cet ouvrage scientifique constitue **une référence**, c'est **la référence dans le domaine**. Tous les spécialistes **se réfèrent à** cet ouvrage.
• Le mot « élégant » **dérive** du latin *eligere* **à l'instar** = **à l'imitation de** « élire ».
• Ces jeunes gens, hélas, pensent de la même manière, ils « **sont coulés dans le même moule** » = ils sont « **formatés*** ». Ce sont **des moutons de Panurge** = ils sont **moutonniers** = ils **se conforment à la norme** sans réfléchir, ils sont **conformistes** (≠ **anticonformistes**). **Leur conformisme** (≠ **anticonformisme**) les rend passifs. Ils suivent **des stéréotypes**.

Remarque. Dans *Pantagruel*, Rabelais (1494-1553) raconte l'histoire du mouton que Panurge jette à la mer et que tous les autres moutons suivent bêtement dans la mort.

• Le mot « créativité » est **galvaudé** = « **mis à toutes les sauces** » = **banalisé**. On l'emploie **à tort et à travers** (= trop souvent et **à mauvais escient**).
• Il **est malvenu que** ce député critique la moralité du gouvernement, car lui-même n'est pas **un parangon** = **un modèle** de vertu ! Il n'**était** d'ailleurs pas **à la hauteur de** sa fonction.

LA COPIE D'UN MODÈLE

• Cette célèbre statue **a servi de modèle à** de très nombreuses **copies** = **répliques**.
• Jean **pastiche** = **fait un pastiche de** Proust : il s'amuse à l'imiter. Il a aussi réalisé **une parodie** d'une tragédie de Hugo, il l'a **parodiée** pour s'en moquer.
• L'étudiante **a plagié** un texte qui se trouvait sur Internet : elle l'a recopié en prétendant qu'elle l'avait écrit elle-même. **Le plagiat** est sévèrement sanctionné.
• Je n'ai vu qu'**un fac-similé** = **une reproduction** du manuscrit et non **l'original.**

EXERCICES

1 Choisissez la bonne réponse.

1. Désormais, on étudie la publicité à l'université [à l'instar de] [au même titre que] [à la manière de] la peinture ou la sculpture.
2. Ce roman d'un auteur encore inconnu est [dans la veine] [digne] [un pastiche] d'un grand prix littéraire.
3. Ce temple romain a servi de [copie] [parodie] [modèle] à des bâtiments plus récents.
4. Ce chanteur à la mode va faire des [successeurs] [émules] [clichés].
5. Cet adjectif est [galvaudé] [moutonnier] [formaté].

2 Les phrases suivantes sont-elles de sens équivalent ?

1. On emploie ces mots à tort et à travers = ils sont coulés dans le même moule.
2. Il s'agit d'une reproduction de tableau = ce n'est pas un original.
3. Le mot « catastrophe » est galvaudé = il est banalisé.
4. Ce dictionnaire est une référence pour les traducteurs = il est utilisé à bon escient.
5. Ce poème est digne de Rimbaud = il est écrit à la manière de Rimbaud.
6. Il s'agit d'un film à l'eau de rose = le film est trop sentimental.

3 Complétez.

1. Dans la boutique de ce musée, on peut trouver des ____________________ de bijoux égyptiens.
2. Le mémoire de cet étudiant a été refusé par le jury, car il s'agit d'un véritable __________ : l'étudiant a purement et simplement ____________________, mot à mot, une thèse publiée il y a quelques années.
3. Faire un bon ______________ est très amusant ! Il faut cependant avoir parfaitement assimilé le style d'un auteur.
4. Ce comportement vulgaire n'est pas ______________________________ d'un chef d'État !
5. Dans ce texte, vous avez employé ce mot à mauvais ______________________, c'est dommage !

4 Trouvez une autre manière de dire.

1. Ce poème a été écrit <u>dans le style</u> de Rimbaud. ______________________________
2. Cette pièce de théâtre est pleine de <u>stéréotypes</u>. ______________________________
3. Tous les étudiants <u>consultent</u> cet ouvrage. ______________________________
4. Cet outil informatique est utilisé <u>n'importe comment</u>. ______________________________
5. Ces gens <u>suivent tous le même exemple, sans réfléchir</u>. ______________________________
6. Ce récit est <u>trop sentimental</u>. ______________________________

5 À vous ! Répondez librement aux questions par des phrases complètes.

1. De qui pourriez-vous dire que ce sont « des moutons de Panurge » ? Pourquoi ?

____

2. Dans votre langue, quels sont les termes les plus galvaudés ?

____

LES RESSEMBLANCES

• Voter pour ce candidat ou l'autre, **cela revient au même** = c'est « **bonnet blanc et blanc bonnet** » = c'est « **du pareil au même** » = ça **ne fait aucune différence**.

• Le cambrioleur a été arrêté avec deux malfaiteurs **du même acabit** *(= du même genre).*

• On **relève une convergence de vue entre** les deux chefs d'État : ils **convergent vers** un même but.

• Nous pouvons **rapprocher** ces deux théories : nous pouvons **établir** = **faire un rapprochement entre** cette théorie **et** la précédente. Les deux théories peuvent **être corrélées**, il existe **une corrélation** = **un rapport** = **un lien étroit entre** ces deux théories, qui sont **analogues** = qui présentent de nombreuses **analogies**.

• Le style de ce bâtiment **s'apparente à** l'Art nouveau. Il existe des **similitudes** = **des parentés** entre ce bâtiment et l'Art nouveau. Ce bâtiment **rappelle** l'Art nouveau.

• Le pessimisme ambiant **va de pair avec** la crise économique = ce pessimisme est à **mettre en parallèle avec** la crise économique.

• Elle n'a pas arrêté de nous critiquer ce matin, et hier **tout était à l'avenant** = c'était **pareil**. Nous critiquer **de la sorte** = **de cette manière** est pénible et injuste.

• Le ministre de l'Économie a rencontré **son homologue** allemand à Bruxelles.

• Séverine est **l'alter ego** d'Elsa, elles sont de très proches amies.

• Marc ressemble extraordinairement à Thibaut, Marc est **le sosie** de Thibaut.

Remarque. Sosie est un personnage d'une pièce de Molière, *Amphitryon,* dans laquelle Jupiter prend l'apparence de ce dernier, et Mercure prend celle du valet Sosie.

• Ce dissident a subi **un simulacre** de procès *(= une mauvaise imitation).*

• **La littérature comparée** consiste à **confronter** des textes littéraires français avec ceux écrits dans d'autres langues. **Cette confrontation** s'avère fructueuse.

• Le député **n'a pas changé d'un iota** le texte de loi qu'il va soumettre au parlement.

• Ces deux candidats sont de compétences **équivalentes** = leurs compétences sont **de même valeur** = elles **se valent**.

EXERCICES

1 Choisissez la bonne réponse.

1. Tout est | à l'avenant | de la sorte |.
2. Nous avons | établi | rappelé | des rapprochements entre ces deux textes.
3. Les deux aspects de ce problème | mettent | vont | de pair.
4. Cela | fait | revient | au même.
5. Les deux actrices | se valent | s'apparentent | du point de vue de leur talent.
6. Le Premier ministre a rencontré son | alter ego | homologue | polonais.

2 Les phrases suivantes sont-elles de sens équivalent ?

1. Ces deux événements peuvent être corrélés = il existe des liens entre ces deux événements.
2. Clotilde est mon alter ego = elle est mon sosie.
3. Nous devons mettre ces deux dessins en parallèle = ces deux dessins se valent.
4. Aller à pied ou à vélo, cela revient au même = cela ne fait pas de différence.
5. Cette chanson rappelle la musique populaire = cette chanson s'apparente à de la musique populaire.

3 Complétez.

1. La ressemblance entre ces deux femmes est étonnante : Juliette est un véritable ____________________ de ma voisine !
2. Ils ne changeront pas d'un ____________________ le document qu'ils présenteront à leur chef.
3. La police a arrêté un délinquant et a interpellé deux autres du même ____________________.
4. Les deux chefs d'État ont insisté sur leur ____________________ de vue sur ce point.
5. Cet opposant au régime a été la victime d'un ____________________ de procès.
6. Sabine a montré les ____________________ étroits qui existent entre ces deux auteurs.

4 Trouvez une autre manière de dire. Vous devrez parfois reformuler les phrases.

1. Le style de ce roman <u>rappelle</u> celui de Maupassant. ____________________
2. <u>Ces deux idées sont proches l'une de l'autre</u>. ____________________
3. Le ministre des Affaires étrangères a rencontré <u>le ministre des Affaires étrangères</u> italien.
4. Fréquenter cette université ou une autre, <u>c'est la même chose</u>. ____________________
5. Le développement culturel <u>se fait en même temps que</u> l'essor économique. ____________________
6. Ces phénomènes sont <u>liés</u>. ____________________
7. Quitter la réunion <u>de cette manière</u> n'est guère courtois. ____________________

5 À vous ! Répondez librement aux questions par des phrases complètes.

1. Vous est-il arrivé de rencontrer un sosie (de vous-même ou de quelqu'un d'autre) ?
____
2. Avez-vous, dans votre entourage, quelqu'un que vous considérez comme votre alter ego ?
____

DIVERGENCES ET EXCEPTIONS

• Ce brocanteur vend des objets **hétéroclites** = **disparates** (≠ **homogènes**).

• On observe non seulement **une disparité** *(= divergence + déséquilibre / inégalité)* mais **un** véritable **clivage** *(= séparation étanche)* **entre** les classes sociales.

• Il existe **des divergences** politiques entre ces deux hommes. En particulier, ils **divergent sur** les solutions économiques. Les deux hommes **sont éloignés l'un de l'autre** en ce qui concerne l'économie.

• Les deux sœurs jumelles cherchent à **se différencier** = **se démarquer** l'une de l'autre. **La différenciation** se situe surtout au niveau des vêtements, car **les dissemblances** ne sont pas perceptibles sur le plan physique.

• **Un écart** < **un fossé** < **un abîme** < **un gouffre sépare** ces deux compositeurs du point de vue de l'inspiration. **Il n'y a pas de commune mesure** entre ces deux artistes.

• Cette femme politique **se contredit** souvent, ses actes et ses paroles sont **contradictoires**. Ses actes sont **en contradiction avec** ses paroles et même, parfois, **aux antipodes** les uns des autres.

• Je ne suis vraiment pas douée pour les maths : « **les mathématiques et moi, ça fait deux** » !

• Jacques n'a pas été invité à la réunion des directeurs. C'est normal, « **on ne mélange pas les torchons et les serviettes** », comme dit le proverbe *(= on ne mélange pas des objets ou des personnes de « valeur » différente)* !

• « **Il ne faut pas mettre tout le monde dans le même sac** », car **des distinctions** existent entre ces différents étudiants. Il est important de **distinguer** les étudiants doués **de** ceux qui sont plus faibles.

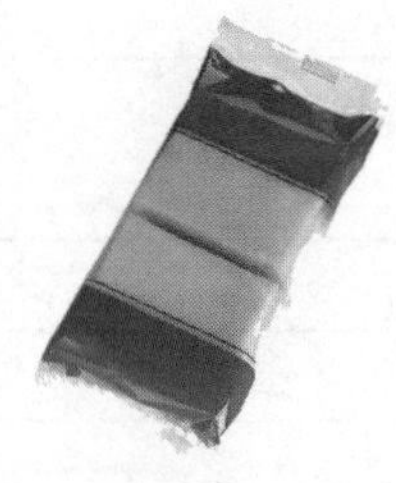

• Entre un fromage industriel et un vrai fromage au lait cru, « **c'est le jour et la nuit** » = **cela n'a rien à voir** = **c'est radicalement différent**.

• Communiquer en français, c'est possible. Parfaitement maîtriser la langue, « **c'est une autre paire de manches** » = « **c'est une autre histoire** » *(= c'est plus difficile)* !

• Lionel va **à l'encontre des** opinions courantes : il **fait exception à la règle**.

• Ce pianiste **hors pair** = **hors du commun** a un talent **prodigieux**.

EXERCICES

1 **Trouvez une autre manière de dire.**

1. Les sociologues ont relevé une très grosse séparation entre les enfants d'ouvriers et ceux des classes aisées. ____________________
2. Nos opinions sont différentes sur ce point. ____________________
3. Il n'y a pas de comparaison possible entre cette étudiante moyenne et cette autre absolument exceptionnelle. ____________________
4. Si vous comparez ce vêtement trouvé au marché aux puces et celui-ci, fabriqué par un grand couturier, cela n'a rien à voir ! ____________________
5. La décision du gouvernement ne correspond pas aux promesses électorales. ____________________
6. Ce musée présente des objets très mélangés. ____________________
7. Xavier est un athlète unique. ____________________

2 **Complétez ces expressions imagées.**

1. Il ne faut pas mélanger les ____________________
2. Ne mettez pas tout le monde dans ____________________
3. Si vous comparez cette petite maison et ce somptueux château, c'est le jour ____________________
4. Je suis nul en physique : la physique et moi, ça ____________________
5. Savoir parler est une chose, être capable de faire un discours en public, c'est une autre ____________ !

3 (37) **Écoutez et faites un commentaire en employant des expressions imagées présentées dans ce chapitre.**

1. ____________________
2. ____________________
3. ____________________
4. ____________________
5. ____________________
6. ____________________
7. ____________________

4 **À vous ! Répondez librement aux questions par des phrases complètes.**

1. Avez-vous dans votre entourage proche des personnes avec qui vous avez de fortes divergences d'opinion ?
____
2. Existe-t-il dans votre langue des proverbes ou des expressions imagées analogues à « on ne mélange pas les torchons et les serviettes » ?
____
3. Vous arrive-t-il que vos actes soient en contradiction avec vos paroles ?
____
4. Existe-t-il dans votre pays de forts clivages sociaux ?
____

21 CAUSES ET CONSÉQUENCES

LES CAUSES

- Cette affaire dont on ne voit pas l'issue est compliquée, et il faudrait en **connaître / comprendre les tenants et les aboutissants. L'élément déclencheur** = « **la goutte d'eau qui a fait déborder le vase** » = « **l'étincelle qui a mis le feu aux poudres** » est un article publié dans la presse.
- La réaction de Florian **est à mettre sur le compte de** = **vient de** = **est causée par** la colère. On peut **imputer** cette réaction **à** la colère.
- En évoquant cette querelle de famille, Carole « **a ravivé de vieilles blessures** ».
- Une sombre histoire d'héritage constitue **le ferment de la discorde** entre les deux frères. Je voudrais comprendre **le pourquoi** de cette brouille.
- Albert a agi ainsi pour **des motifs inavouables** *(= des raisons honteuses)*.
- **Il n'y a pas matière à** discussion = **il n'y a pas de raison de** discuter.
- Il est important de découvrir **l'origine** de cette fuite d'eau.
- Cet héritage est devenu **un *casus belli*** *(= une cause de guerre)* entre les deux époux.
- Sabine n'est pas intervenue dans la discussion, **et pour cause** *(= on sait pourquoi)*.
- La politique a « **des ressorts cachés** » = **des motivations inconnues**, on ne sait pas toujours pourquoi telle décision est prise. Le désir de satisfaire les électeurs constitue parfois **un facteur déterminant**.
- Le résultat de cette expérience **est** principalement **l'effet** = **le fruit du** hasard.
- On ne connaît pas **les raisons** de cet échec, mais **entre autres considérations** *(= parmi les causes)* vient certainement le manque de préparation.
- **Au nom de** notre vieille amitié, je te demande de ne pas abandonner ce projet !
- Aurore a refusé de venir **sous prétexte qu'**elle était fatiguée.

LES AGENTS

- Cette nomination s'est faite **à l'instigation du** ministre. Le ministre est **l'instigateur** de cette nomination.
- Jean Monnet est **l'artisan** = **le** « **père** » **de** l'Union européenne ; il en est **le promoteur**, il **a joué un rôle déterminant** dans ce projet.
- Alice constitue « **un élément moteur** » dans cette équipe : elle est **l'inspiratrice de** plusieurs idées fructueuses. Elle constitue **le pivot** de cette équipe.

EXERCICES

1 Choisissez le ou les terme(s) possible(s).

1. Nous aimerions connaître [les ressorts cachés] [les tenants et les aboutissants] [le ferment] de cette affaire financière complexe.
2. Ce musée archéologique s'est ouvert [sur le compte] [à l'instigation] [au nom] de la municipalité.
3. C'est [le vase] [l'étincelle] [le facteur] qui a mis le feu aux poudres.
4. Albert est [le promoteur] [l'artisan] [l'origine] de cette nouvelle loi.
5. Juliette a joué [un élément moteur] [le pivot] [un rôle déterminant] dans ce projet.
6. Il n'y a pas [de raison] [de matière] [matière] à protester.
7. Nous l'avons invité [sous prétexte] [au nom] [sur le compte] de notre militantisme passé.

2 Complétez.

1. Le refus de Quentin est à mettre sur ______________________ de sa rivalité avec Thomas.
2. Valentin constitue un élément ______________________ dans notre équipe.
3. C'est ______________________ qui a fait ______________________ le vase !
4. Alain n'a pas donné son accord, sous ____________ qu'on ne lui avait pas envoyé les informations suffisamment longtemps à l'avance.
5. Les ressources de la région constituent ______________ déterminant pour attirer des usines.
6. Le rejet de la loi a été l'élément ______________________ des manifestations qui ont suivi.
7. Les diplomates tentent de ne pas ______________ les vieilles blessures entre ces deux pays.

3 Trouvez une autre manière de dire.

1. La réunion s'est tenue grâce à des diplomates. ______________________
2. La rivalité entre les deux femmes a des raisons inconnues. ______________________
3. Ce petit incident est à l'origine de cette terrible querelle. ______________________
4. Odette ne pourra pas faire de ski, nous savons tous pourquoi ! ______________________
5. Le refus de Fabienne s'explique par sa fatigue. ______________________
6. Le présentateur de télévision est parti vivre à l'étranger pour des raisons honteuses. ______________
7. Le ministre est l'artisan de cette loi. ______________________

4 (38) Écoutez et faites un commentaire en vous aidant de la page ci-contre.

1. ____
2. ____
3. ____
4. ____
5. ____
6. ____

LES CONSÉQUENCES

• Cet événement familial a été **décisif** = **capital** = **crucial** pour Malika, il a eu **des conséquences déterminantes** sur son évolution.

• Les négociations **ont abouti à** la signature d'un traité de paix, qui **ouvre la voie** à de nouvelles relations économiques.

• Le projet de loi **a donné lieu** = **donné matière à** de vifs échanges entre parlementaires, ce **qui s'est soldé par** un report du vote.

• Ces décisions **concourent** = **contribuent à** l'amélioration de la qualité de vie. Elles sont **salutaires** = elles ont des conséquences **bénéfiques** pour la population.

• L'étrange comportement de cet individu **a éveillé les soupçons** des enquêteurs.

• Cet attentat **a soulevé** l'indignation générale et **a déclenché** une réunion de crise au parlement. Malheureusement, il **a** aussi **déchaîné** les commentaires les plus violents. **Les répercussions** de cet attentat sont graves, et risquent de **tirer** = **porter à conséquence**.

• Cette décision **n'a pas eu les résultats escomptés** et il faudra **en tirer les conclusions qui s'imposent**. D'ailleurs, cette situation **fait le jeu de** l'opposition.

• La fermeture de l'usine laissera **des séquelles** = **des traces** dans la région, car de nombreuses PME vont **subir le contrecoup** = **pâtir** = **souffrir** de cette disparition. Cette fermeture **provoquera des réactions en chaîne** : **par ricochet** = **par** « **effet domino** », des emplois sont menacés.

• La décision de l'entreprise **a eu un impact** fort sur le personnel.

• Ce mot maladroit **a eu peu d'incidence sur** le cours des négociations ; il a été **sans conséquence**, heureusement.

• Cette décision **a fait long feu**, elle a été annulée et est donc sans conséquence.

• On mesure mal **la portée** de cette découverte, mais **les retombées** médicales peuvent être importantes. C'est pourquoi elle a eu **un retentissement** considérable dans le monde scientifique.

• Ne sois pas trop gentil avec lui, cela risque de **te jouer de mauvais tours** !

• Une plaisanterie **anodine** *(= sans importance)* peut finalement **s'avérer** désastreuse sur le plan diplomatique.

• La nomination de Maxime à la direction de l'entreprise « **a ouvert la boîte de Pandore** ». Cela **a donné naissance à** = cela **a engendré** de nombreuses rivalités, qui se sont traduites par des frictions et des tensions. **Il s'en est suivi** = cela **a entraîné** la démission de quelques cadres.

EXERCICES

1 Choisissez le ou les terme(s) possible(s).

1. Le développement de la technologie a [un retentissement] [des contrecoups] [des retombées] [des conséquences] sur les progrès de la chirurgie.
2. De nombreux employés vont [pâtir] [souffrir] [déclencher] [déchaîner] de la faillite de leur entreprise.
3. Pascale souffre encore des [résultats] [réactions] [séquelles] [retombées] de son accident.
4. Les dégâts causés par la tempête ont [entraîné] [donné naissance à] [provoqué] [abouti à] la fermeture du parc.
5. Le discours du président a eu [un impact fort] [peu d'incidence] [un certain retentissement] [un contrecoup] sur l'opinion publique.
6. La déclaration du ministre a donné [soupçon] [lieu] [matière] [conséquence] à des discussions enflammées.

2 Les phrases suivantes sont-elles de sens équivalent ?

1. Ce projet a fait long feu = il a eu un impact fort.
2. Cette décision est capitale = elle est cruciale.
3. La phrase était anodine = elle n'a pas eu de conséquences.
4. Ce crime odieux a soulevé l'indignation = il a ouvert la boîte de Pandore.
5. Il s'agit d'un effet domino = cela a provoqué des réactions en chaîne.
6. Cette réforme est salutaire = elle laissera des séquelles.

3 Complétez.

1. Le suspect est sorti de chez lui sans ______________________ les soupçons.
2. Le parti doit ______________________ les conclusions de son échec électoral.
3. Les projets culturels ______________________ , hélas, des restrictions budgétaires.
4. La découverte de cette molécule ______________________ à de nouveaux traitements médicaux.
5. Le projet de développement urbain ______________ lieu à un débat houleux, qui ______________ par une suspension de séance.
6. Ce projet de réforme ______________________ la boîte de Pandore.
7. Nadège refuse trop souvent les idées qu'on lui soumet, cela va lui ______________ de mauvais tours.
8. Ce crime odieux ______________________ l'indignation dans le village.

4 À vous ! Répondez librement à la question, par des phrases complètes, et en utilisant le vocabulaire de l'ensemble du chapitre.

Pouvez-vous parler d'une décision politique importante dans votre pays, en en expliquant les causes et les conséquences ?

____

____

____

____

22 DOUTES ET CERTITUDES

LE DOUTE, L'INCRÉDULITÉ

• Manon **a** / **nourrit des doutes sur** = **met en doute** l'honnêteté de Ronan. Elle **a quelques raisons de douter de** l'honnêteté de Ronan. Elle **est dubitative en ce qui concerne** l'honnêteté de Ronan. Elle **doute de** son honnêteté.

Remarque. Attention à ne pas confondre « douter de » *(= avoir des doutes)* et « se douter de » *(= suspecter, soupçonner, deviner)* : « Mes enfants ont organisé une fête pour mon anniversaire et je ne me suis douté(e) de rien ! »

• La décision du gouvernement a engendré **un** certain **scepticisme** : les syndicats sont **sceptiques quant à** l'efficacité de la mesure proposée.
• Je **n'ai pas confiance en** lui, je **me méfie de** lui, je reste **méfiant(e)** = j'éprouve **de la méfiance**, et parfois même, de **la défiance** *(= méfiance + crainte)*.
• Nathan **reste sur son quant-à-soi** = il est **circonspect** = il **garde ses distances avec** son entourage.
• Cette décision n'est pas « **un article de foi** » = elle « **n'est pas inscrite dans le marbre** », elle peut évoluer ou changer.
• Tu veux me faire « **prendre des vessies pour des lanternes** » ? Tu veux que je croie tes histoires ? Cela ne marche pas, je « **ne suis pas né(e) de la dernière pluie** » !
• Cédric a toujours fait preuve d'indécision : il **ne sait pas ce qu'il veut** !
• Paul est un escroc ? Je **n'arrive pas à le croire** ! Moi qui le croyais honnête, je **tombe de haut** = je **tombe des nues** !
• Cette œuvre d'avant-garde a provoqué **des réactions mitigées**, mi-enthousiastes, mi-critiques.

LA VRAISEMBLANCE

• **Selon toute vraisemblance** = **apparemment** = **vraisemblablement**, la jeune fille a quitté les lieux en fin de journée. Je ne sais pas si c'est vrai, mais c'est **vraisemblable** = **plausible** = **je peux le croire**.
• **À ce qu'il paraît**, des travaux auront lieu dans la rue. « **À tous les coups*** », cela provoquera des embouteillages.
• M. Joubert est certainement impliqué dans cette affaire. Nous avons **de fortes présomptions**, mais pas encore de preuves, de son implication.

EXERCICES

1 Choisissez la bonne réponse.

1. Jean-François tombe de | la dernière pluie | haut |. ______
2. Adila | met | nourrit | des doutes sur les excuses apportées par sa collègue. ______
3. Il existe de fortes | raisons | présomptions | que ce tableau soit un faux. ______
4. Cédric garde toujours | ses distances | son quant-à-soi |. ______
5. Alain est dubitatif, il | se doute | doute | du succès de l'entreprise. ______
6. À | tous les coups | toutes les raisons |, Thibaut aura oublié le rendez-vous. ______

2 Les phrases suivantes sont-elles de sens équivalent ?

1. Bénédicte est circonspecte sur ce sujet = elle tombe de haut.
2. Cette hypothèse est plausible = nous doutons de cette hypothèse.
3. Aurélien met en doute la sincérité de Thérèse = il est dubitatif quant à sa sincérité.
4. On m'a dit qu'ils allaient déménager = à ce qu'il paraît, ils vont déménager.
5. Selon toute vraisemblance, la grève sera reconduite = je suis sceptique sur cette nouvelle.
6. Matthieu provoque la défiance de Sébastien = Sébastien se méfie beaucoup de Matthieu.

3 Complétez de manière à expliciter les situations.

1. Le fait de vivre dans cette ville n'est pas forcément définitif, ce ______
2. Les propositions du président n'ont pas provoqué de franche adhésion, mais plutôt ______
______
3. Cet élève pensait que je croirais à ses excuses maladroites ! J'ai 30 ans d'expérience, je ______
______
4. Jamais je n'aurais imaginé que mes voisins si gentils étaient des parents maltraitants, je ______
______
5. Tu connais Cécile, elle ne se jette pas dans la discussion, elle reste dubitative et se met à l'écart, elle ______
______

4 Trouvez une autre manière de dire.

1. Sophie <u>n'a pas du tout confiance en</u> Martine. ______
2. Samuel <u>n'est pas convaincu par</u> l'efficacité de cette solution. ______
3. On veut <u>abuser de notre crédulité</u>. ______
4. Charles <u>a beaucoup d'expérience et n'est pas naïf</u>. ______
5. <u>Apparemment</u>, les ministres européens se retrouveront la semaine prochaine. ______
6. Cette hypothèse est <u>vraisemblable</u>. ______

5 À vous ! Répondez librement aux questions par des phrases complètes.

1. Vous est-il arrivé de tomber des nues ?
2. Qu'est-ce qui peut vous inspirer des doutes ?

LES CROYANCES ET LA CRÉDULITÉ

• Léon est trop naïf, il est **crédule**, il est d'**une crédulité frisant** la bêtise. Il **gobe*** = **avale*** n'importe quoi, il **prend tout ce qu'on lui dit** « **pour argent comptant** ». Bref, il « **croit au Père Noël** » !
• Pour Gaspard, ce que dit son chef est « **parole d'évangile** » !
• Loïc **croit dur comme fer qu**'il réussira. Il **prend ses désirs pour des réalités**. Franchement, il **se fait des illusions** !
• Si Judith déclare qu'elle est malade, nous pouvons la **croire sur parole** ! Je **crois savoir** qu'elle a d'ailleurs été hospitalisée la semaine dernière.
• Penser que les malheurs du monde seront réglés définitivement est **une chimère** = **c'est une vue de l'esprit** = **un** beau **mirage**. C'est **une utopie** = une idée **utopique** imaginée par **un utopiste** !
• Ne pas passer sous une échelle ou penser que vendredi 13 porte malheur relève de **la superstition**. Êtes-vous **superstitieux** ?

CERTITUDES ET ÉVIDENCES

• Franck **a la conviction** = **la certitude que** ce projet a de l'avenir. Franck **a foi en** ce projet. C'est ce qu'il m'a dit, mais il **prêche un**(e) **convaincu**(e), car moi aussi, je **suis persuadé**(e) **que** ce projet verra le jour.
• Je **suis formel** = **catégorique** *(= absolument certain)* : Aziz est **sans conteste** = **incontestablement** = **indiscutablement** = **indubitablement** = **indéniablement** le meilleur sportif de la région. C'est **incontestable** = **indubitable** = **indiscutable** = **indéniable** = **irréfutable**.
• Tu veux être ministre quand tu seras grand ? Tu **ne doutes de rien** ! *(ironique)*
• Je suis sûr que c'est Matisse qui a peint ce tableau, « **j'en mettrais ma tête sur le billot** » = « **j'en donnerais ma main / ma tête à couper** ». « **Je veux bien être pendu** » **si** ce tableau n'est pas de Matisse !
• Je voudrais vous assurer de **mon soutien indéfectible** *(= sûr et sans défaut).*
• L'adolescente a écrit au ministre pour demander un stage ? Elle **ne manque pas d'aplomb** = **de toupet*** = **de culot*** *(argot)* = elle « **n'a pas froid aux yeux** » !
• Devenir ministre est plus difficile à un fils d'ouvrier qu'à un fils de diplomate : **c'est une évidence** = **un lieu commun** = j'« **enfonce des portes ouvertes** ».
• Antoine déteste Joseph, c'est **flagrant** = cela « **saute aux yeux** » = cela « **se voit comme le nez au milieu de la figure** ».
• J'étais sûr de la date, mais **par acquit de conscience**, je l'ai vérifiée.

EXERCICES

1 **Choisissez la bonne réponse.**

1. C'est une vue | illusion de l'esprit.
2. Il nous a assurés de son soutien incontestable | indéfectible.
3. La jeune femme croit dur comme évangile | fer qu'elle se mariera bientôt.
4. Ce soi-disant philosophe enfonce des lieux communs | portes ouvertes.
5. Ils ont la conviction | crédulité que les participants parviendront à un accord.

2 **Trouvez une autre manière de dire. Vous devrez parfois reformuler les phrases.**

1. Ce n'est pas la peine d'essayer de me convaincre, je le suis déjà. ______________________
2. Tu imagines vraiment que Romane va t'aider à déménager, elle qui est si égoïste ? Tu te trompes ! ______________________
3. Madeleine s'imagine qu'elle pourra boucler son projet à la fin de la semaine ? Elle rêve ! ______________________
4. J'en suis sûr et certain : ce musée est fermé le lundi. ______________________
5. Agathe écoute son père religieusement, elle croit tout ce qu'il dit. ______________________
6. Ce concert était indiscutablement une réussite. ______________________

3 **Complétez.**

1. Brigitte croit pouvoir résoudre ces problèmes toute seule ? C'est une vue ______________________ !
2. Quand Anne dit quelque chose, je la crois sur ______________________, j'ai toute confiance en elle.
3. Il donnerait sa ______________________ à couper que c'est Truffaut qui a réalisé ce film.
4. Eh bien, jeune homme, vous n'avez ______________________ aux yeux !
5. Tu oses me faire des reproches ? Tu ne manques pas de ______________________ !

4 (39) **Écoutez et faites un commentaire en employant des expressions imagées de l'ensemble du chapitre.**

1. ______________________
2. ______________________
3. ______________________
4. ______________________
5. ______________________
6. ______________________

5 **À vous ! Répondez librement aux questions par des phrases complètes.**

1. Êtes-vous superstitieux ? Quelle que soit votre réponse, pouvez-vous citer les superstitions les plus courantes dans votre culture ?
2. Avez-vous parfois cru à une utopie ?
3. Vous est-il arrivé d'être absolument certain(e) de quelque chose et de vous tromper ?
4. Pouvez-vous citer quelques lieux communs ?

23 EFFETS DE MODE

LA MODE ET LA MODERNITÉ

« La mode, c'est ce qui se démode », a dit Jean Cocteau.

• Porter cette couleur est « **très tendance** » = **en vogue** = **branché*** (≠ **est passé de mode** = **est démodé**). Cette couleur **se porte** = **se fait beaucoup**, en ce moment, **c'est le dernier cri**.

• Le terme de « soulier » est un peu **désuet**, on ne l'emploie guère.

• Tu te sers encore de ce vieil ordinateur ? Pourtant, il est complètement **dépassé**, il est même **obsolète** ! – Oui, je sais, tandis que toi, tu **es** toujours **à la pointe du progrès**...

• Mes parents sont « **vieux jeu** » = ils « **ne sont plus dans le coup*** », leurs idées ne sont pas modernes !

• Pour un couturier, il est important d'être **dans le vent** = de rester **à la page**.

• Ce nouveau gadget technologique **fait fureur** ! Les clients **se sont rués dessus** dès l'ouverture du magasin. On peut se demander combien de temps durera **cet engouement**. Il ne faut pas **s'emballer*** = **s'enthousiasmer** trop vite ! **L'attrait de la nouveauté** est souvent éphémère.

• C'est amusant, ce couturier **a remis à la mode** = **au goût du jour** cet accessoire un peu **vieillot**, qui est maintenant très **prisé**.

• Cette jeune entreprise de vêtements « **a le vent en poupe** » = elle **est en pleine expansion**. Elle a **du succès auprès des** jeunes = elle « **a la cote** ».

• On critique une certaine mode arrogante en la qualifiant de « **parisianisme** », car elle correspond à **la vie mondaine** de Paris seulement.

• Vous savez quel est le tarif **en vigueur** pour un ticket de métro ?

• Tu as vu ce bâtiment « **flambant neuf** » ? C'est la nouvelle mairie, dont l'architecture **s'inscrit dans un mouvement** = **une tendance** que j'ai du mal à suivre...

• Un artiste doit **se renouveler**. **Le renouvellement** fait partie de son évolution artistique.

• Tout le monde admire **l'effervescence** = **le bouillonnement** artistique, fait de **renouveau** et **d'originalité**, qui s'est produit dans les années 1920 à Paris.

EXERCICES

1 Choisissez le ou les terme(s) possible(s).

1. Porter ce genre de sac est du [dernier cri] [renouvellement] [parisianisme] [bouillonnement].
2. Cet objet a été remis [à la mode] [en vigueur] [en pleine expansion] [au goût du jour].
3. Cette marque de chaussures a [la pointe du progrès] [le vent en poupe] [la cote] [l'effervescence].
4. Les clients [font fureur] [se font beaucoup] [s'emballent*] [s'enthousiasment] pour cet accessoire.
5. La forme de ce manteau est [désuète] [flambant neuve] [très tendance] [dépassée].

2 Vrai ou faux ?

	VRAI	FAUX
1. Un engouement ne va pas durer.	❑	❑
2. Si ce logiciel est dépassé, c'est qu'il se fait beaucoup.	❑	❑
3. On remet au goût du jour quelque chose qui était désuet.	❑	❑
4. Ce vêtement fait fureur, car il est « très tendance ».	❑	❑
5. Quand on a une vie mondaine, on n'est plus dans le coup*.	❑	❑

3 Trouvez une autre manière de dire. Plusieurs solutions sont parfois possibles.

1. Cette école de commerce a <u>beaucoup de succès</u> auprès des jeunes gens. ____________________
2. Nous avons entendu une chanson à la radio, qui <u>a un succès phénoménal</u> ! ____________________
3. Ce genre de boutique a du charme, mais <u>n'est pas moderne</u>. ____________________
4. Mon frère <u>connaît toutes les innovations technologiques</u>. ____________________
5. Cet hiver, on ne porte plus cette forme de jupe, car elle <u>n'est plus à la mode</u>. ____________________
6. Cette ville a connu une <u>agitation créative</u> qui fascine tout le monde. ____________________

4 Complétez.

1. Le chantier vient de se terminer, et le maire va inaugurer l'école ____________________ neuve.
2. Ce professeur n'est plus dans ____________________, il enseigne encore comme on le faisait il y a 40 ans.
3. Cette forme de ceinture ____________________ beaucoup en ce moment, c'est très ____________________ !

Vous me direz que c'est du ____________________, étant donné qu'elle se fait surtout à Paris…

4. Les adolescents ____________________ sur ce nouveau jeu vidéo, qui fait ____________________ au Japon.
5. La Renaissance à Florence a été une période de ____________________ artistique.

5 À vous ! Répondez librement aux questions par des phrases complètes.

1. Pensez-vous que vous êtes à la pointe du progrès en ce qui concerne la technologie ?
2. Quels objets considérez-vous comme vieillots ?
3. Existe-t-il, dans votre langue, un équivalent au « parisianisme » ?
4. Qu'est-ce qui a le vent en poupe, dans votre pays ?

LE STYLE

• Catherine **a un goût infaillible** = **très sûr**, elle s'habille à la perfection.

• Cet homme **a de la classe** = il **a de l'allure** = il a **une classe folle** = il **a du style** = il **est d'une rare élégance**. Son fils, au contraire, a **un look*** étrange.

• Cet acteur **est chic** = **distingué** = **élégant** = **raffiné**. On admire **son chic** = **sa distinction** = **son raffinement,** surtout quand il **est en tenue de soirée** = **en smoking**.

• Antoine a **du panache** = **du brio** = **de l'éclat** *(= il est brillant et a du style).*

• Roxane est danseuse, elle **a beaucoup de grâce** dans ses gestes.

Les goûts

• Myriam **a des goûts éclectiques en** littérature, elle aime aussi bien la poésie japonaise que les romans policiers sud-américains. Toutefois, elle **a un goût prononcé pour** les thèmes sociaux.

• Cet homme **a des goûts de luxe** (≠ des goûts **modestes**). Il veut avoir un appartement **de standing**, ce qui est important pour **son prestige social**.

Le manque de goût

• « **Tous les goûts sont dans la nature** », dit-on quand on ne comprend pas le goût de quelqu'un d'autre…

• Cette vieille dame s'habille de manière beaucoup trop **apprêtée** = trop **recherchée** (≠ **naturelle**). Cela devient ridicule.

• Ils ont fait une plaisanterie **de mauvais goût** = **d'un goût douteux**.

• Sophie **est** curieusement **accoutrée**. Elle **a fait** = **a commis une faute de goût** en sortant dans **cet accoutrement** ! Elle **a cédé** *(≠ résisté)* **à la vulgarité** et **à la mode**, c'est dommage.

• L'adolescent n'a pas l'habitude de porter un costume et une cravate, il a l'air **endimanché**. Il est **engoncé** *(= raide, mal à l'aise)* **dans** ses vêtements.

• **L'habitude** = **la coutume** = **l'usage** de se mettre en tenue de soirée pour aller à l'opéra **se perd** un peu, **cela se fait** moins qu'avant.

EXERCICES

1 **Choisissez le ou les terme(s) possible(s).**

1. Annabelle a | du goût | du standing | de l'allure |.
2. Gabriel a | de la vulgarité | de mauvais goût | du panache |.
3. Ils ont des goûts | éclectiques | accoutrés | de luxe |.
4. Corinne est | endimanchée | engoncée | prononcée |.
5. Jean-Philippe a | le costume | l'habitude | la mode | de porter un smoking.
6. Nora a un goût | raffiné | infaillible | apprêté |.

2 **Les phrases suivantes sont-elles de sens équivalent ?**

1. Manon est en tenue de soirée = elle a beaucoup de grâce.
2. Cette tenue est trop apprêtée = elle manque de naturel.
3. Ils sont endimanchés = ils ont des goûts de luxe.
4. Julien porte une veste d'un goût douteux = il a du panache.
5. Adrienne a beaucoup d'allure = elle a de la classe.
6. Sébastien a un goût infaillible = il tient à son prestige social.

3 **Complétez.**

1. Ce milliardaire recherche une maison de grand ________________.
2. Lucie ________________ une faute de goût en portant ce chapeau ridicule.
3. Toi qui es d'habitude si ________________, pourquoi portes-tu ce pantalon affreux ?
Tu ________________ à la mode sans te rendre compte que ce vêtement ne te va pas !
4. Marie-Paule a des goûts ________________, elle s'intéresse à des sujets très divers.
5. Raoul a fait une plaisanterie d'un goût ________________, qui n'a fait rire personne.
6. Vous devrez vous mettre en ________________ de soirée pour ce gala.

4 **Trouvez une autre manière de dire.**

1. Je n'aime pas le style de cette coiffure, il est trop recherché. ________________
2. Marie est trop habillée, elle n'a pas l'habitude de porter une robe longue. ________________
3. Cette vieille dame a encore beaucoup de classe. ________________
4. Hubert est raide dans un manteau trop grand et trop chic. ________________
5. Ma fille pense que je ne remarque pas ses vêtements bizarres. ________________
6. Raphaël se présente et parle avec beaucoup d'éclat. ________________

5 **À vous ! Répondez librement aux questions par des phrases complètes.**

1. Qu'est-ce qui vous permet de dire que quelqu'un a de la classe ?
2. Quelles seraient les plus grandes fautes de goût, du point de vue vestimentaire ?
3. Connaissez-vous des personnes ayant un look* étrange ? Pouvez-vous les décrire ?
4. Vous est-il arrivé de vous sentir endimanché(e) ?

LA COUTURE ET LE TRICOT

• « La couture », c'est le fait de **coudre**, mais le terme désigne aussi **le stylisme** : Chanel est une célèbre maison de **haute couture.** Dior était **un grand couturier**.

• Pour **coudre** un vêtement, on **mesure** le tissu avec **un mètre** ①, on suit **un patron** *(= un modèle en papier),* on **coupe** le tissu avec **des ciseaux** ②, puis on **bâtit** = **faufile** le vêtement avec **des épingles** ③ et **du fil à bâtir**. On **enfile** *(= met du fil)* **une aiguille**, et on protège le doigt avec **un dé à coudre** ④.

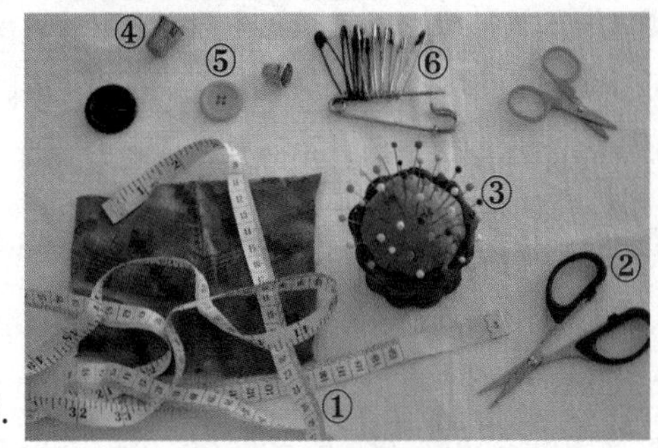

Les vêtements se ferment avec **des boutons** ⑤, **une fermeture Éclair**, **des boutons pression**, **une agrafe** ou, en cas d'accident, **une épingle à nourrice** ⑥.

• Audrey va se marier. Elle **se fait faire** une robe de mariée **sur mesure**.

• Angélique fait de **la broderie**. Elle **brode au point de croix** des nappes et des serviettes.

• Pour **tricoter**, Leila prend **une pelote de laine et des aiguilles à tricoter**. Elle sait faire **le point de jersey**, **le point de riz**, **le point mousse**, **les torsades**, **le jacquard**... Elle tricote **une maille à l'endroit** ou **une maille à l'envers**.

Les petits problèmes de couture

• Cette jupe est trop longue, il faut **refaire l'ourlet. La retouche** est gratuite mais, s'il faut **reprendre** = **retoucher** une veste qui est trop large, ce sera payant.

• J'ai **fait un accroc à** mon manteau = je l'**ai déchiré**, je dois l'apporter **au retoucheur**, qui fera **un raccord**, invisible j'espère !

• Il faut que je change **la doublure** *(= le tissu intérieur)* de mon manteau, elle est **trouée**. Mon autre manteau **n'est pas doublé**, malheureusement.

• Le tissu **tombe mal**, il **fait des plis**. C'est normal, cette jupe est **mal coupée**.

• Zut, **une maille** de mon collant noir **a filé**.

EXERCICES

1 Comment appelle-t-on...

1. le bas du pantalon ou de la jupe ? ______
2. le tissu intérieur d'un beau manteau ? ______
3. l'objet que l'on met sur le doigt pour le protéger quand on coud ? ______
4. une petite déchirure dans un vêtement ? ______
5. l'endroit où le bouton s'accroche ? ______
6. une petite modification à un vêtement ? ______
7. le modèle en papier que l'on suit pour réaliser un vêtement ? ______
8. l'objet qui permet de mesurer le tissu ? ______

2 Choisissez le ou les terme(s) possible(s).

1. Il fait de la couture, il commence par [bâtir] [retoucher] [faufiler] [broder] le vêtement.
2. On ferme le pantalon avec [des épingles] [des boutons] [une fermeture Éclair] [des pinces].
3. Pour coudre un bouton, elle prend [une doublure] [une aiguille] [un dé] [des ciseaux].
4. La couturière fait [un raccord] [un ourlet] [une pelote] [une retouche].
5. Il [coupe] [enfile] [mesure] [coud] le tissu.
6. Je tricote, je fais des points de [riz] [jersey] [croix] [laine].

3 Vrai ou faux ?

	VRAI	FAUX
1. On emploie des aiguilles pour coudre et pour tricoter.	❑	❑
2. Pour broder, on peut faire des mailles à l'envers.	❑	❑
3. On tricote au point de croix.	❑	❑
4. Il est possible d'enfiler une épingle.	❑	❑
5. On peut se servir d'une agrafe pour fermer un vêtement.	❑	❑
6. Un accroc est une sorte de retouche.	❑	❑
7. Une torsade est un point de broderie.	❑	❑
8. Le jacquard est une sorte de tricot.	❑	❑

4 Complétez.

1. Ce manteau est trop grand, il faut le ______.
2. Cette robe ______ mal, elle ______ des plis, ce n'est pas beau.
3. Quand on a coupé le tissu, on ______ le vêtement, avec du fil à bâtir.
4. Le retoucheur a bien travaillé, on ne voit plus ______ que tu t'étais fait, on ne voit même pas le ______. C'est du beau travail.
5. Attention, une maille de ton collant ______.
6. Elle tricote ______ à l'endroit, puis ______ à l'envers.
7. François ______ une aiguille pour ______ un bouton.

PORTER DES VÊTEMENTS

• Anaïs adore **les fringues*** *(= les vêtements),* elle est toujours bien **fringuée*** *(= habillée).* Elle assiste souvent à **un défilé de mode**, où **les mannequins** présentent les **nouveaux modèles**. Anaïs aime que ses vêtements portent **la griffe** *(= la signature)* d'un grand couturier. Zoé, elle, recherche des vêtements **dégriffés**, moins chers mais élégants.

• **Couvre-toi**, il fait froid ! **Boutonne** (≠ **déboutonne**) **ta** veste ! Tout le monde **est emmitouflé** dans des vêtements chauds.

• Laurène donne ses vêtements **usés** pour qu'ils soient **recyclés**.

• Mes vêtements sont restés longtemps dans le placard, ils **sentent le renfermé** et ils sont tout **fripés** = **froissés**, il y a **des faux plis**. Je vais les laver, puis leur **donner** = **passer un coup de fer** = **les repasser**.

• Séverine porte toujours **des formes classiques**, des vêtements **sobres**, alors que sa fille adore **les fanfreluches**, qui sont trop **voyantes** : **la dentelle** ①, **un nœud**, **un pompon** ②, **un volant** ③, **des paillettes**, **des plumes**…

LES PARFUMS

• Sonia porte **un parfum capiteux** = **lourd**, qui est un peu **entêtant** : **il fait tourner la tête**.

• Claire, au contraire, aime les parfums **légers** = **délicats** = **subtils** et **fleuris**.

• Les deux femmes **se parfument** tous les matins.

• Les lilas en fleurs **embaument** le jardin : ils **sentent très bon**.

QUELQUES EXPRESSIONS IMAGÉES

• La petite fille a exagéré, elle a un peu **brodé** à partir de faits réels.

• Je ne crois pas aux excuses de Rémi, elles **sont cousues de fil blanc** !

• Le directeur a donné sa démission, **cela n'a pas fait un pli** ! *(= ça a été rapide).*

• Barbara **a été froissée** *(= blessée)* par la réponse de son collègue.

• Quand un nouveau collègue arrive, il faut le « **mettre au parfum** » *(= au courant).*

EXERCICES

1 **Choisissez la bonne réponse.**

1. Nous regardons les [mannequins] [modèles] qui marchent sur le podium.
2. La chemise est toute [fripée] [renfermée], je vais lui passer un coup de fer.
3. Les paillettes et les plumes sont [sobres] [voyantes].
4. Axelle porte des vêtements [emmitouflés] [dégriffés].
5. Ce parfum est [entêtant] [subtil], il n'est pas léger.

2 **Les phrases suivantes sont-elles de sens équivalent ?**

1. Mélanie a des vêtements dégriffés = ils sont fripés.
2. Violaine n'aime pas les fanfreluches = elle préfère la sobriété.
3. Samuel est emmitouflé dans son manteau = il est bien fringué*.
4. « Opium » est un parfum capiteux = il n'est pas léger.
5. Les roses embaument la pièce = elles sentent très bon.
6. Elle est emmitouflée dans ses vêtements = elle s'est bien couverte pour sortir dans le froid.

3 **Complétez.**

1. Vous devez ______________________________, il fait froid dehors.
2. Je vais passer un ______________________________ à ce pantalon un peu froissé.
3. Ce parfum est trop ______________________________, il me fait mal à la tête.
4. Ce manteau porte la ______________________________ de Chanel, cousue sur la doublure.
5. La robe est restée une journée dans la valise, elle est toute ______________________________.
6. Il neige, le vent souffle, Jean-Michel est ______________________________ dans ses vêtements.

4 **Trouvez une autre manière de dire en employant une expression imagée.**

1. Il va falloir qu'on me mette <u>au courant de la situation</u> ! ______________________________
2. Paul a un peu <u>exagéré</u> sa participation au projet. ______________________________
3. Ces excuses <u>ne sont pas crédibles</u> ! ______________________________
4. Cédric <u>n'a pas apprécié les critiques qu'on lui a faites</u>. ______________________________
5. La décision a été prise, <u>ça a été très rapide</u>. ______________________________

5 (40) **Écoutez et faites des commentaires en vous aidant du vocabulaire présenté dans l'ensemble du chapitre.**

1. ______________________________
2. ______________________________
3. ______________________________
4. ______________________________
5. ______________________________
6. ______________________________

24 LA RECHERCHE

LE MONDE SCIENTIFIQUE

• « **Les scientifiques** » font partie **du monde scientifique**. Il existe différentes **branches** de la science. On distingue les sciences « **dures** » = « **exactes** » (**les mathématiques**, **la chimie**, **la physique**, **la biologie**…) et les sciences **sociales** = **humaines** (la sociologie, l'histoire, l'anthropologie, etc.).
• Sami est **chercheur en** physique. Il **fait de la recherche fondamentale** (≠ **la recherche appliquée**) **axée sur** la thermodynamique. Il travaille dans **un institut** = **un centre** de recherche selon plusieurs **axes de recherche**. Ses recherches se sont avérées **fructueuses** (≠ **vaines**, **stériles**), mais il va falloir qu'elles soient plus **poussées** = **approfondies**.
• Ce chercheur travaille sur **une problématique faisant intervenir** plusieurs **équipes de spécialistes**.
• Irène **participe à un colloque** = **un congrès** scientifique, où, comme tous **les intervenants**, elle va faire **une communication**, car elle a répondu à **un appel à communications**. **Les actes du colloque** seront publiés quelques mois plus tard.
• Le chercheur publie **des articles** = **des papiers*** dans des revues scientifiques.

Remarque. La France possède de grands centres de recherche : le **CNRS** (Centre national de la recherche scientifique), l'**Inserm** (Institut national de la santé et de la recherche médicale), le **CEA** (Commissariat à l'énergie atomique), **l'Institut Pasteur**.

• Étienne est **un savant** qui publie aussi **des ouvrages de vulgarisation scientifique** : il sait **mettre la science à la portée du** grand public.

QUELQUES TERMES MATHÉMATIQUES

• 25 est **un multiple de** 5.
• Lydie **résout une équation à deux inconnues**.
• 15^2 (15 « **au carré** ») – 15^3 (15 « **au cube** ») – 15^{10} (« **à la puissance** 10 »)

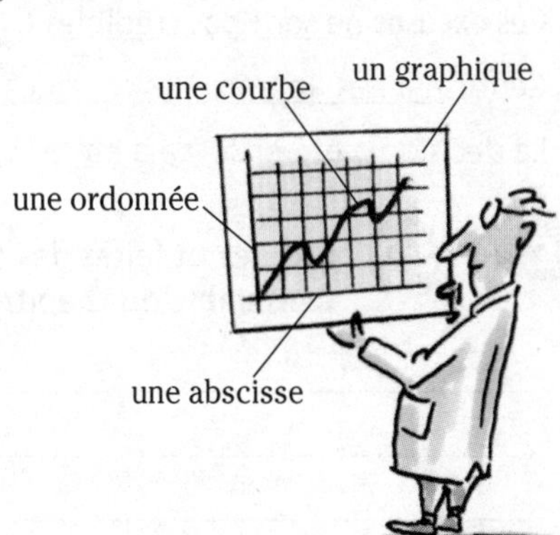

• Résoudre ce problème, c'est « **la quadrature du cercle** » *(= impossible à résoudre)*.

• Dans ce pays, la population est **à croissance exponentielle**.

EXERCICES

1 Choisissez le ou les terme(s) possible(s).

1. Clément participe à | un institut | un colloque | une branche | un congrès | scientifique.
2. La biologie fait partie des sciences | sociales | dures | exactes | humaines |.
3. Ces recherches sont | approfondies | spécialistes | fructueuses | sociales |.
4. La chercheuse a publié | un article | une problématique | un ouvrage | un papier |.
5. Ève fait de la recherche | fondamentale | appliquée | vaine | exponentielle |.

2 Les phrases suivantes sont-elles de sens équivalent ?

1. Chloé fait une communication pendant le congrès = elle intervient dans le congrès.
2. Léo écrit des livres de vulgarisation scientifique = il répond à un appel à communications.
3. Benjamin est physicien = il travaille dans les sciences exactes.
4. Ces recherches sont poussées = elles sont vaines.
5. Gilles fait de la recherche fondamentale = il ne fait pas de recherche appliquée.
6. Les actes du colloque sont publiés = on pourra lire les communications des participants.

3 Complétez.

1. 48 est un ______________________ de 6.
2. Ce jeune homme s'intéresse à plusieurs ______________________ de la science.
3. Véronique s'intéresse à la science, elle lit un ouvrage de ______________________ sur la physique.
4. Cette question est ardue, c'est la ______________________ du cercle !
5. Le jeune homme ______________________ une équation à deux inconnues.
6. Dans son exposé sur la situation économique, Max a présenté un ______________________ pour montrer la ______________________ du chômage.
7. Ce manuel met la biologie à la ______________________ d'un non-spécialiste.

4 Trouvez une autre manière de dire.

1. Ces recherches <u>n'ont pas été fructueuses</u>, hélas ! ______________________
2. Pierre s'intéresse aux sciences <u>humaines</u>. ______________________
3. Jean-Noël se rendra à <u>un congrès</u> la semaine prochaine. ______________________
4. Nadia fera <u>une intervention</u> lors de ce congrès international. ______________________
5. Avez-vous consulté <u>le texte</u> du colloque ? ______________________
6. C'est <u>un problème impossible à résoudre</u> ! ______________________

5 À vous ! Répondez librement aux questions par des phrases complètes.

1. Quels sont les principaux centres de recherche de votre pays ? ______________________
2. Quel est votre rapport personnel à la science ? ______________________
3. Lisez-vous parfois des ouvrages de vulgarisation scientifique ? ______________________
4. Dans votre pays, quelle place est réservée aux sciences sociales ? ______________________

TRAVAIL ET EXPÉRIMENTATION SCIENTIFIQUES

• Benjamin a demandé **une expérience** qui **sera réalisée** par **un labo*[ratoire] spécialisé. Les expérimentateurs** en **analysent les paramètres** les plus **significatifs.**
• **L'analyse des résultats**, s'ils sont **probants** = **concluants**, permettra de **confirmer** = **corroborer** (≠ **infirmer** = **invalider** = **rejeter**) ou simplement de **renforcer** = **étayer les hypothèses** envisagées.
• **Ce nouvel appareil en est** encore **au stade de l'essai** = **l'expérimentation.** Il **fonctionne sur des principes** bien connus, mais est encore employé **à titre expérimental**. On ne sait pas encore s'il montrera **des dysfonctionnements.**
• **Ce scientifique** s'appuie sur **des données empiriques**, mais devra ensuite faire preuve de **rigueur scientifique**. À partir de **postulats**, il devra être **rigoureux** dans **ses raisonnements** et **ses déductions. Ce processus** le conduira peut-être à **l'élaboration d'une théorie cohérente** ou **d'un modèle mathématique / physique**.
• **Ce phénomène obéit à des lois** physiques qui restent à découvrir. **Le physicien procède par observations**. Il **a recours à** = il **recourt à son intuition** = **son flair*** pour le guider dans ses recherches. Certains phénomènes sont encore **inexplicables** = **mystérieux** = **incompréhensibles.**

• **Le biologiste procède au prélèvement de cellules souches pour** les étudier. **Les manipulations génétiques** posent des problèmes de **bioéthique**, en particulier en ce qui concerne **le clonage** et **la manipulation des embryons.**
• Le résultat de cette expérience constitue **une avancée** < **une percée** scientifique **majeure**. Il **a élargi le champ des connaissances** dans un domaine encore **obscur** des sciences **expérimentales.**
• Quand on **a démontré l'existence** de l'électron, **cette découverte** significative **a ouvert la voie à** la physique moderne.
• Désormais, **la théorie de la relativité générale** est **indiscutable** = **avérée** = **prouvée** = **attestée.**

EXERCICES

1 **Choisissez le ou les terme(s) possible(s).**

1. Lionel analyse [les résultats] [les paramètres] [l'avancée] [la rigueur].
2. Les manipulations [génétiques] [expérimentales] [empiriques] [d'embryons].
3. Ce biologiste est [empirique] [incompréhensible] [rigoureux] [expérimental].
4. Les résultats sont [prouvés] [probants] [attestés] [concluants].
5. Cet outil, hélas, présente des [principes] [dysfonctionnements] [paramètres] [connaissances].
6. Cette expérience [confirme] [corrobore] [démontre] [infirme] certaines hypothèses.

2 **Trouvez une autre manière de dire.**

1. L'hypothèse a été infirmée par l'expérience menée. ____________________
2. Les résultats sont concluants. ____________________
3. Cette recherche est menée avec tout le sérieux nécessaire. ____________________
4. Cette théorie est enfin indiscutable. ____________________
5. La découverte de cette molécule est une véritable avancée en biologie. ____________________
6. Ce phénomène est à ce jour encore mystérieux. ____________________
7. Cette expérience a permis d'agrandir le champ de nos connaissances. ____________________

3 **Complétez.**

1. Agathe s'appuie sur des ____________________ empiriques.
2. Le phénomène ____________________ à des lois physiques.
3. Le ____________________ des connaissances s'est élargi grâce à ces expériences.
4. Cet outil en est encore au stade ____________________.
5. Cette découverte a ouvert ____________________ à de nouveaux médicaments.
6. Jean-Loup ____________________ au prélèvement de cellules souches.

4 **Vrai ou faux ?**

	VRAI	FAUX
1. Le clonage pose des questions de bioéthique.	❑	❑
2. Le scientifique obéit à des lois physiques.	❑	❑
3. Ces résultats probants ont permis d'étayer l'hypothèse de départ.	❑	❑
4. Le scientifique ne doit pas manquer de flair*.	❑	❑
5. On construit une théorie sur des postulats.	❑	❑
6. L'expérimentateur renforce une hypothèse.	❑	❑

5 (41) **Écoutez et dites si les phrases sont vraies ou fausses.**

1. Le phénomène est avéré.
2. L'appareil en est encore au stade de l'essai.
3. Il s'agit d'une percée majeure.
4. La découverte repose sur des principes rigoureux.

25 L'ENVIRONNEMENT

VERT !

• Les responsables politiques discutent de la « **croissance verte** », de « **l'économie verte** », c'est-à-dire de tout ce que l'écologie peut induire comme développement économique. Est « vert » ce qui **contribue au respect et à la protection de l'environnement** : le carburant vert, la lessive verte…
• **Les écologistes** = **les écolos* luttent** pour **la sauvegarde** de **la biodiversité** dans **la biosphère** : ils s'inquiètent de **l'extinction de** certaines **espèces animales menacées**. Ils **prônent le développement durable**, **le recyclage** et **le changement radical** de **mode de vie**. On les accuse parfois d'être trop pessimistes et de pratiquer **le** « **catastrophisme** ».
• On discute **des modifications** et du **réchauffement climatiques**, qui entraînent **la fonte des neiges**, **des glaciers** et même **de la banquise**. Ces phénomènes modifient **l'écosystème**, ce qui constitue **un défi environnemental**.

L'AIR ET L'EAU

• Les villes **mesurent la qualité de l'air**. Lors d'**un pic de pollution aux particules fines**, les municipalités cherchent à limiter la circulation des véhicules **polluants**. Dans le métro aussi, l'air est **vicié** = **pollué**.
• On lutte contre la pollution **atmosphérique**, **aquatique** et **marine**. **Les rejets** = **les déchets** *(= détritus)* **industriels** sont particulièrement **néfastes** pour l'environnement. Lorsqu'**un** [**bateau**] **pétrolier** fait naufrage, il provoque **une marée noire**, qui est un désastre écologique.
• **Les émissions de gaz à effet de serre**, en particulier **le dioxyde de carbone**, ont provoqué **un trou dans la couche d'ozone**. **La déforestation** = **le déboisement** *(= la destruction des forêts)* **aggrave** ce phénomène.
• En cas de sécheresse, **les nappes phréatiques** sont trop **basses**. Certaines sources **tarissent** *(= ne coulent plus)*. **L'accès à l'eau douce** = **potable** est primordial pour la survie de l'homme.
• On **récupère les eaux de ruissellement** et on les conserve dans **un réservoir**.
• **La fonte des glaces** provoque parfois **une débâcle** : les rivières **charrient** des morceaux de glace.
• Lorsque des inondations se produisent, on observe **la crue** (≠ **la décrue**) des **cours d'eau**.

EXERCICES

1 Choisissez le ou les terme(s) possibles.

1. L'air peut être [pollué] [vert] [potable] [vicié].
2. On [prône] [respecte] [tarit] [sauvegarde] l'environnement.
3. Les écologistes s'inquiètent [du déboisement] [du développement durable] [de la déforestation] [de l'extinction de certaines espèces animales].
4. Aude s'intéresse au développement [durable] [climatique] [atmosphérique] [écologique].
5. Il faut garantir l'accès à l'eau [douce] [potable] [polluée] [marine].
6. Que faire des [rejets] [déchets] [défis] [trous] industriels ?
7. On observe la fonte [des glaciers] [de la banquise] [de la couche d'ozone] [des nappes phréatiques].

2 Vrai ou faux ?

	VRAI	FAUX
1. Une marée noire a été provoquée par un pétrolier.	❑	❑
2. Les modifications climatiques provoquent un écosystème.	❑	❑
3. Il est possible de récupérer les nappes phréatiques.	❑	❑
4. Certains animaux sont en voie d'extinction.	❑	❑
5. La pollution peut être aquatique.	❑	❑

3 Complétez.

1. On espère que la ______________________________ verte créera des emplois.
2. Le développement ______________________________ est dans l'air du temps.
3. À la suite d'une grosse sécheresse, les ______________________ phréatiques sont trop basses.
4. Le naufrage de ce pétrolier a provoqué une terrible ____________________ sur le littoral.
5. On s'inquiète de la destruction de la ______________________________ d'ozone.
6. Certaines grandes forêts sont victimes de ______________________________.

4 Trouvez une autre manière de dire.

1. Il y a beaucoup de pollution aujourd'hui. ______________________________
2. Les détritus industriels doivent être collectés. ______________________________
3. Dans cette région industrielle, l'air est très pollué. ______________________________
4. Du fait de la sécheresse, les sources ne coulent plus. ______________________________
5. Ces substances sont mauvaises pour l'environnement. ______________________________

5 À vous ! Répondez librement aux questions par des phrases complètes.

1. Quelle est la place de l'écologie dans la politique de votre pays ?
2. Existe-t-il un parti écologiste ?
3. L'adjectif « vert » est-il employé dans le sens d'écologique ? Si oui, de quelle manière ?
4. Quelle est votre relation avec l'écologie en général ?

LES PRODUITS TOXIQUES

• **L'industrie agroalimentaire** emploie **des pesticides**, **des insecticides** et **des conservateurs**, dont les effets peuvent être **nocifs** = **toxiques** pour la santé. **La nocivité** = **la toxicité** = **la dangerosité** des **produits** = **substances chimiques** perturbe **la chaîne alimentaire** et **met en danger** la santé humaine. Cela peut mener à un désastre **sanitaire**. Pour cette raison, on se préoccupe de **la traçabilité des produits alimentaires**.

• On sait que **l'amiante** *(= fibres résistantes au feu)* est extrêmement toxique, et l'on procède **au désamiantage de** bâtiments construits avant les nouvelles **normes de sécurité**.

• **À faible** (≠ **forte**) **dose**, certains produits chimiques sont **inoffensifs** *(= non toxiques)*.

• Les écologistes s'opposent à l'emploi **des OGM** (**organismes génétiquement modifiés**).

L'ÉNERGIE

• Un des enjeux actuels est **la pénurie** (= **la disparition**) **de ressources énergétiques**, due entre autres au **gaspillage des ressources naturelles**. Les sociétés modernes **gaspillent** = **gâchent** = **perdent** de l'énergie. **Ce gaspillage** = **ce gâchis** se transforment parfois en vraie **gabegie**.

• **L'énergie nucléaire** pose la question de **la radioactivité** des déchets et de **l'enfouissement** de ces déchets **radioactifs**.

• Tout le monde discute de **la transition énergétique**. Il s'agit de remplacer **les carburants** issus de **l'énergie fossile** (**le pétrole**, **le gaz de schiste**, **le gaz naturel**...) par des **énergies renouvelables** moins polluantes que **les hydrocarbures**. On développe **les panneaux solaires** et **les éoliennes**.

• Dans certains pays, on continue à faire de **la prospection pétrolière** : on recherche **un gisement** de pétrole grâce à des études de **géologie** et **des sondages**. Pour **explorer** les ressources pétrolières, il faut **forer** *(= creuser)*. **Les forages** se font parfois en mer, et l'on construit alors **une plate-forme pétrolière**.

• Les municipalités créent des **zones piétonnières** = **piétonnes** = **réservées aux piétons**.

• On encourage le **covoiturage** : plusieurs personnes partagent une seule voiture.

EXERCICES

1 Choisissez la bonne réponse.

1. On cherche des alternatives [au pétrole] [à l'énergie fossile].
2. Cette entreprise lutte contre [le gaspillage] [l'enfouissement] de l'énergie.
3. On déplore [la pénurie] [le sondage] de certaines ressources naturelles.
4. On a découvert un [gisement] [forage] de pétrole dans cette région.
5. Ces produits [chimiques] [toxiques] peuvent être nocifs.

2 Vrai ou faux ?

	VRAI	FAUX
1. L'amiante est une énergie renouvelable.	❑	❑
2. Il est possible d'enfouir les déchets radioactifs.	❑	❑
3. Le pétrole est une énergie fossile.	❑	❑
4. On observe une pénurie de déchets.	❑	❑
5. Il existe des gisements de pesticides.	❑	❑
6. Les zones piétonnières sont interdites aux voitures.	❑	❑
7. Une éolienne est un carburant.	❑	❑
8. Une gabegie est un énorme gaspillage.	❑	❑

3 Complétez.

1. Dans cette petite ville, tout le centre est devenu une zone ____________________ où les voitures sont interdites.
2. Des ____________________________________ solaires sont installés sur certaines maisons.
3. Certains produits perturbent la ____ alimentaire.
4. On a découvert un ____________________________________ de pétrole dans cette région.
5. Il est regrettable de ____________________________________ tant de ressources naturelles.
6. On encourage la production d'énergies ____________________________ à la place du pétrole.

4 Trouvez une autre manière de dire.

1. Cette famille <u>gâche</u> beaucoup d'énergie. ______________________________________
2. Il est important de contrôler la <u>dangerosité</u> des produits. ____________________________
3. Cette entreprise <u>creuse</u> pour chercher du pétrole dans le désert. _______________________
4. Ce produit <u>n'est pas toxique</u>. ____
5. <u>Le passage à d'autres énergies</u> est un sujet de discussion au gouvernement. ______________

5 À vous ! Répondez librement aux questions par des phrases complètes.

1. Dans votre pays, quelles mesures écologiques ont été prises ?
2. Votre pays emploie-t-il de l'énergie nucléaire ?
3. Votre pays a-t-il procédé au désamiantage des bâtiments ?
4. Votre pays dispose-t-il de ressources énergétiques ?

26 ENJEUX DE SOCIÉTÉ

LES VALEURS DE LA RÉPUBLIQUE

- **Un ressortissant** français = **un(e) citoyen(ne)** français(e) doit **respecter les valeurs de la République**, **une** et **indivisible**, dont **la devise** est « **liberté, égalité, fraternité** ». On attend des citoyens **un comportement républicain** (= digne **des idéaux** de la République).
- La France est **un État laïc** : **la laïcité** impose **une** stricte **séparation des Églises** *(= la religion)* **et de l'État** (loi de 1905). L'école **publique** est **laïque, gratuite et obligatoire.**
- Si le **pacte républicain**, qui tente de **lutter contre les discriminations** et de **favoriser le respect d'autrui**, n'est pas respecté, on parle alors de « **climat délétère** » *(= « toxique »)*. C'est alors que des tendances sombres s'expriment, hélas : **le racisme**, **l'antisémitisme**, **la xénophobie**, même si l'on peut poursuivre quelqu'un en justice pour « **incitation à la haine raciale** ».
- Le « **modèle français** » tente d'**éviter le communautarisme** et **la ghettoïsation** : idéalement, on préfère une société où régnerait **la mixité sociale** et **ethnique**, qui se matérialise dans **les mariages mixtes.**

- Pour **lutter contre la misogynie**, l'État **encourage la parité homme/femme**.
- Quand on est **chauvin**, on pense que la France est supérieure aux autres pays. Pour se moquer du **chauvinisme**, on peut dire, par plaisanterie : « **Cocorico** » !

Remarque. En latin existait déjà un jeu de mot entre *gallus* (le coq) et *gallicus* (gaulois). Depuis la Révolution française, « **le coq gaulois** » est un symbole plaisant de la France, pays qui ne se caractérise pas toujours par la modestie…

- La France pratique **la dissuasion nucléaire** : elle **détient un arsenal** (= **des armes) nucléaire** pour intimider d'éventuels ennemis. Au même moment, on lutte contre **la prolifération** nucléaire = le fait que les armes **atomiques** se répandent de manière incontrôlée. Certains traités encadrent **la non-prolifération.**
- Un grand nombre de décisions **se prennent** désormais **à l'échelle européenne** et non plus **au niveau national.**
- **L'État** intervient dans différents secteurs, en particulier au niveau culturel : il **subventionne** et stimule la création. C'est « **l'exception culturelle française** ».
- Alors que la France est depuis longtemps un État **centralisé**, **cette centralisation** est remise en cause. Un mouvement de **décentralisation** a commencé : on **décentralise** certains pouvoirs vers les régions.

EXERCICES

1 **Choisissez la bonne réponse.**

1. La République est [mixte] [indivisible].
2. Le [chauvinisme] [racisme] peut être puni par la loi.
3. On lutte contre [la prolifération] [l'incitation] à la haine raciale.
4. La municipalité souhaite développer la mixité [républicaine] [sociale].
5. L'État [subventionne] [détient] des activités culturelles.

2 **Comment appelle-t-on...**

1. le fait de mépriser les femmes ? ____________________
2. un ensemble d'armes ? ____________________
3. la tendance à considérer son pays comme supérieur ? ____________________
4. la stricte séparation entre les Églises et l'État ? ____________________
5. la tendance à s'enfermer dans sa propre communauté ? ____________________
6. un citoyen d'un pays ? ____________________
7. une phrase symbolique ? ____________________

3 **Complétez.**

1. L'État ____________________ ce prestigieux festival de théâtre, qui a besoin de cet argent.
2. Dans ce quartier miné par le chômage et le racisme, le « climat » est ____________________.
3. Heureusement, on observe une augmentation des mariages ____________________, entre différentes communautés.
4. Il est fondamental de ____________________ contre les discriminations.
5. Comme il a proféré des insultes affreuses, cet homme a été poursuivi pour ____________________ à la haine raciale.
6. Certaines décisions politiques ____________________ à l'échelle internationale.
7. L'État encourage ____________________ homme/femme.

4 **Trouvez une autre manière de dire.**

1. La séparation des Églises et de l'État est une valeur de la République. ____________________
2. Hélas, cette citoyenne française ne respecte pas les valeurs de la République. ____________________
3. Bernard est pénible, il pense que son pays est le meilleur. ____________________
4. Les pouvoirs publics luttent contre la détestation des étrangers. ____________________

5 **À vous ! Répondez librement aux questions concernant votre pays.**

1. Quels en sont les symboles ? En existe-t-il un plutôt humoristique, comme le coq gaulois ?
2. L'État subventionne-t-il des activités culturelles, telles que festivals, concerts, cinémas ?
3. Existe-t-il une tendance à la mixité sociale ? À la mixité ethnique ? Pourquoi ?
4. Votre pays est-il plutôt centralisé ? En connaissez-vous la raison ?

LES PROBLÈMES DE SOCIÉTÉ

- Avec la crise économique, **la précarité** augmente : de nombreux **travailleurs pauvres** n'ont qu'**un emploi précaire** *(≠ sûr)*. Certains partis politiques exigent plus de **justice sociale**, **d'équilibre entre les riches et les pauvres**.
- Malheureusement, Paul a perdu son travail, puis son logement, il « **est tombé dans l'exclusion** » = il « **s'est retrouvé à la rue** » = il est devenu **SDF** (= **s**ans **d**omicile **f**ixe) = **sans-abri**. Il sera difficile de **retrouver un emploi**, mais **des associations** l'aideront **dans sa réinsertion professionnelle**.

Remarque. Une « association loi de 1901 » permet à des personnes généralement **bénévoles** d'organiser des activités culturelles, sociales, sportives, éducatives, sans but lucratif.

- La municipalité tente d'**éradiquer la pauvreté** dans certains quartiers. On déplore l'augmentation **du** « **mal-logement** », de **la** « **malnutrition** » *(= la nourriture déséquilibrée)* et de **la** « **malbouffe*** » *(= la nourriture industrielle)*.
- **L'immigration** constitue **un sujet brûlant** qui conduit à toutes sortes de débats. On tente de trouver des solutions pour faciliter **l'intégration des immigrés dans** la population. Quand les immigrés sont **clandestins** = **en situation irrégulière**, certains **militent pour la régularisation des sans-papiers**.
- La mise en place du « **mariage pour tous** » a donné lieu à **des stigmatisations**. On a entendu des propos **homophobes** *(= hostiles aux homosexuels)*.
- Les sociologues remarquent le pessimisme actuel des Français, qui **ne croient plus au progrès** ni à « **l'ascenseur social** » *(= le fait que les enfants aient une meilleure situation que leurs parents)*.

L'ÉCONOMIE NUMÉRIQUE

- **Les internautes** *(= ceux qui utilisent Internet)* se retrouvent en particulier sur **les réseaux sociaux** (Twitter, Facebook, etc.), dont ils apprécient **l'interactivité**.
- Le développement **du numérique*** = **de l'informatique** pose des problèmes de société. **La numérisation des données personnelles** implique en particulier **la sécurisation** et **la protection des systèmes**. Les autorités luttent contre **le cyberterrorisme** et **la cybercriminalité**, car **des pirates informatiques** pratiquent **le piratage** des données informatiques. Ils **piratent** les données.
- On parle désormais de **la Net économie** et de **l'économie virtuelle**. En effet, l'économie est de plus en plus **dématérialisée** = **immatérielle**, puisqu'on **numérise** de plus en plus d'informations.

EXERCICES

1 De quoi ou de qui parle-t-on ?

1. Ils utilisent prioritairement Internet pour travailler et communiquer. ______
2. C'est la nourriture industrielle, trop salée et trop chimique. ______
3. Cette pauvre femme dort dans la rue. ______
4. Ces malfaiteurs cherchent à nuire aux programmes informatiques. ______
5. Ce processus permet à un immigré clandestin d'avoir des papiers. ______
6. Ce groupe de personnes aide des chômeurs à se réinsérer. ______

2 Trouvez une autre manière de dire.

1. Les organisations internationales cherchent à éliminer la pauvreté dans le monde. ______
2. Cet ouvrier n'a plus ni emploi ni logement. ______
3. Hélas, mes données informatiques ont été volées par des informaticiens. ______
4. L'incertitude professionnelle est dure à vivre. ______
5. Une organisation bénévole va aider ces jeunes à se réintégrer dans la société. ______
6. Le numérique facilite parfois la vie. ______
7. Certains sujets de société soulèvent les passions. ______
8. Cette jeune fille immigrée est en situation irrégulière. ______

3 Complétez.

1. Les parents regrettent que ______ social ne fonctionne pas bien : leurs enfants risquent d'avoir plus de difficultés matérielles qu'eux.
2. L'économie ______ est celle qui concerne l'informatique.
3. Ces adolescents passent des heures sur les ______ sociaux.
4. Cette famille venue du bout du monde est en situation ______, mais a demandé sa ______ auprès des autorités.
5. La ______ des ______ personnelles engendre des risques de ______ par des malfaiteurs.
6. Maryse s'occupe des ______, ils n'ont plus de logement.

4 À vous ! Répondez librement aux questions par des phrases complètes.

1. Quelle est la place de la malbouffe* dans votre pays ? Dans votre vie ?
2. Dans votre pays/région, comment vient-on en aide aux sans-abri ?
3. La notion de « précarité » est-elle discutée par votre entourage ?
4. Quel est votre rapport personnel à Internet ? Pratiquez-vous les réseaux sociaux ? Êtes-vous un(e) internaute passionné(e) ?
5. Existe-t-il dans votre pays une structure analogue aux « associations loi de 1901 » ?
6. Dans votre pays, quels sont les moyens de lutte contre la pauvreté ?

LA RELIGION

• Il existe des religions **polythéistes** (comme la religion de la Grèce ancienne) ou **monothéistes**, comme les religions **judéo-chrétienne** ou **musulmane**.
• Lorsqu'on est **croyant** (≠ **athée**) = lorsqu'on **croit en** Dieu, on peut **pratiquer** une religion dans **un sanctuaire** = **un édifice religieux** : **une synagogue**, **une église**, **une mosquée**, **un temple**. On peut être **pratiquant** ou **non-pratiquant**.
• **La ferveur religieuse** = **la foi** sont différentes de **l'intégrisme** < du **fanatisme** religieux, qui engendrent **l'intolérance** et **le sectarisme**. Cependant, les personnes **sectaires** = **intolérantes** ne sont pas nécessairement membres d'**une secte**.
• Renaud était athée, mais il **s'est converti au** christianisme : **sa conversion** a surpris son entourage, qui le croyait **agnostique** *(= sceptique)*.
• **Les personnes pieuses** montrent **leur piété en suivant les préceptes** d'une religion. Par exemple, certains **observent** une période **de jeûne**, pendant laquelle on **jeûne** *(= on ne mange pas)*. Dans certains **rituels** (= ensemble de **rites**), on constitue **un cortège** = **une procession**.
• **Les fidèles célèbrent un culte** pendant **une cérémonie** = **une liturgie** : ils **prient** = **adressent une prière** au(x) dieu(x) qu'ils **vénèrent**.
• Dans **le christianisme**, le curé **bénit** = **donne sa bénédiction** aux fidèles, en particulier lors du **baptême**, quand un bébé est **baptisé** avec de **l'eau bénite**.
• Certains font **une expérience spirituelle** < **mystique**, ils s'adonnent à **la spiritualité** < **au mysticisme**.
• Dans certaines religions, **des missionnaires prêchent** pour tenter de **convertir** d'autres personnes : ils font du **prosélytisme**.
• **La bigoterie*** est **une dévotion** hypocrite et/ou exagérée. On se moque souvent des **bigots*** qui ne s'intéressent qu'aux **bondieuseries***.

EMPLOIS IMAGÉS

• Léa « **a eu une illumination** » *(= une inspiration subite)* et a fini son travail.
• Je suis convaincu qu'une équipe doit travailler à l'unisson, **c'est mon credo**.
• Le député a voté cette loi, **avec la bénédiction des** écologistes *(= avec l'accord)*.
• L'arrivée de ce collaborateur est **une bénédiction** = je **bénis le ciel** qu'il soit entré dans notre équipe !
• Il est important que les élèves soient intéressés par leurs cours. – Oui, bien sûr, tu **prêches un**(e) **convaincu**(e) *(= je suis déjà convaincu(e))*.
• Je **voue un culte à** ce merveilleux pianiste, c'est **mon dieu** !

EXERCICES

1 Choisissez le ou les terme(s) possible(s).

1. Ils suivent | un cortège | une prière | une procession | des préceptes religieux |.
2. L'historien des religions compare les | cultes | rituels | missionnaires | cérémonies |.
3. Paul est | croyant | agnostique | athée | converti |, il croit en Dieu.
4. Cet homme a raconté son expérience | spirituelle | convaincue | mystique | sectaire |.
5. On déplore | le mysticisme | le sectarisme | l'intégrisme | la piété |.
6. Le prêtre | prie | pratique | bénit | baptise | ces deux jeunes enfants.

2 Les phrases suivantes sont-elles de sens équivalent ?

1. Ces jeunes gens font du prosélytisme = ils se convertissent à une religion.
2. Marie-Christine est très pieuse = elle est en train de prier.
3. Le prêtre bénit les fidèles = il donne sa bénédiction.
4. Le comportement de Marine est sectaire = elle appartient à une secte.
5. Diane est croyante = elle a la foi.
6. Bernard est bigot* = il est missionnaire.

3 Trouvez une autre manière de dire.

1. <u>La grande piété</u> de ces fidèles est impressionnante. ____________________
2. Pendant ce moment de <u>la cérémonie</u>, tout le monde doit être debout. ____________________
3. Les Grecs anciens <u>respectaient</u> plusieurs dieux. ____________________
4. Le village se moque un peu de ces vieilles <u>femmes exagérément pieuses</u>. ____________________
5. Le prêtre va <u>donner sa bénédiction</u> à la petite fille. ____________________
6. Cette religion est <u>composée de plusieurs dieux</u>. ____________________
7. Ces prêtres <u>cherchent à convertir d'autres personnes</u>. ____________________

4 (42) Écoutez et faites un commentaire sur chacune des situations en employant des expressions imagées.

1. ____________________
2. ____________________
3. ____________________
4. ____________________
5. ____________________

5 À vous ! Répondez librement aux questions par des phrases complètes.

1. Quelle est la place de la religion dans votre pays/culture ?
____
2. Quels sont les préceptes les plus courants des religions qui vous entourent ?
____
3. Dans votre langue, existe-t-il des expressions imagées fondées sur du vocabulaire religieux ?
____

27

L'ARGENT

AVOIR DE L'ARGENT...

• Henri est **aisé** = il vit **confortablement**, car il « a **une bonne situation** » = il **gagne bien sa vie**. Quant à sa mère, elle a désormais **un** petit **pécule** qu'elle va **léguer** à ses enfants. **Son legs** est déjà inscrit dans **son testament**.
• Liliane a beaucoup d'argent = de **pognon*** *(argot)* = de **fric*** *(argot)*. Elle « **roule sur l'or** », elle est « **riche comme Crésus** ».
• Ils sont **richissimes** = ils ont « **un fric* fou** » ! Ils ont reçu un héritage, **un** vrai **pactole**. Maintenant, ce sont des gens **friqués*** *(argot)*, ils **ont amassé** beaucoup d'argent.
• La ville est **opulente** *(= riche et prospère)*. Son **opulence** fait des envieux.
• À Versailles, Louis XIV organisait des réceptions **fastueuses**. **Le faste** *(la richesse ostentatoire)* de la Cour était réputé.
• Désormais, Flore a un bel appartement et un bon travail : « **c'est Byzance** » *(un peu ironique)* ! C'est une bonne chose, car elle doit **subvenir** = **pourvoir aux besoins** de ses enfants *(= payer ce qui est nécessaire)*.
• Amandine attend avec impatience **une rentrée d'argent**.
• Pour ce livre d'art, l'éditeur **n'a pas lésiné sur** la qualité des photos : il a été généreux.

...OU NE PAS EN AVOIR

• Daniel **n'a pas les moyens de** partir en vacances, car il a « **du mal à joindre les deux bouts** ». **Les fins de mois sont difficiles**. Il est obligé de « **se serrer la ceinture** » *(= économiser)*, car il « **tire le diable par la queue** » = il vit **chichement** = il est **dans la gêne financière**.
• Je me suis acheté une voiture, et maintenant, je **n'ai plus un rond*** *(argot)* = **un sou*** = **un radis*** *(argot)*. Je suis **fauché(e)*** = « **sur la paille*** ». En français plus élégant : j'ai des problèmes **pécuniaires** !
• Ces jeunes gens ne sont pas riches : « **ce n'est pas le Pérou** », mais ils ne s'en plaignent pas, ils « **vivent d'amour et d'eau fraîche** »...
• Tanguy n'est pas indépendant : à l'âge de 35 ans, il « **vit aux crochets** » **de** ses parents = il **est entretenu par** ses parents.
• Cette entreprise a des problèmes de **trésorerie**, en ce moment : elle manque de **liquidités** *(= d'argent disponible)*.
• Ce pauvre homme est obligé de « **faire la manche** » = il **mendie** de l'argent dans la rue, il est devenu **un mendiant**.

EXERCICES

1 Choisissez le ou les terme(s) possible(s).

1. L'entreprise a des problèmes de | legs | trésorerie | faste |.
2. Le grand-père a | amassé | lésiné | légué | sa fortune à ses petits-enfants.
3. Il est temps que tu | pourvoies | subviennes | vives | à tes besoins !
4. Cet homme d'affaires | gagne | roule | vit | sur l'or.
5. Doria n'a plus | un sou* | une paille | un rond* |.

2 Trouvez une autre manière de dire, en employant des tournures familières.

1. Monsieur et madame Dumonier ont énormément d'argent. ______
2. Mon salaire est modeste, cela ne me suffit pas pour vivre. ______
3. Clément a dépensé tout l'argent qu'il avait ! ______
4. Cette vieille femme mendie dans la rue. ______
5. Ils ont une maison modeste et un petit salaire, c'est juste suffisant. ______
6. Blaise doit faire attention à ne pas dépenser trop. ______
7. Nos parents ont une petite somme d'argent qu'ils pourront nous transmettre. ______

3 Complétez.

1. De génération en génération, la famille ______ une belle fortune.
2. Raphaël ______ enfin sa vie, il ne vit plus aux ______ de ses parents.
3. Cette famille modeste a du mal à joindre les ______.
4. Gaspard a de l'argent, il a ______ de s'acheter une résidence secondaire.
5. Ce vieux monsieur a décidé de ______ sa fortune à une association humanitaire.
6. En organisant ce mariage, les jeunes gens n'ont pas ______ sur la nourriture !

4 Commentez les situations en vous aidant de la page ci-contre.

1. Oh là là, nous sommes déjà le 28 mai et nous n'avons plus d'argent…

______

2. La vieille dame a de l'argent, mais elle vit chez ses enfants et se fait entretenir.

______

3. Laurent est chirurgien, il a une belle maison et n'a aucun problème financier.

______

4. Maintenant que Margot est au chômage, elle va devoir faire des économies.

______

5. Louis est déjà très âgé et vient de décider à qui il va léguer sa maison.

______

6. Le pauvre homme demande de l'argent dans la rue.

______

L'AVARICE ET LA CUPIDITÉ

• Yves est **parcimonieux** = **économe** : pour lui, « **un sou est un sou** ». Cependant, il n'est pas aussi **avare** = **radin*** = « **près de ses sous*** » = **pingre** que son père. Ce dernier **chipote*** = **mégote*** sur la moindre dépense, si minime soit-elle ! C'est **un harpagon.**

Remarque culturelle. « Harpagon » est le nom du protagoniste de *L'Avare* de Molière.

• Cette entreprise tente de **faire des économies** = **de réduire les dépenses**, mais ce sont **des économies** « **de bouts de chandelle** » *(= ridicules ou absurdes).*
• Adrien n'a pas voulu trop dépenser pour cette valise, mais il « **en a eu pour son argent** » : la valise est de mauvaise qualité.
• Cet homme est d'**une cupidité** sans bornes : il n'est motivé que **par l'appât du gain**. Il « **vendrait père et mère pour** » gagner de l'argent. Quel **rapace** !
• Élise est quelqu'un d'**intéressé** (≠ **désintéressé**), son amitié avec Alain est **intéressée**, car il est riche.

Remarque. Attention à cet usage idiomatique du terme « intéressé » *financièrement.*

L'ARGENT QUE L'ON TOUCHE

• Certaines activités **rapportent** de l'argent, elles sont **rentables** = « **juteuses*** ».
• Le père divorcé **verse une pension alimentaire à** la mère de ses enfants.
• Le travail est **rémunéré**, on le fait **moyennant finances** = **une rémunération** : un avocat **reçoit des honoraires**, un salarié **touche un salaire**, un auteur **perçoit des droits d'auteur**, un fonctionnaire reçoit **un traitement**...

GÉRER SON ARGENT

• Ce jeune homme **prodigue a dilapidé son patrimoine** = il « **a jeté l'argent par les fenêtres** » *(= dépensé inutilement).* À cause de sa **prodigalité**, il **est criblé de dettes**, il **s'est lourdement endetté**. Il ne pourra jamais **rembourser** ses dettes !
• Chloé dépense l'argent qu'elle a : « **l'argent lui file* entre les doigts** » = c'est « **un panier percé** » ! Elle ne **fait** pas **d'économies** = elle ne **met** rien **de côté**.
• Ali achète un nouvel ordinateur, mais **ce n'est pas du luxe** *(c'est indispensable).*
• Êtes-vous plutôt **cigale** ou plutôt **fourmi** ?

Remarque. *La Cigale et la Fourmi* est l'une des fables les plus connues de La Fontaine. Elle met en scène la cigale, qui, frivole, « a chanté tout l'été » sans faire de provisions pour l'hiver, alors que la fourmi, sérieuse et prévoyante, a accumulé de quoi manger.

EXERCICES

1 Choisissez le ou les terme(s) approprié(s).

1. Comme cette jeune fille est [prodigue] [économe], elle est entourée d'amis intéressés.
2. Émile ne sait pas comment [rembourser] [rémunérer] ses dettes.
3. C'est l'appât [des sous*] [du gain] qui conditionne l'attitude de ce garçon !
4. Anaïs fait des [économies] [dépenses] de bouts de chandelle.
5. Ce travail doit être [intéressé] [rémunéré].
6. Boniface verse une [rémunération] [pension] alimentaire pour ses enfants.

2 Les phrases suivantes sont-elles de sens équivalent ?

1. Ivan est un panier percé = il est près de ses sous*.
2. Serge est un rapace = il est cupide.
3. Damien est un harpagon = il est pingre.
4. Estelle jette l'argent par les fenêtres = elle fait des économies de bouts de chandelle.
5. Cette entreprise est rentable = elle rapporte de l'argent.
6. Thibaut est une vraie cigale = c'est un panier percé.

3 Trouvez une autre manière de dire.

1. L'amitié de Caroline pour Sonia <u>n'est pas sincère, car Sonia est riche</u>. ____________________
2. Cet homme est <u>extrêmement avare</u>. ____________________
3. Étienne a changé de voiture, mais <u>c'est bien normal</u> ! ____________________
4. Cette mission doit être correctement <u>payée</u>. ____________________
5. Thomas <u>fait des économies</u> pour pouvoir partir un an à l'étranger. ____________________
6. Ce placement financier <u>rapporte beaucoup d'argent</u>. ____________________

4 Complétez.

1. Romain est divorcé et a deux enfants, il verse ____________________ à son ex-épouse.
2. L'entreprise est ____________________ de dettes, elle est dans une situation désespérée.
3. Roseline n'est pas avare, mais elle est tout de même ____________________.
4. Cette entreprise est rentable, elle ____________________ de l'argent.
5. Anne ne ____________ pas d'économies, l'argent lui ____________ entre les doigts.
6. Ce client est difficile, car il ____________________ sur la plus petite dépense.

5 (43) Écoutez et faites des commentaires en vous aidant du vocabulaire ci-contre.

1. ____________________
2. ____________________
3. ____________________
4. ____________________
5. ____________________

LA MALHONNÊTETÉ FINANCIÈRE

• Ce riche homme d'affaires a tenté de **frauder le fisc** *(de ne pas payer ses impôts)*. **La fraude fiscale** et **l'évasion fiscale** *(= placer son argent dans* **un paradis** *fiscal)* sont des délits. Nous avons été choqués par ces « **magouilles*** » *(argot)*, même si nous nous doutions qu'il était un « **magouilleur*** » *(argot)*.

• Robert a monté une entreprise uniquement pour **blanchir de l'argent** de la drogue. Le malfaiteur a été arrêté pour **blanchiment d'argent**. Il s'était livré à toutes sortes de **trafics** de drogue.

• L'employé de banque a été arrêté pour **malversations** : il **a détourné** de l'argent des clients à son profit. Il est accusé de **détournement de fonds**.

• La lutte contre **la corruption** est intense dans ce pays. Malheureusement, beaucoup cherchent encore à **soudoyer** = **corrompre** certains fonctionnaires, qui ne sont pas tous **incorruptibles**, et qui acceptent **des pots-de-vin***. Ces employés sont **corrompus** = « **vendus*** ».

Remarque. Ne confondez pas « **un pourboire** » *(= une somme d'argent que l'on donne en plus, au restaurant par exemple)* et « **un pot-de-vin*** » *(= destiné à corrompre)*.

• Thibaut a acheté une montre de luxe, mais c'était **une contrefaçon**. Il **a été floué** dans l'histoire = il **s'est fait rouler*** = **arnaquer*** par **un escroc**, c'est **une escroquerie** = **une arnaque***.

QUELQUES DICTONS

• « **L'argent n'a pas d'odeur** » : on ne va pas faire attention à la moralité de la personne qui nous le donne…

• « **On ne prête qu'aux riches** » : les pauvres ne sont pas aidés, car ils auront du mal à rembourser leurs dettes.

• « **Le temps, c'est de l'argent** », disent les requins de la finance.

• « **Au diable l'avarice !** », dit-on quand on fait une dépense un peu exagérée.

• « **Bien mal acquis ne profite jamais** » : de l'argent acquis malhonnêtement portera malheur.

• « **On ne peut pas avoir le beurre et l'argent du beurre** » : il faut choisir entre deux options qui s'excluent.

• « **L'argent ne fait pas le bonheur** »… mais il y contribue !

EXERCICES

1 **Choisissez la bonne réponse.**

1. Cet escroc a | blanchi | fraudé | le fisc.
2. Cet employé corrompu a reçu un | pourboire | pot-de-vin* |.
3. Cette famille pratique | l'évasion | la malversation | fiscale.
4. Le gouvernement lutte contre la | contrefaçon | corruption | de certains politiciens.
5. Cette femme a été accusée de | fraude | blanchiment | d'argent.
6. Ce projet commercial était en réalité | une magouille* | une contrefaçon |.

2 **De quoi ou de qui parle-t-on ?**

1. C'est une tromperie pour obtenir de l'argent. ____________________
2. C'est quelqu'un qui a des activités mystérieuses et malhonnêtes. ____________________
3. Cela consiste à dissimuler de l'argent au fisc. ____________________
4. C'est l'argent que l'on donne pour corrompre. ____________________
5. Cela permet de faire circuler de l'argent gagné par des activités illicites. ____________________
6. C'est une imitation malhonnête d'un produit de luxe. ____________________

3 **Quel dicton pourriez-vous employer dans les situations suivantes ?**

1. Quentin a acheté du champagne, alors qu'il n'est pas très riche !
2. Ce mannequin célèbre roule sur l'or, mais fait une grave dépression.
3. Cédric aimerait bien vivre au bord de la mer, mais il ne veut pas quitter Lausanne.
4. Max veut emprunter de l'argent, mais la banque refuse car son salaire n'est pas suffisant.
5. Emmanuelle avait escroqué son employeur, mais finalement, elle s'est fait voler son argent !
6. Lucas a hérité de sa tante, qui, apparemment, avait commis des malversations, mais qui n'a jamais été prise. Lucas a tout de même accepté cet héritage.

4 (44) **Écoutez et faites un commentaire en employant des expressions imagées présentées dans l'ensemble du chapitre.**

1. ____________________
2. ____________________
3. ____________________
4. ____________________
5. ____________________

5 **À vous ! Répondez librement aux questions par des phrases complètes.**

1. Vous est-il arrivé de vous faire rouler* ?
2. Quel rapport entretenez-vous avec l'argent ?
3. Dans votre langue, existe-t-il des proverbes usuels qui se rapportent à l'argent ?

28 ÉCONOMIE ET FINANCE

LE MONDE DE LA FINANCE

• Lors d'**une crise financière**, on accuse « **les financiers** », qui sont aussi **des spéculateurs**, d'en être responsables. On les surnomme souvent « **les requins de la finance** », car ils peuvent se montrer **impitoyables en affaires**, surtout lorsqu'ils **se livrent à la spéculation** = ils **spéculent**.
• Une société **cotée en Bourse** doit **verser des dividendes à ses actionnaires**. **Le versement** de **ces bénéfices** est décidé en assemblée générale.
• Pour **placer** de l'argent et le **faire fructifier**, les banques proposent **des placements** plus ou moins **rentables** et **sécurisés** (≠ **risqués**).
• Pour assurer de bons services publics, il faudrait **renflouer les caisses de** l'État = **fournir des fonds** et augmenter **les ressources financières**.
• Quand Francine a vendu son appartement le double du prix qu'elle l'avait acheté il y a vingt ans, elle a **réalisé une plus-value** *(= un bénéfice).*
• **Une monnaie** peut être **forte** (≠ **faible**), **surévaluée** (≠ **sous-évaluée**) ou **dévaluée. La dévaluation** d'une monnaie est décidée par **une banque centrale**, qui fixe aussi **le taux directeur** = **le taux d'intérêt**.
• **Le marché fluctue** *(= est instable)* : tout le monde constate **les fluctuations du** marché.
• Nous devons « **boucler notre budget** » et parvenir à **l'équilibre budgétaire** = à **équilibrer les dépenses** et **les recettes**. Cependant, nous espérons que ce grand projet **sera financé par des capitaux** que nos partenaires commerciaux vont **investir** = **injecter dans** notre entreprise. Nous avons déjà négocié avec **ces investisseurs. Le financement** de notre projet sera assuré par **cette recapitalisation** et **ces investissements**.
• **La productivité** = **le rendement** doivent être améliorés dans cette entreprise.
• L'entreprise a décidé des **restrictions budgétaires** : **le budget rétrécit** = **réduit** « **comme une peau de chagrin** ». **Les réductions** de budget sont **draconiennes** *(= très dures).*

Remarque. *La Peau de chagrin* est un conte fantastique de Balzac, dans lequel un jeune homme reçoit une peau de chagrin *(sorte de cuir)*, qui symbolise sa vie, et qui se rétrécit inexorablement chaque fois que le héros réalise un de ses souhaits. Dans le langage courant, « rétrécir comme une peau de chagrin » signifie : diminuer inexorablement et spectaculairement pour finalement disparaître.

EXERCICES

1 De qui ou de quoi parle-t-on ?

1. C'est la somme que l'on verse à des actionnaires. ____________
2. C'est le bénéfice que l'on fait souvent quand on vend un bien immobilier. ____________
3. C'est le surnom des financiers. ____________
4. C'est celui qui investit. ____________
5. Il fluctue souvent. ____________
6. Elle décide de la dévaluation de la monnaie. ____________
7. C'est là que sont cotées les entreprises. ____________

2 Vrai ou faux ?

	VRAI	FAUX
1. Les fonds sont des placements.	❑	❑
2. Si l'on fait fructifier de l'argent, c'est qu'on l'a placé.	❑	❑
3. La plus-value est cotée en Bourse.	❑	❑
4. Certains budgets peuvent diminuer comme une peau de chagrin.	❑	❑
5. Les actionnaires renflouent les caisses de l'État.	❑	❑
6. La banque centrale fixe le taux directeur.	❑	❑
7. On cherche à diminuer le rendement de l'entreprise.	❑	❑

3 Complétez.

1. Le gouvernement cherche à ____________ les caisses de l'État qui sont vides.
2. Charlotte doit ____________ son budget avant la fin de la semaine.
3. Le marché ____________ tout le temps, c'est normal.
4. Le budget de ce festival ____________ comme une peau de chagrin.
5. Un généreux homme d'affaires va ____________ plusieurs millions dans ce projet.
6. Tanguy ____________ son argent sur une assurance-vie, afin de le faire ____________.

4 Trouvez une autre manière de dire.

1. Certains pensent que l'on doit améliorer <u>le rendement</u>. ____________
2. L'entreprise va <u>donner</u> des dividendes. ____________
3. Ce placement est <u>sûr</u>. ____________
4. Dans cette ville, le budget de la culture rétrécit <u>inexorablement</u>. ____________
5. Cette entreprise multinationale investit <u>de l'argent</u> dans ce gros projet. ____________
6. On cherche encore <u>les fonds nécessaires à</u> ce projet. ____________

5 À vous ! Répondez librement aux questions par des phrases complètes.

1. Votre pays est-il obligé de décider des restrictions budgétaires ?
2. Existe-t-il, dans votre langue, un surnom pour les financiers sans scrupules ?
3. La monnaie de votre pays est-elle plutôt faible ou plutôt forte ?

LA CRISE ÉCONOMIQUE

• Ce pays est en plein **marasme économique** (≠ en pleine **prospérité**). **La production industrielle est en déclin < en chute libre ≠ en plein essor.**
• Étant donné **la mauvaise** (≠ **bonne**) **conjoncture économique**, les finances publiques doivent être mieux gérées. Le gouvernement a choisi **une politique d'austérité** avec **une diminution** = **une réduction des dépenses publiques.** Certains économistes prônent au contraire **la relance** de l'économie.
• On analyse **le pouvoir d'achat des ménages** *(= l'argent prêt à être dépensé par chaque famille).* À cause de la crise économique, on constate **une baisse** = **une diminution** du pouvoir d'achat et donc de **la consommation.** Certains ménages **ont pris un crédit à la consommation** et **se sont endettés. L'endettement** des ménages a augmenté.
• À la suite de **sanctions économiques** imposées par ses adversaires, ce pays est **exsangue** = **ruiné**. Il a demandé **l'annulation** = **la liquidation de sa dette extérieure,** car il ne peut pas la **rembourser** = **s'en acquitter**.
• L'augmentation du prix **des matières premières** (≠ **les produits manufacturés**) **pèse sur** l'industrie et entrave **la compétitivité** des entreprises.

LA POLITIQUE ÉCONOMIQUE

• Le ministre s'attache à **promouvoir la politique économique** du gouvernement.
• Le gouvernement **table** = **parie sur une croissance de** 2 %. **Ces prévisions de croissance** semblent un peu trop optimistes, hélas.
• **Un accord de libre-échange est** actuellement en discussion entre ces deux pays. S'il est signé, il **entrera en vigueur** dès l'année prochaine.
• **Le taux de TVA** (**la taxe à la valeur ajoutée**) diffère selon les produits.
• **L'administration fiscale** = **le fisc** se charge de **la collecte** des taxes et **des impôts sur le revenu. Le taux d'imposition** varie selon les gouvernements. Pour lutter contre **la fraude fiscale**, il est procédé à des **contrôles fiscaux.**

EXERCICES

1 **Choisissez le ou les terme(s) possible(s).**

1. On peut | s'acquitter d' | renflouer | rembourser | ruiner | une dette.
2. Le | fisc | pouvoir d'achat | rendement | financement | collecte les impôts.
3. On étudie | la compétitivité | la productivité | la monnaie | le rendement | de l'entreprise.
4. Les experts | parient | tablent | relancent | luttent | sur une reprise de l'économie.
5. La production industrielle est en | déclin | plein essor | vigueur | chute libre |.

2 **De qui ou de quoi parle-t-on ?**

1. C'est l'ensemble des dettes. ____________________
2. C'est l'administration qui collecte les impôts. ____________________
3. Le pétrole ou le fer en sont. ____________________
4. Le gouvernement espère qu'elle sera de 2,4 % ce semestre. ____________________
5. C'est un autre mot pour « la situation » économique. ____________________

3 **Répondez aux questions.**

1. Ce pays est-il dans une bonne situation économique ? – Non, au contraire, il est ____________________
2. Le gouvernement a-t-il choisi une politique de relance ? – Non, pas du tout, ____________________
3. Ce secteur de l'industrie est en déclin ? – Non, au contraire, ____________________
4. Le pays pourra-t-il rembourser sa dette ? – Non, et justement, il ____________________
5. Y aura-t-il une augmentation des dépenses publiques ? – Non, pas du tout, ____________________

4 **Complétez.**

1. Le ____________________ d'achat des ménages est stable.
2. À cette époque, le pays était en plein ____________________, mais cette belle période n'a pas duré !
3. Le ____________________ d'imposition varie en fonction des revenus.
4. Les contrôles ____________________ permettent de lutter contre la ____________________ fiscale.
5. Malheureusement, la ____________________ est mauvaise en moment, ce qui explique la crise.

5 (45) **Écoutez et dites si les phrases sont vraies ou fausses.**

1. Le pouvoir d'achat diminue.
2. Le pays est en plein essor.
3. Ils se sont endettés.
4. Il s'agit d'une politique de relance.
5. L'augmentation du prix des produits manufacturés aura un impact sur le prix.

6 **À vous ! Répondez librement aux questions par des phrases complètes.**

1. Dans quelle conjoncture économique votre pays se trouve-t-il ?
2. Les ménages sont-ils fortement endettés ?
3. Quelle est la politique fiscale du gouvernement actuel ?

29 LE MONDE DU TRAVAIL

L'ENTREPRISE

• Une entreprise est une organisation **à but lucratif** (≠ **non lucratif**), qui doit **payer des cotisations sociales** = **des charges sociales**, tandis que les salariés **cotisent à** la Sécurité sociale pour **leur** future **retraite** = **pension**.

• Cette entreprise très **rentable** a **une** grosse **marge bénéficiaire**. Pour améliorer **sa rentabilité**, elle emploie **une main-d'œuvre à bas prix** (= **des ouvriers peu qualifiés** et **mal payés**). **Leur rendement** = **leur productivité** permet à l'entreprise de **dégager des bénéfices**.

• L'entreprise va **répondre à un appel d'offres** pour **un grand marché public**. Elle **embauchera** = **recrutera de** nouveaux **collaborateurs**. **Cette embauche** = **ce recrutement** est une bonne nouvelle pour la ville. L'entreprise a d'ailleurs déjà **une** nouvelle **recrue** en la personne de Jean-Paul.

• Cette entreprise a décidé de **réduire** = **diminuer** (≠ **augmenter**) **ses effectifs**. **Un plan social** (= un projet de **licenciement** collectif) a été annoncé ce matin. Selon les dirigeants, l'entreprise est au bord de **la faillite**, elle risque de **déposer son bilan**, puis d'être **mise** = **placée en redressement judiciaire**. **Le dépôt de bilan** n'est pas bon signe. Le seul espoir est que la société **soit reprise** = **acquise par** une autre.

• Certains salariés choisissent de travailler **à temps partiel**. D'autres sont obligés d'être **intérimaires** *(= ils remplacent un employé absent)*. **L'intérim** est parfois la seule solution pour trouver du travail.

• Une entreprise accuse **un concurrent** de « **concurrence déloyale** », car il pratique « **le dumping social** ».

• Antoine est **un entrepreneur** qui **va créer** = **mettre sur pied** = **monter** une entreprise de services à la personne. Antoine a toujours travaillé **pour son propre compte**. Il **s'est mis à son compte** il y a longtemps.

• Le ministre **a ouvert des négociations avec les partenaires sociaux** (= **les syndicats** et **les organisations patronales**), mais elles **n'ont abouti à aucun résultat** malgré de nombreuses réunions. Certains syndicats **appellent à la grève** = à **l'arrêt du travail** et **organisent une manifestation nationale** mardi prochain. Parfois, la situation peut dégénérer en **un** véritable **conflit social** = **un mouvement social** dur.

EXERCICES

1 **Choisissez le ou les terme(s) possible(s).**

1. L'entreprise annonce un | licenciement | plan | rendement | recrutement | social.
2. La direction a décidé de diminuer | le plan social | les effectifs | le rendement | la concurrence |.
3. L'entreprise va dégager | un appel d'offres | un conflit social | des bénéfices | son bilan |.
4. On négocie avec des | syndicats | partenaires sociaux | cotisations sociales | organisations patronales |.
5. L'entreprise sera | reprise | dégagée | acquise | recrutée | par un concurrent.
6. L'entreprise doit payer des | marges | cotisations | pensions | charges | sociales.

2 **Les phrases suivantes sont-elles de sens équivalent ?**

1. Je vous présente notre nouvelle recrue = voici un nouvel employé.
2. Ils ont rendez-vous avec les partenaires sociaux = ils emploient de la main-d'œuvre.
3. L'entreprise est en redressement judiciaire = elle a déposé son bilan.
4. Les syndicats appellent à la grève = ils organisent un plan social.
5. Les salariés cotisent pour leur retraite = ils mettent de l'argent de côté pour leur pension.
6. Selma s'est mise à son compte = elle a mis sur pied une petite entreprise.

3 **Complétez.**

1. C'est une bonne nouvelle, l'entreprise va ______________________ des employés.
2. Ce ______________________ fabrique les mêmes produits que nous.
3. Malheureusement, l'entreprise doit réduire ses ______________________.
4. La société a été mise en ______________________ judiciaire.
5. Edwige est ______________________, elle remplace un salarié malade.
6. La mairie de la ville lance un ______________________ pour la construction d'un hôpital.

4 **Trouvez une autre manière de dire.**

1. L'entreprise sera <u>achetée</u> par un concurrent. ______________________
2. Daniel travaille <u>pour lui-même</u>. ______________________
3. Pour ce chantier, on a besoin <u>d'ouvriers qualifiés</u>. ______________________
4. Les négociations n'ont <u>mené</u> à rien. ______________________
5. <u>La productivité</u> doit être améliorée. ______________________
6. Barbara va <u>créer</u> une entreprise. ______________________

5 **À vous ! Répondez librement aux questions par des phrases complètes.**

1. Dans votre pays, les entreprises payent-elles des cotisations sociales ?
2. Avez-vous déjà monté une entreprise ? Envisagez-vous de le faire ?
3. Les syndicats ont-ils du pouvoir ?

TRAVAILLER

• L'étudiant **a potassé*** = **a bûché*** son programme de chimie pour réussir son examen. Maintenant, il cherche **un petit boulot*** = **un job*** pour l'été.
• Pour un médecin de campagne, la voiture est **un outil de travail** indispensable.
• Dans cette entreprise, Isabelle n'arrête pas de **bosser***. Elle **boulonne*** tout le temps. C'est « **un bourreau de travail** » = elle est **travailleuse** = **bosseuse***, elle **abat de la besogne**. Elle risque **le surmenage**. Il va falloir mieux **répartir les tâches** dans son équipe, mais Isabelle a du mal à **déléguer**.
• Transformer la ville est **un travail** « **de longue haleine** ». La municipalité **a** « **du pain sur la planche** » **pour** améliorer les transports en commun.
• La pauvre femme a été abandonnée par son mari, et elle doit **gagner sa vie** = **sa croûte*** *(argot)* pour nourrir ses deux enfants. Elle **travaille dur** = elle **trime*** = elle « **travaille comme une bête** ». Et c'est elle qui fait toutes **les corvées** *(= les travaux pénibles)* à la maison, la pauvre !
• Ce professeur de lycée veut changer de région, il a demandé **sa mutation** dans une autre ville. Il **sera muté** à la rentrée prochaine.

LA QUALITÉ DU TRAVAIL

• Alice est **méticuleuse**, elle **soigne toujours son travail**, elle **fignole*** les détails. On lui reproche **son fignolage*** exagéré. Pour Sylvie, c'est l'excès inverse : elle **bâcle*** son travail, elle le fait vite et mal. Elle **ne se foule* pas** !

• Cet étudiant négligent a rendu **un** véritable **torchon*** à son professeur : le document était très mal présenté.

• Christine met toute son énergie dans ce projet = elle le « **porte à bout de bras** ». Même quand elle obtient de bons résultats, elle « **ne s'endort pas sur ses lauriers** » *(= elle ne s'en contente pas).*

• Michèle sait **mettre** ses collaborateurs **en valeur**, elle les **valorise** : elle leur montre **son estime. La valorisation** du travail est très encourageante.

• J'ai lavé cette chemise en soie à la machine, je l'**ai abîmée** < **bousillée***.

EXERCICES

1 **Choisissez la bonne réponse.**

1. L'étudiant doit potasser* / gagner sa vie.
2. Marie-Ange est méticuleuse, elle bâcle* / fignole* son travail.
3. Viviane porte / abat son équipe à bout de bras.
4. Cet homme travaille comme une croûte* / bête.
5. Ils ne se foulent* / s'endorment pas sur leurs lauriers.
6. Il s'agit d'un travail de longue haleine / planche.

2 **Les phrases suivantes sont-elles de sens équivalent ?**

1. Danièle porte ce projet à bout de bras = elle ne se foule* pas.
2. Basile est un bourreau de travail = quel bosseur* !
3. Martin a bûché* toute la semaine = il a bossé* toute la semaine.
4. Fabienne met en valeur son équipe = elle sait déléguer.
5. Lambert bâcle* son travail = il le fait vite et mal.

3 **Trouvez une autre manière de dire.**

1. Adama a <u>beaucoup de travail à faire</u>. ______
2. Michel conduit un projet <u>qui va prendre du temps et de l'énergie</u>. ______
3. Mehdi <u>soigne le moindre détail</u> quand il fait de la peinture. ______
4. Le jeune homme travaille <u>très dur</u>. ______
5. Annabelle est fonctionnaire et sera <u>nommée</u> dans une autre ville. ______
6. Eustache <u>étudie beaucoup</u> les mathématiques pour préparer son baccalauréat. ______
7. Céline a remis à son professeur <u>un document très mal présenté</u>. ______
8. La jeune fille cherche <u>un petit travail</u> pour les vacances scolaires. ______

4 **Complétez.**

1. Le jeune acteur ne s'endort pas sur ______, il veut continuer à travailler.
2. De nature, Nabil est ______, il est sérieux et travaille beaucoup.
3. Odile est perfectionniste, elle ______ son travail.
4. Antonin a décidé de ______ les tâches entre ses différents collaborateurs.
5. Quel dommage, Sami ______ son téléphone mobile en le laissant tomber dans l'eau.
6. Ce document sale et taché est un vrai ______ !

5 **À vous ! Répondez librement aux questions par des phrases complètes.**

1. Vous considérez-vous comme un bourreau de travail ?
2. Avez-vous tendance à fignoler* ?
3. Avez-vous du pain sur la planche, en ce moment ?

LES DIFFICULTÉS DANS LE TRAVAIL

• Les lois tentent d'empêcher **la discrimination à l'embauche**, en particulier celle due au racisme. Certaines décisions sont en effet **discriminatoires**.
• Dans cette usine mal gérée, les salariés sont **exploités** : on **abuse** d'eux, ils sont **mal traités** et **mal payés**. **Les conditions de travail** sont très mauvaises.
• Dans certains cas, la hiérarchie pratique **le harcèlement moral** : les salariés **sont harcelés** par leur chef, qui les tourmente constamment. Parfois aussi, il s'agit de harcèlement **sexuel**.
• Quand on n'a pas **la sécurité de** l'emploi, quand on a **un travail précaire** (≠ **stable**), on est « **comme l'oiseau sur la branche** », on ne peut pas faire de projet. L'avenir est incertain.
• Les salariés **sont sous pression** = la hiérarchie « **met la pression** » sur eux, pour qu'ils soient plus productifs.
• Parfois, on **exerce des pressions** sur des employés ou des gouvernements pour les obliger à agir d'une certaine manière.

L'AMBITION

• Max est **un ambitieux** = il « **en veut** » ! Il **a une ambition démesurée**, il est **dévoré par l'ambition**. C'est **un arriviste**. Il « **a les dents longues** » !
• Dans une entreprise, **les** « **jeunes loups** » sont **carriéristes**, ils ne pensent qu'à **faire carrière**.
• Quand l'ambition et le désir de **gloire** tournent à la folie, c'est de la **mégalomanie** = **de la folie des grandeurs**. On devient **mégalomane**.

LA HIÉRARCHIE

• Éric « **est à la botte** » **de** son chef, qui le **mène** « **à la baguette** » : Éric **lui obéit** « **au doigt et à l'œil** », il « **a le petit doigt sur la couture du pantalon** ».
• Le petit garçon est « **sous la coupe** » = **sous l'influence de** ses frères aînés. Il a peur d'eux et « **se tient à carreau** » *(argot)* : il leur obéit sans se révolter. Il **se soumet** à leurs ordres, il est **soumis**, **sa soumission** est inquiétante.
• Qui est Luc ? – Oh, c'est **une huile*** *(argot)* ! (= un personnage **puissant**). Il est très connu **en haut lieu** = il fréquente **les hautes sphères** du pouvoir.

EXERCICES

1 **Choisissez le ou les terme(s) possible(s).**

1. Toute l'équipe est | sous pression | mal traitée | à la baguette |.
2. Luc est | un arriviste | une huile* | en haut lieu |.
3. Amandine est | sous la coupe | à la baguette | sous l'influence | de sa grande sœur.
4. Ce jeune cadre ambitieux est | comme l'oiseau sur la branche | un jeune loup | carriériste |.
5. Ces employés sont | démesurés | exploités | harcelés | par leur hiérarchie.
6. Grégoire a | une ambition démesurée | au doigt et à l'œil | les dents longues. |.

2 **Trouvez une autre manière de dire.**

1. Claude est <u>quelqu'un de très important dans la hiérarchie</u>. ____________________
2. Germaine <u>ne pense qu'à sa carrière</u>. ____________________
3. Lucile mène son équipe <u>avec dureté</u>. ____________________
4. Maud est <u>sous l'influence</u> d'une camarade de classe. ____________________
5. Aurélien a trouvé un travail <u>sans aucune garantie</u>. ____________________
6. Simon obéit <u>instantanément</u> à son chef. ____________________

3 **Complétez.**

1. Ces ouvriers du bâtiment sont mal traités, on ____________________ d'eux.
2. Ce chef très exigeant met son équipe ____________________.
3. Le soldat a le petit doigt sur ____________________.
4. Le conseiller du ministre fréquente les hautes ____________________ de la politique.
5. Julie est très ambitieuse, elle est ____________________ par l'ambition.
6. Matthieu redoute les réactions de sa mère, il se tient ____________________

4 (46) **Écoutez et faites des commentaires en employant des expressions imagées présentées dans l'ensemble du chapitre.**

1. ____________________
2. ____________________
3. ____________________
4. ____________________
5. ____________________

5 **À vous ! Répondez librement aux questions par des phrases complètes.**

1. Comment lutte-t-on contre les discriminations à l'embauche, dans votre pays ?
2. Qu'est-ce qui est le plus courant, dans votre pays, le travail précaire ou le travail stable ?
3. Dans quelles situations pourriez-vous vous « tenir à carreau » ?
4. Avez-vous l'impression d'être sous pression ?
5. Dans votre culture, l'ambition est-elle perçue comme plutôt positive ou négative ?

30 POLITIQUE – MÉDIAS

PRENDRE OU PERDRE LE POUVOIR

• Dans une démocratie, **le pouvoir exécutif**, **le pouvoir législatif** et **le pouvoir judiciaire** sont séparés. « **L'exécutif** » *(= le gouvernement)* **conduit une politique** qui peut être critiquée par **l'opposition** (≠ **la majorité**).
• **La prérogative** *(= le pouvoir)* d'un ministre est de rédiger **une circulaire** qui a valeur d'**injonction** *(= qui donne un ordre)*.
• Les députés **bénéficient de** = **ont l'immunité parlementaire**, ils ne peuvent pas être attaqués en justice pendant leur mandat.
• Ce préfet **a été limogé** = **démis de ses fonctions** *(= mis à l'écart)*. **Ce limogeage** n'est pas étonnant, car à ce poste, il faut **un homme** « **à poigne*** » *(= avec une forte autorité)*.

Remarque. Le verbe « limoger » veut dire à l'origine « exilé à Limoges » !

• Le ministre va « **reprendre la main** » = **reprendre le contrôle** car **les rapports de forces** ont changé. **Il y va de sa réputation** et **de son autorité**.
• Sylvie est **une nouvelle venue sur l'échiquier politique**. Laurent, au contraire, est « **un vieux renard*** » = « **un vieux routier** » *(= rusé et expérimenté)*.
• Cette grande entreprise a **une position hégémonique** : elle **domine** le marché, son influence est **prépondérante** < **absolue sur** le marché. Certains l'accusent de **monopoliser** le marché. Or, **le monopole** est contraire aux lois de la concurrence.
• Le maire est si bien implanté qu'il considère sa ville comme **son fief** *(comme au Moyen Âge)*. Cela engendre **le favoritisme** = **le copinage*** : le maire peut **favoriser** ses amis/ses copains* au détriment des autres.
• Ce voyou a **l'impunité** ici, il se croit assez fort pour ne jamais être puni !
• Parfois, un pays **annexe** une région, il **s'attribue le pouvoir** sur cette région. **Une annexion** provoque souvent des conflits.
• **Ce parti politique prendra des mesures de rétorsion** *(= de vengeance punitive)* contre les députés qui seraient tentés de **faire sécession** (= *se séparer du groupe)*.
• Julien **exerce** = **a de l'ascendant sur** ses amis : il **a de l'influence** et **du charisme**.
• Cette jeune athlète inconnue **a détrôné** la championne en titre, qui, jusqu'à présent, n'avait jamais **été supplantée** = **évincée** par quiconque.
• Cette exposition est placée **sous l'égide** = **le patronage** *(= la protection et l'autorité)* **du** ministère de la Culture.

EXERCICES

1 Choisissez le ou les terme(s) possible(s).

1. Éric est nouveau sur [la prérogative] [le parti] [l'échiquier] [la circulaire] politique.
2. Ils vont reprendre [l'hégémonie] [le contrôle] [la main] [l'opposition].
3. Cette personnalité a [de l'ascendant] [le monopole] [du charisme] [l'impunité].
4. Le député lutte contre [le limogeage] [le copinage*] [l'ascendant] [le favoritisme].
5. Le ministre a publié [une annexion] [un patronage] [une circulaire] [une autorité].
6. Ce grand athlète a [limogé] [supplanté] [détrôné] [évincé] ses concurrents.

2 Les phrases suivantes sont-elles de sens équivalent ?

1. Ces quelques députés ont décidé de faire sécession = ils sont nouveaux venus.
2. Jean-Louis est un vieux routier de la politique = c'est un homme à poigne*.
3. Le Premier ministre a repris la main = il a repris le contrôle.
4. Cette marque de vêtements domine le marché = elle est en position hégémonique.
5. Le copinage* doit être combattu = le favoritisme est une mauvaise chose.
6. Ce délinquant a l'impunité dans son quartier = il bénéficie d'une immunité.

3 Complétez.

1. Le maire de cette ville est un vieux ______________________________ de la politique.
2. Le festival s'est ouvert sous ______________________________ de l'Unesco.
3. Le ministre, qui n'a pas donné satisfaction, a été ____________________ par le Premier ministre.
4. Certains s'imaginent qu'ils ont ____________________ et qu'ils ne seront jamais punis…
5. Ce professeur talentueux ____________________ de l'ascendant sur ses étudiants.
6. Le gouvernement a le pouvoir ______________________________.
7. Le monde politique est fait de rapports de ______________________________.

4 Trouvez une autre manière de dire.

1. Cette entreprise risque de <u>devenir la seule sur</u> le marché. ____________________
2. Cette femme politique a <u>une grande influence</u> sur son entourage. ____________________
3. Marc est <u>nouveau</u> dans le monde politique. ____________________
4. L'influence de ce peintre est <u>très grande</u> dans le monde artistique. ____________________
5. Rémi <u>a gagné sur</u> ses adversaires moins talentueux que lui. ____________________
6. Face à cette situation tendue, le ministre a repris <u>le contrôle</u>. ____________________

5 À vous ! Répondez aux questions par des phrases complètes.

1. Dans votre langue, existe-t-il un équivalent au verbe « limoger » ?
2. Dans votre pays, les membres du gouvernement bénéficient-ils d'une immunité ?
3. Le monde politique de votre pays est-il principalement constitué de vieux routiers ou bien y a-t-il de nouveaux venus sur l'échiquier politique ?

LES ÉLECTIONS

• **Les élections libres** et **sincères** font partie des fondements de **la démocratie** = des états **démocratiques.**

• Le président de la République française **est élu au suffrage universel direct à deux tours.** Au second **tour de scrutin**, le candidat ayant obtenu **la majorité absolue des voix** est élu. Les citoyens **inscrits sur les listes électorales** choisissent leur candidat dans **l'isoloir**, puis mettent **leur bulletin de vote** dans **l'urne. Le dépouillement** *(= l'ouverture)* des bulletins se fait immédiatement, et l'on connaît les résultats dès le début de la soirée.

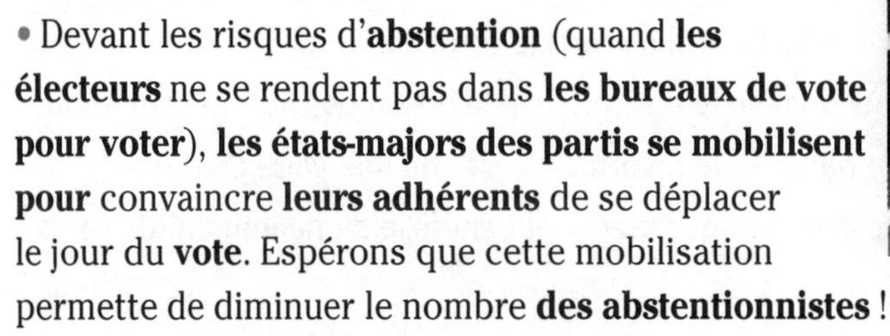

• Devant les risques d'**abstention** (quand **les électeurs** ne se rendent pas dans **les bureaux de vote pour voter**), **les états-majors des partis se mobilisent pour** convaincre **leurs adhérents** de se déplacer le jour du **vote.** Espérons que cette mobilisation permette de diminuer le nombre **des abstentionnistes** !

• En cas de **dissolution du parlement**, le gouvernement doit organiser **des élections législatives anticipées.** Le gouvernement en place redoute **un vote-sanction** = un vote **de protestation.**

• Lors d'**une campagne électorale**, toutes les opinions peuvent s'exprimer. Cependant, on reproche aux candidats **leurs opinions partisanes** : ils font preuve de **parti pris**, ils ne sont pas objectifs, ils défendent uniquement leur parti. On critique alors « **la politique politicienne** » et **les querelles partisanes.**

• Les partis se livrent à **des tractations** *(= des négociations secrètes)* pour négocier **des alliances.** Il s'agit parfois de **marchandages** *(terme péjoratif).*

• **Les militants** d'un parti politique **militent pour le programme** *(= les idées)* de ce parti. Ce sont **des adeptes** = **des défenseurs** de **cette idéologie.** Ils distribuent **des tracts** dans la rue et organisent **des meetings électoraux.**

Remarque. Le terme anglais de « meeting » s'emploie pour de grandes réunions publiques.

EXERCICES

1 **Choisissez le ou les terme(s) possible(s).**

1. Adèle ne s'intéresse pas aux [opinions] [querelles] [listes] [élections] partisanes.
2. La presse commente les [tractations] [alliances] [états-majors] [adhérents] entre les partis.
3. Le [programme] [bulletin] [meeting] [bureau] de vote fait partie de l'organisation des élections.
4. Il existe un fort risque [de scrutin] [d'idéologie] [d'abstention] [de suffrage].
5. Des élections [libres] [partisanes] [anticipées] [universelles] seront organisées en mai.
6. Les politiciens se lancent dans des [militants] [marchandages] [meetings] [querelles].

2 **Vrai ou faux ?**

	VRAI	FAUX
1. On met l'isoloir dans l'urne.	❑	❑
2. Les militants distribuent des tractations.	❑	❑
3. Ceux qui ne vont pas voter s'abstiennent.	❑	❑
4. Les électeurs sont inscrits sur les listes démocratiques.	❑	❑
5. Le dépouillement a lieu lors d'un meeting.	❑	❑
6. Un vote-sanction est destiné à protester contre la politique du pouvoir en place.	❑	❑
7. Un militant est un adhérent particulièrement engagé.	❑	❑

3 **Complétez.**

1. Lucie ne va pas voter, elle a décidé de ______________________________.
2. Lors de la ____________________ électorale pour l'élection présidentielle, nous avons entendu les différents ____________________ qui ont présenté leur ____________________.
3. Les militants de ce parti politique distribuent des ____________________ dans la rue.
4. La ____________________ du parlement a conduit à des élections législatives anticipées.
5. Le candidat a obtenu la majorité ____________________ des voix, il a donc été ____________.

4 **Trouvez une autre manière de dire.**

1. Renaud fait partie de <u>la direction</u> du parti. ______________________________
2. <u>L'ouverture</u> des bulletins de vote a commencé. ______________________________
3. <u>Le vote</u> aura lieu dimanche prochain. ______________________________
4. Il s'agit d'un vote <u>de protestation</u>. ______________________________
5. <u>Des négociations</u> ont lieu entre les deux tours du scrutin. ______________________________

5 **À vous ! Répondez librement aux questions par des phrases complètes.**

1. Comment sont organisées les élections dans votre pays ?
2. Êtes-vous ou avez-vous été membre d'un parti politique ?
3. L'abstention constitue-t-elle un problème ? Varie-t-elle selon les élections ?
4. Comment se passe une campagne électorale ?

LES MÉDIAS

• Dans une démocratie, la presse constitue **un contre-pouvoir**.
• Les journalistes peuvent **médiatiser** un événement qui « **passe en boucle** » **sur** les chaînes de télévision. **La médiatisation** de l'événement peut être excessive. On critique alors **le sensationnalisme** (= **la théâtralisation** de l'information) et **les effets d'annonce**. Les médias recherchent **les « scoops*** ».
• Nous avons assisté au « **lynchage médiatique** » *(= une très violente campagne médiatique)* de ce ministre. Toutes « **les rédactions** » *(= tous les médias),* tous « **les commentateurs** » l'ont violemment attaqué.
• L'information a **été révélée en exclusivité par le journal** grâce à « **une fuite** » = « **une indiscrétion d'une source proche du dossier** ».
• **Sur les plateaux** de télévision, les ministres ont déclaré que **des annonces** seraient faites incessamment. Nous pourrons vous en dire plus « **sur notre antenne** » = « **sur nos ondes** » *(= à la radio)* d'ici la fin de la journée.
• **Cette présentatrice vedette** a fait doubler **l'audience** = **le taux d'écoute** de son émission, ce qui constitue **un succès médiatique**.
• Cet homme politique de l'opposition **a publié une tribune** sur le sujet dans **un** grand **quotidien national**. Il « **pointe du doigt** » = **dénonce** les incohérences du gouvernement. Il **passe en revue** *(= fait la liste)* les échecs de la majorité.

LE TRAVAIL DU JOURNALISTE

• Le journaliste doit **recueillir des informations** et les **recouper**, c'est-à-dire **vérifier** qu'elles sont **cohérentes** et **fiables**.
• Les journalistes **rassemblent des témoignages** grâce à des « **sources** » *(= des personnes qui leur confient des secrets).* **La protection des sources** est indispensable **pour garantir le sérieux** et **la liberté de l'information**.
• **Le journaliste d'investigation mène des enquêtes sur le terrain** en respectant **le code de déontologie** de la profession. En particulier, avant d'être publiée, une information doit être **avérée** = **véridique** (≠ **douteuse**). Le journaliste doit **rassembler les preuves** de **la véracité** des faits qu'il rapporte.
• On distingue actuellement la « **presse en ligne** » *(sur Internet)* et la « **presse papier** » = **la presse écrite** ; la presse **sérieuse** et la presse « **people** » = la presse **à sensation**.
• Dans **une revue de presse**, le journaliste relate ce que **ses confrères** ont présenté dans leurs propres journaux.

EXERCICES

1 Choisissez la bonne réponse.

1. Ce grave événement passe en | média | boucle | sur les chaînes de télévision.
2. Le journaliste | mène | pointe | une enquête approfondie.
3. Le journal a obtenu l'information grâce à une | tribune | fuite |.
4. L'actrice était présente sur | l'antenne | le plateau | de télévision.
5. Nous écoutons la revue de | presse | journalisme | tous les matins.
6. Cette émission connaît un vrai | lynchage | succès | médiatique grâce à la qualité de ses intervenants.

2 Complétez.

1. Ces faits sont vrais, personne ne peut en contester la ______________________
2. Grâce à une ______________, le journaliste a obtenu cette information potentiellement explosive.
3. Le journaliste devra ______________ ces informations, car pour le moment, elles ne sont pas encore ______________________________.
4. Cette émission politique a été un vrai succès ______________, puisque ______________ a été très importante. Plusieurs millions de téléspectateurs l'ont regardée.
5. Brice aime écouter la ______________________ de presse le matin, pour savoir ce qui se dit.
6. La ministre commente ses décisions sur tous les ______________________ de télévision.

3 Trouvez une autre manière de dire.

1. Le journaliste <u>vérifie</u> les informations qu'il <u>reçoit</u>. ______________________
2. Le candidat de l'opposition <u>dénonce</u> certaines décisions de son adversaire. ______________
3. Cette information a été <u>présentée</u> par une radio locale. ______________________
4. <u>Le taux d'écoute</u> de cette émission a sérieusement diminué. ______________________
5. Fabienne ne lit que la presse <u>écrite</u>. ______________________

4 Vrai ou faux ?

	VRAI	FAUX
1. La présentatrice de télévision mène des enquêtes sur le terrain.	❑	❑
2. Les témoignages peuvent être fiables.	❑	❑
3. Ce sont les sources qui donnent des informations aux journalistes.	❑	❑
4. Le lynchage médiatique a été révélé par une fuite.	❑	❑
5. Le journaliste recoupe le code de déontologie.	❑	❑

5 (47) Écoutez et faites des commentaires en vous aidant de l'ensemble du chapitre.

1. ____
2. ____
3. ____
4. ____

31 ORDRE ET DÉSORDRE

L'ORDRE

• Le ministre de l'Intérieur doit **assurer l'ordre public**. Quand une manifestation a lieu, « **les forces de l'ordre** » *(= la police)* en **surveillent** le déroulement.
• Dans l'armée, on **inculque** *(= enseigne durablement)* **le respect de la hiérarchie. La règle** veut que **le supérieur hiérarchique donne des ordres à ses subordonnés**, qui doivent lui **obéir**. Le fonctionnement de l'armée **repose sur cet axiome** *(= vérité universelle)* = **ce principe intangible** *(= sacré)*.
• Vincent est très **ordonné** (≠ **désordonné**), il **range méthodiquement** et **systématiquement** ses affaires (= **avec** beaucoup de **méthode** et de **logique**).
• Pour obtenir ce document, il faut **suivre une procédure** rigide = il faut **se plier** = **se conformer** = **se soumettre** = **satisfaire au** règlement.

LE DÉSORDRE

• Chez ce brocanteur, c'est **un bric-à-brac*** = **un capharnaüm*** = **un** vrai **bazar*** ! Tous les objets sont mis **pêle-mêle** = **en vrac***, sans ordre. **Quel désordre** ! = **Quelle pagaille*** ! = **Quel fouillis*** ! = **Quel bordel*** ! *(argot)*.
• La maison de ce vieil original est construite « **de bric et de broc*** », avec un peu de tout, « **avec des bouts de ficelle** ».
• Toutes les cordes sont **enchevêtrées** *(= mélangées)*, quel **enchevêtrement** !
• Les cambrioleurs **ont mis** l'appartement « **sens dessus dessous** » = tous les objets sont **éparpillés** partout.
• Le programme de la réunion **a été chamboulé** à cause des événements récents. Ce **chamboulement bouleverse** l'organisation de la rencontre.
• La démission du ministre **a jeté la confusion** au sein de son parti. Tout est **confus**, personne **n'y voit clair**. C'est **un** véritable **imbroglio** !
• La vieille voiture **brinquebale** sur le chemin de terre, elle est instable et fait du bruit, elle avance **cahin-caha*** *(= tant bien que mal)* !
• Cet article **embrouillé** est **un méli-mélo*** de notions justes et de mensonges.
• Les jours de grève, il y a **une** véritable **cohue** dans le métro. Si les passagers deviennent agressifs et bruyants, **le tumulte** augmente.
• Quand une armée perd une bataille, cela débouche souvent sur **une débâcle** = **une déroute** = **une débandade**, une vraie confusion.
• Il y a des travaux en ville, ce qui provoque **des encombrements** < **des embouteillages** < **des bouchons inextricables** !

EXERCICES

1 Les phrases suivantes sont-elles de sens équivalent ?

1. L'appartement a été complètement chamboulé = tout est sens dessus dessous.
2. Il faut se conformer au règlement = il faut respecter la hiérarchie.
3. Claire va ranger le fouillis* sur son bureau = tout est pêle-mêle sur son bureau.
4. Rémi arrangera tout cela avec des bouts de ficelle = tout est enchevêtré.
5. Il faudra agir méthodiquement = il faudra tout ranger.
6. Cette situation est confuse = elle est embrouillée.

2 Complétez par un verbe approprié.

1. Les hésitations du directeur ______________________ la confusion parmi les salariés.
2. Les forces de l'ordre ______________ la manifestation afin ______________ l'ordre public.
3. Les enfants ______________________ leur chambre sens dessus dessous !
4. La procédure à ______________________ est assez simple, heureusement.
5. Le lieutenant ______________________ l'ordre aux soldats de se rassembler.
6. Les employés doivent ______________________ au règlement intérieur.

3 Trouvez une autre manière de dire.

1. La situation politique est si compliquée que plus personne n'y comprend rien. ______________
2. Ce principe est solide, tout repose dessus. ______________
3. Une foule désordonnée remplit les gares à certains moments de l'année. ______________
4. Vous ne pouvez pas imaginer le désordre qui se trouve sur mon bureau... ______________
5. Dans ce roman, on trouve un mélange un peu ridicule de bons sentiments, de clichés et de grandes déclarations politiques. ______________
6. Matthieu range sa bibliothèque de manière logique. ______________
7. La confusion engendrée par cette bataille perdue a été dramatique. ______________
8. Les câbles électriques sont mélangés dans cette caisse. ______________

4 Comment décririez-vous cet étalage ? Faites des phrases complètes.

TRANSGRESSER

• De nombreux adolescents cherchent **à tester les limites** et à les **franchir** : ils **transgressent les interdits**, **la transgression** fait partie de leur évolution.
• René n'accepte pas l'ordre établi : il « **rue dans les brancards** ».
• Dans **un régime dictatorial** = **une dictature**, des individus **courageux entrent en dissidence** : l'action de **ces dissidents** est considérée comme **subversive** par le pouvoir. Les droits de l'homme **sont bafoués**.
• Jérôme **est compromis dans** un scandale financier. **Les compromissions** = **les dérives** sont hélas fréquentes dans son milieu.

Remarque. Ne confondez pas « **le compromis** » *(= un accord après négociation)* et « **la compromission** » *(= le fait d'être impliqué dans une action suspecte).*

• Il y a **des limites à ne pas dépasser**, mais vous avez **dépassé** = **franchi les bornes** ! Vous **avez outrepassé** vos droits.
• Guy **se livre à la contrebande** : il fait illégalement passer des produits à l'étranger. Guy est **un contrebandier** que les douaniers tentent d'arrêter.
• Un détenu **s'est évadé de** la prison. **Cette évasion** a fait la une des journaux.
• Tout le monde a été choqué lorsque le cimetière a été **profané** = **violé** = **dégradé** : **la profanation** des lieux sacrés est punie par la loi.
• Lors de cette réception diplomatique, le ministre **a fait une entorse** au protocole *(= il n'a pas respecté exactement le protocole).*

RÉVOLTES ET RÉVOLUTIONS

• Une partie de la population **s'est rebellée** = **s'est révoltée** contre le pouvoir : **la rébellion** augmente de jour en jour. Bientôt, tout le peuple va **se soulever**, on assistera à **un soulèvement** < **une insurrection** populaire. Si **les insurgés** ne contrôlent pas la situation, cela peut conduire à **l'anarchie**.
• **La fronde** des députés a surpris. **Ces frondeurs** ont voté contre leur propre parti.
• Les prisonniers **se sont mutinés** = ils ont lancé **une mutinerie** *(= une révolte).*
• Malheureusement, une manifestation **a dégénéré en émeute**.
• Certains adolescents **rétifs** < **rebelles** refusent d'obéir. Ils **se rebiffent**. Parfois, l**eur insoumission** prend des proportions inquiétantes.
• L'historien Taine rapporte le dialogue suivant, juste après la prise de la Bastille, le 14 juillet 1789 : « C'est donc **une révolte**, dit le roi. – Sire, répondit le duc, c'est **une révolution**. »
• Cette invention a été **révolutionnaire** : elle **a révolutionné** la technologie.

EXERCICES

1 De qui ou de quoi parle-t-on ?

1. Il s'agit d'une révolte de soldats qui refusent d'obéir aux ordres. ____________
2. C'est celui qui fait passer de la marchandise en fraude. ____________
3. C'est ce que tous les prisonniers rêvent de faire. ____________
4. C'est un soulèvement violent et non organisé. ____________
5. C'est une révolte à l'intérieur d'un parti. ____________
6. Ces personnes s'opposent à un régime politique autoritaire. ____________
7. C'est l'absence totale d'ordre et d'autorité politiques. ____________

2 Trouvez une autre manière de dire.

1. Il s'agit d'une forte révolte populaire. ____________
2. Malheureusement, cet homme politique est impliqué dans un scandale. ____________
3. Cet adolescent a franchi les bornes. ____________
4. Cette jeune fille d'habitude soumise a refusé d'obéir. ____________
5. Le cimetière a été endommagé par des malfaiteurs. ____________
6. Les prisonniers ont fui la prison. ____________

3 Complétez.

1. La découverte des antibiotiques ____________ le traitement de certaines maladies à l'époque : on a enfin pu soigner des pathologies incurables.
2. Après ____________ de 1789, la France a changé de régime politique.
3. Cette manifestation pacifique ____________ en émeute, malheureusement.
4. Cette femme courageuse, opposée au régime, est entrée en ____________, et est donc en danger.
5. Cet avocat que l'on croyait intègre ____________ dans un scandale de mœurs.
6. Ce jeune homme à la forte personnalité a un tempérament ____________ , il a tendance à ____________ dans les ____________.
7. Quentin cherche à ____________ les interdits, pour ____________ les limites de l'autorité de ses parents.
8. Ce pouvoir dictatorial considère ces activités comme ____________ , donc dangereuses pour l'ordre établi.

4 À vous ! Répondez librement aux questions par des phrases complètes.

1. Votre pays a-t-il connu des révoltes ? Des soulèvements populaires ?
2. Existe-t-il parfois des frondes ?
3. Vous-même, avez-vous tendance à « ruer dans les brancards » ?
4. Étant adolescent(e), vous est-il arrivé de transgresser certains interdits, même sans gravité ?

RÉSISTER...

• Cet enfant **tient à tête à** son père, qui a pourtant une très forte personnalité et beaucoup d'autorité.
• Vous êtes en danger ? « **Tenez bon** » = « **Tenez le coup*** » = « **Ne craquez* pas** » !
• Dans cette négociation difficile, l'un des partenaires « **n'a rien lâché** » = il **n'a cédé sur rien** = il « **n'a pas cédé un pouce de terrain** ».
• Les employés **ont fait front contre** la direction. Ils **s'insurgent** = ils **se dressent contre** les menaces de licenciement. La direction va devoir **affronter** le mécontentement général. **L'affrontement** peut dégénérer parfois en agression.
• Quand leur fils se montre **récalcitrant**, les parents « **ne l'entendent pas de cette oreille** » *(= ils s'opposent)*.
• Les manifestants **défient** = **bravent** les forces de l'ordre, ils les **provoquent**.

... OU NE PAS RÉSISTER

• Pour arriver à un accord, chaque partie **doit faire des concessions** = **concéder** / **accorder** un point à l'autre.
• L'équipe de rugby **s'est inclinée devant** ses adversaires *(qui ont gagné)*.
• David pensait être capable de faire cette randonnée en montagne, mais à mi-parcours, il **a faibli** = il **a flanché***. Il a dû « **jeter l'éponge** » = **renoncer**. Il « **a abandonné** la partie ».
• Philippe avait toujours refusé que sa fille parte à l'étranger, mais finalement, il **s'est laissé fléchir** et il **a consenti à** son départ.
• Yves était plein de courage et voulait protester, mais progressivement, sa détermination **a molli** et il **a perdu courage** = il « **s'est dégonflé*** » *(argot)*.
• Le roi **a abdiqué en faveur de** son fils, **son abdication** a surpris tout le monde.
• L'armée de ce pays **a été vaincue**, elle **a capitulé** = **a rendu / a déposé les armes. La capitulation** s'est faite **sans conditions**.
• Certains parents, aussi, **capitulent devant** leurs enfants ! Ils **cèdent** = **se plient** = **se soumettent à** tous leurs caprices, ils **lâchent prise**.

EXERCICES

1 Choisissez la bonne réponse.

1. L'athlète a [cédé] [jeté] l'éponge.
2. Les rebelles ont [déposé] [défié] leurs armes.
3. Le champion de tennis s'est [affronté] [incliné] devant ce jeune joueur talentueux.
4. La petite fille [fait] [tient] tête à son professeur.
5. L'industriel n'a pas cédé un [pouce] [front] de terrain.
6. Le grand-père s'est laissé [faiblir] [fléchir].

2 Trouvez une autre manière de dire.

1. Les jeunes gens <u>ne respectent pas</u> l'interdiction de manifester. ____________________
2. Quand il a fallu plonger dans l'eau glacée, Estelle <u>n'en a pas eu le courage</u>. ____________________
3. Heureusement, les pompiers <u>ont résisté</u> et sont parvenus à éteindre le feu. ____________________
4. La reine <u>a renoncé au pouvoir</u> en faveur de son fils. ____________________
5. Cette mère manque d'autorité, elle <u>cède</u> à tous les caprices de ses enfants. ____________________
6. Les parents se sont laissé <u>convaincre</u> et ont accepté le projet de leur fils. ____________________
7. Dans cette situation périlleuse, <u>il ne faut pas perdre courage</u> ! ____________________

3 Complétez.

1. À la suite de la manifestation, le gouvernement a fait des ____________________ aux syndicats.
2. Les secouristes ____________________ la tempête de neige et sont partis chercher les alpinistes en détresse.
3. L'ensemble de l'équipe fait ____________________ pour obtenir satisfaction.
4. Heureusement, malgré les difficultés, Denise tient ____________________.
5. L'armée ____________________sans conditions, car elle a été ____________________.
6. Le sportif s'est blessé pendant l'entraînement et a dû jeter ____________________.

4 (48) Écoutez et faites un commentaire en employant le vocabulaire de l'ensemble du chapitre.

1. ____________________
2. ____________________
3. ____________________
4. ____________________
5. ____________________

5 À vous ! Répondez librement aux questions par des phrases complètes.

1. Dans quelles situations pourriez-vous vous laisser fléchir ?
2. Avez-vous dû parfois faire front avec d'autres personnes ?
3. Vous est-il arrivé d'abandonner la partie ?
4. À qui pourriez-vous tenir tête ?

32 DROITS ET DEVOIRS

LA MORALE

• Ce candidat aux élections **fait la morale** = **donne des leçons de morale à** ses adversaires, alors que lui-même **est d'une moralité** douteuse… En effet, il **est immoral de** tenter de corrompre ses électeurs, comme il l'a fait !
• Justin a **une mauvaise mentalité**, il n'est ni loyal ni honnête. Il ment de manière **éhontée. Quelle mentalité** !
• Mélanie **a bonne conscience** (≠ **mauvaise conscience),** elle est convaincue d'avoir agi selon des principes moraux, elle **a agi selon sa conscience**.
• Il est souvent délicat de **porter un jugement moral** sur les actions des autres.
• Ce médecin urgentiste se trouve devant **un cas de conscience** = **un choix cornélien** : lequel de ces deux enfants blessés doit-il soigner en priorité ? Ces questions d'**éthique** sont particulièrement difficiles.

Remarque. Un choix « cornélien » vient de Corneille (1606-1684) qui, dans ses tragédies, place ses personnages devant des choix terribles, entre leurs sentiments et leur devoir.

• Le prisonnier a été libéré pour **bonne conduite** *(= bon comportement).*
• Selon certains, on observe **un relâchement des mœurs**, voire **une** véritable **dépravation** = **une débauche** = des comportements **immoraux** et **répréhensibles** !
• Se promener tout nu dans la rue est **contraire aux bonnes mœurs** = on **commet un outrage aux bonnes mœurs** = « **un attentat à la pudeur** ».

LES DROITS

• La France est fière d'avoir rédigé la première ***Déclaration des droits de l'homme et du citoyen*** dont la première phrase est : « Les hommes naissent et demeurent libres et égaux **en droits.** »
• Les femmes **ont conquis** un certain nombre de **droits** au fil des années, et il est hors de question de **remettre en cause** ces droits.
• **Bénéficier d'**une voiture de fonction est **une prérogative** = **un avantage** = **un privilège** d'un directeur.
• Des personnages « importants » bénéficient souvent de **passe-droits** : ils reçoivent **des faveurs** et **s'arrogent** *(= se donnent)* **le droit de** passer avant tout le monde…
• Ceux qui ont la chance d'habiter dans ce quartier aisé sont **privilégiés**.

EXERCICES

1 Choisissez le ou les terme(s) possible(s).

1. Hortense a une mauvaise [moralité] [mentalité] [conscience].
2. Notre collègue nous fait souvent la [morale] [moralité] [conscience].
3. Cet homme a été interpellé pour [dépravation] [relâchement] [outrage] aux bonnes mœurs.
4. Avoir un grand bureau fait partie des [prérogatives] [avantages] [mœurs] de la fonction.
5. Cet homme [a commis] [s'est arrogé] [a agi] selon sa conscience.
6. Ils se trouvent devant un [cas de conscience] [privilège] [choix cornélien], c'est très dur.

2 Vrai ou faux ?

	VRAI	FAUX
1. Un passe-droit est une faveur.	❑	❑
2. Quand on a mauvaise conscience, c'est qu'on a eu un comportement répréhensible.	❑	❑
3. Les droits peuvent se conquérir.	❑	❑
4. Un choix cornélien fait intervenir le devoir moral.	❑	❑
5. Une prérogative est répréhensible.	❑	❑
6. On peut donner des leçons de mentalité.	❑	❑

3 Complétez.

1. Ce directeur a un logement de fonction, ce qui est un ______________________ usuel.
2. Bien que Wandrille soit fils de ministre, il ne veut bénéficier d'aucun ______________ et il fait la queue comme tout le monde à l'entrée du musée.
3. Mes voisins ______________________ un jugement moral sévère sur mes choix !
4. Le professeur fait face à un ______________________ de conscience épineux.
5. S'il te plaît, ne me donne pas de leçons de ______________________ !
6. Il est regrettable que l'on ______________________ en cause ces droits !

4 Trouvez une autre manière de dire.

1. Le vieux monsieur se lamente devant <u>la débauche</u> de certains jeunes gens. ______________
2. <u>Avoir</u> une secrétaire fait partie des <u>avantages</u> de la fonction. ______________
3. Les parents se trouvent confrontés à un choix <u>difficile sur le plan moral</u>. ______________
4. Il <u>n'est pas moral</u> de tromper une personne fragile. ______________
5. Ma grand-mère a tendance à me <u>donner des leçons de</u> morale. ______________
6. Nous avons <u>obtenu après une lutte</u> un certain nombre de droits. ______________

5 À vous ! Répondez librement aux questions par des phrases complètes.

1. Vous êtes-vous déjà trouvé(e) face à un cas de conscience ?
2. Vous est-il arrivé de faire la morale à quelqu'un ?
3. Dans votre pays, quels sont les droits qui ont été conquis récemment ?
4. Bénéficiez-vous de certains avantages, liés à votre fonction, à votre âge ?

LE DEVOIR MORAL

• Charles a aidé cette femme **par devoir**. Il n'**a fait** que **son devoir** (moral). Cet **homme de devoir** aurait eu **des scrupules** à ne pas l'aider.
• Le médecin **est tenu au secret professionnel**. Il doit **impérativement respecter** = **suivre les règles de déontologie** = il **remplit ses devoirs** (≠ **manque** = **faillit à** ses devoirs).
• Avant de témoigner à un procès, on doit **prêter serment** de dire « toute la vérité, rien que la vérité ». Il faut **respecter** (≠ **rompre** = **violer**) ce serment, car on **parle** « **sous serment** ». Quant aux experts, ils sont **assermentés**, ils **sont liés par serment** et leur parole **fait foi**. 
• Le père **a solennellement promis** = **a juré à** ses enfants de leur dire la vérité, il leur **a donné sa parole d'honneur**.
• Le suspect **a juré sur la tête de** ses enfants **qu**'il n'était jamais venu dans ce quartier. Et moi, je **me suis juré de** retrouver le coupable de ce crime.
• Cela **coûte beaucoup à** Samia **de** s'occuper gentiment de son vieux beau-père qui a été très désagréable avec elle, mais elle « **prend sur elle** » *(= elle fait un effort de volonté).*
• Ils **se voient dans l'obligation** de fermer l'usine. **Par la force des choses**, ils **ont été amenés à** changer de stratégie. Celle-ci **était censée** améliorer la situation. Malheureusement, ça n'a pas été le cas, et la fermeture de l'usine est devenue **une nécessité**, prétendent-ils. Les employés **ne sont pas disposés à** croire ces arguments.

LA DETTE MORALE

• Marius a sauvé la vie à Émilie, Émilie **doit la vie à** Marius. Elle a **une dette morale envers** Marius.
• Romane a aidé financièrement Damien. Damien lui **est redevable de** cette aide = Damien **lui** « **doit une fière chandelle** ».
• Les étudiants **éprouvent de la gratitude = de la reconnaissance** envers leur professeur qui s'est dévoué pour eux. Ils lui en sont **reconnaissants**.
• Ils **me savent gré** *(= ils me sont reconnaissants)* de les avoir aidés.
• J'ai aidé cet homme et il m'abandonne. Quelle **ingratitude** ! Cet homme est **un ingrat**.

EXERCICES

1 **Choisissez la bonne réponse.**

1. Le chirurgien est [tenu] [assermenté] au secret professionnel.
2. Cela me [prête] [coûte] beaucoup d'aller la voir.
3. Cette solution était [amenée] [censée] améliorer la situation.
4. Nous éprouvons [une dette] [de la gratitude] envers vous.
5. Je vous [sais] [suis] gré de m'avoir donné ces précieux renseignements.
6. Myriam [remplit] [respecte] ses devoirs.

2 **Les phrases suivantes sont-elles de sens équivalent ?**

1. Ils ont violé leur serment = ils ne sont pas tenus au secret professionnel.
2. Elle est assermentée = elle éprouve de la gratitude.
3. Il me doit une fière chandelle = il prend sur lui.
4. Nous vous sommes redevables de cette action = nous vous savons gré de cette action.
5. Elle a juré de dire la vérité = elle a fait une promesse solennelle.
6. Le psychiatre est assermenté = il a rompu son serment.

3 **Complétez.**

1. Nous éprouvons de la ______________________ envers nos parents qui ont tant fait pour nous.
2. La parole de ce gendarme ____ foi.
3. Le médecin ____ au secret professionnel.
4. Hélas, ce témoin ______________________ le serment qu'il avait fait, ce qui est très grave.
5. Je leur sais ______________________________________ d'avoir répondu si vite à ma demande.
6. L'avocat doit ______________________________ serment avant de pouvoir exercer sa profession.
7. Toute profession doit suivre des règles de ______________________________________.
8. Le suspect __________________________________ sur la tête de sa mère qu'il n'est pas coupable.
9. Parler avec cet homme met ma patience à rude épreuve, mais je ______________________ sur moi !
10. L'avocat remplit ____ envers son client.

4 **Trouvez une autre manière de dire.**

1. Corinne m'a sorti d'un mauvais pas, je lui <u>suis redevable</u>. ______________________________
2. <u>Virginie trouve dur</u> de licencier deux collaborateurs. ______________________________
3. Patrick <u>fait un effort de volonté</u> pour communiquer avec son oncle. ______________________________
4. Aubin <u>est lié par un serment</u>. ____
5. Léonard <u>a promis solennellement</u> de ne jamais abandonner ses cousins. ______________________________

5 **À vous ! Répondez librement aux questions par des phrases complètes.**

1. Éprouvez-vous de la gratitude envers quelqu'un ?
2. Dans quelles situations devez-vous prendre sur vous ?

LA RESPONSABILITÉ

• On **impute à** Maurice **la responsabilité de** ce crime. C'est lui qui **porterait la responsabilité du** crime. Et pourtant, il **décline** < **rejette toute responsabilité dans** cette affaire et **en fait peser la responsabilité sur** Luc, son associé.
• La directrice de ce projet **chapeaute** quatre équipes. Elle **exerce** donc **de lourdes responsabilités dans** ce dossier, mais elle **les assume** = **revendique**.
• **La responsabilité qui m'incombe** = qui « **pèse sur mes épaules** » me conduit à **prendre mes responsabilités** : j'**assumerai les conséquences** de ma décision.
• Si l'entreprise connaît des difficultés, cela va **retomber* sur** les salariés, ça va leur « **retomber dessus*** ». Ce sont eux qui vont « **payer les pots cassés*** ».
• C'est **à** Mathilde que **revient l'honneur** / **la responsabilité de** diriger les débats.
• Cette équipe **joue un rôle capital** = **essentiel** < **vital** dans notre projet. Elle **est** « **la pierre angulaire** » de notre projet, qui est **une affaire de la plus haute importance**.
• Le ministre ne veut pas **se décharger de ses responsabilités** = **se défausser sur** ses collaborateurs : il ne veut pas qu'ils **endossent la responsabilité de** son échec.
• À cause de la crise économique, le budget du théâtre a diminué. C'est ce théâtre qui « **fait les frais** » **des** restrictions de budget. La crise économique « **a bon dos** » *(= c'est une excuse facile)* !
• Les parents **se portent garants de** leur fille au moment où elle veut louer un appartement. Ils **s'engagent à** payer si elle ne peut pas le faire.

IRRESPONSABILITÉ ET INDIFFÉRENCE

• Cette décision risque de mener l'usine à sa perte, mais Jules « **s'en lave les mains** », il considère que ces conséquences **ne relèvent pas de sa responsabilité**.
• Si mon déménagement contrarie mes voisins, **c'est** « **le cadet de mes soucis** » = **je m'en moque** « **comme de ma première chemise** » = **je n'en ai rien à faire** = **je m'en fiche* complètement** = **je n'en ai rien à cirer*** *(argot)* = **je m'en fous***(argot)* !
• Dans cette affaire, nous devons **remédier aux carences** de notre hiérarchie qui fait preuve de **négligence**, voire de **laisser-aller**.
• Le policier a manqué de **vigilance**, il n'a pas été **vigilant**, et le suspect s'est échappé.

EXERCICES

1 **Les phrases suivantes sont-elles de sens équivalent ?**

1. Elle n'en a rien à faire = elle s'en fiche*.
2. Il va prendre ses responsabilités = il va jouer un rôle capital.
3. C'est Marc qui fera les frais de la décision = c'est Marc qui « paiera les pots cassés ».
4. Hugues se défausse sur ses collaborateurs = ils devront endosser la responsabilité.
5. C'est à Baptiste qu'on impute la responsabilité de cet acte = Baptiste rejette la responsabilité de cet acte.

2 **Complétez.**

1. C'est injuste ! C'est au directeur qu'______________ la responsabilité de ce projet. Or, il ___________ toute responsabilité dans les erreurs commises et ____________________ sur ses collaborateurs, qui vont, encore une fois, « payer ____________________________ ».
2. C'est à ce grand écrivain que ____________________________________ l'honneur d'ouvrir le festival.
3. Ce personnage influent se porte ____________________________________ du succès de l'entreprise.
4. Ils ont fait preuve de ________________________________, ils n'ont fait attention à rien !
5. Je sais que tout va me ____ dessus !

3 **Révision de l'ensemble du chapitre. Choisissez le ou les terme(s) possible(s).**

1. Je porte [de la reconnaissance pour cet acte] [la responsabilité de cet acte] [un jugement moral sur cet acte] [une fière chandelle].
2. Elle prend [un rôle capital] [sur elle] [ses responsabilités] [un serment].
3. Il a [bonne foi] [bonne conscience] [des avantages] [bon dos].
4. Il fait [les frais de cette décision] [la morale à ses amis] [son devoir] [bonne conduite].
5. Ils en [assument] [prennent] [relèvent] [rejettent] la responsabilité.
6. La vieille dame déplore [la dépravation] [le laisser-aller] [la vigilance] [le cas de conscience] de ces jeunes gens.

4 (49) **Écoutez et faites des commentaires en privilégiant les expressions imagées présentées dans l'ensemble du chapitre.**

1. ____
2. ____
3. ____
4. ____
5. ____

5 **À vous ! Répondez librement aux questions par des phrases complètes.**

1. De quoi pouvez-vous vous moquer « comme de votre première chemise » ?
2. Vous êtes-vous déjà porté(e) garant(e) de quelqu'un ?
3. Vous est-il arrivé de « payer les pots cassés » ?

33 LA JUSTICE

LA VALEUR MORALE

• Un citoyen peut **demander** et **obtenir justice**, c'est **un droit** fondamental.
• Joseph lutte dans son pays pour que **la justice** soit indépendante. Joseph a une personnalité controversée, mais **il faut lui rendre justice** : il a beaucoup de courage, car il dénonce **les abus** quand on **bafoue la justice** et qu'on **viole les droits humains**. Il est révolté par **l'injustice** et **défend** les personnes **injustement** accusées.
• La justice doit être **impartiale** (≠ **partiale**) et **indépendante. Son impartialité** est garantie par **la rectitude** = **la droiture** = **la probité** *(= l'honnêteté)* des juges.
• La justice est **implacable** = **inflexible** *(= rigide et sévère)* ou au contraire **clémente**. Quelqu'un peut être « **raide comme la justice** » !
• Camille a enfin obtenu une promotion, « **ce n'est que justice** » ! Cela dit, **il faut être juste** *(= honnête)*, l'entreprise a toujours reconnu sa valeur.

L'INSTITUTION

• « La justice » représente aussi **le ministère de la Justice** et **le pouvoir judiciaire**, constitué **de juges, de magistrats, de procureurs**... **Les avocats** d'**un** même **tribunal** constituent **le barreau.**
• **Le procès** se passe **au palais de justice** = **au tribunal.** L'ensemble des décisions prises lors d'un procès constitue **la jurisprudence.**
• Les délits sont jugés **au tribunal correctionnel**, les crimes **en cour d'assises** = « **aux assises** ».
• Patrick est « **dans le collimateur de la justice** » : la justice le **soupçonne de** malversations financières. Patrick **est visé par une information judiciaire.**
• Martin « **n'est pas blanc comme neige** » *(= il n'est pas innocent),* il **a déjà eu des démêlés avec la justice.** Il **a été mis en cause dans** une sombre affaire de trafic d'armes. Comme on dit, il « **traîne des casseroles** » !
• Il est interdit d'**entraver le cours de la justice**, par exemple **en dissimulant des preuves.**

EXERCICES

1 **Choisissez le ou les terme(s) possible(s).**

1. On peut | demander | passer | dissimuler | rendre | justice.
2. Ce juge est | droit | judiciaire | clément | impartial |.
3. Le procès se passe au | palais de justice | tribunal | pouvoir judiciaire | ministère de la Justice |.
4. On reconnaît | la jurisprudence | l'indépendance | la preuve | l'impartialité | de la justice.
5. Ce témoin a | visé | dissimulé | bafoué | rendu | des preuves.

2 **Vrai ou faux ?**

	VRAI	FAUX
1. L'ensemble des juges s'appelle le barreau.	❑	❑
2. Marie a commis un crime, elle sera jugée en cour d'assises.	❑	❑
3. Les juges doivent être raides.	❑	❑
4. Si cette femme a des démêlés avec la justice, c'est qu'elle a entravé le cours de la justice.	❑	❑
5. Cet homme est dans le collimateur de la justice, car il n'est pas blanc comme neige.	❑	❑
6. La jurisprudence fait partie du ministère de la Justice.	❑	❑

3 **Trouvez une autre manière de dire.**

1. Je respecte Hippolyte pour <u>son honnêteté absolue</u>. ______________________
2. Fabien <u>a éveillé les soupçons</u> de la justice. ______________________
3. Roger n'est <u>probablement pas innocent</u>. ______________________
4. <u>L'ensemble des avocats</u> se réunit samedi prochain. ______________________
5. Ce juge <u>n'est pas trop sévère</u>. ______________________
6. Ce jeune homme a déjà eu des <u>problèmes</u> avec la justice. ______________________

4 **Complétez.**

1. Ces délits seront jugés au tribunal ______________________ de la ville.
2. Cet homme politique corrompu « ______________________ des casseroles ! »
3. Dans ce pays, les droits de la justice sont parfois ______________________, hélas !
4. Je dois ______________________ justice à mon adversaire, il a toujours été loyal.
5. Ces membres du parti sont désormais visés par une information ______________________.
6. Entraver ______________________ de la justice est puni par la loi.
7. Cédric a été récompensé pour son travail, ce n'est que ______________________ !

5 **À vous ! Répondez librement aux questions par des phrases complètes.**

1. Dans votre pays, certains personnages politiques sont-ils dans le collimateur de la justice ?
2. Pourriez-vous dire que certains responsables politiques « traînent des casseroles » ?
3. Dans votre pays, où se passent les procès ? Y a-t-il un équivalent du tribunal correctionnel, par opposition à la cour d'assises ?

LA LOI

• **Le pouvoir législatif** *(= les députés)* vote **les lois**, qui constituent **la législation**. Ensuite, il faut **appliquer** la loi qui **est inscrite dans le Code civil**.
• Certains commettent un acte **illégal** (≠ **légal**), en dehors de **la légalité**, dans **l'illégalité** totale, et même **en toute impunité** *(= sans risque d'être punis).*
• Marcel s'est livré à des activités **illicites** *(= interdites)* = **délictueuses**, qui **sont passibles de** trois ans **de prison** = Marcel **encourt** trois ans de prison.
• **Un méfait** *(= une mauvaise action)* n'est pas forcément **puni par la loi**.
• Brigitte a commis **une grave infraction** au code de la route. Elle **sera sanctionnée** ; **la sanction** sera proportionnelle **au délit**.
• Les rois avaient des enfants **illégitimes** = **bâtards** de leurs maîtresses.
• « Votre désir de changer de travail est **légitime** » *(= acceptable par le bon sens).*

L'ACTION POLICIÈRE

• À la demande du **ministère de l'Intérieur**, **une vaste opération policière a été lancée**, qui s'est soldée par « **un coup de filet** » dans **les milieux du grand banditisme international**, dans **les réseaux mafieux**. Les policiers sont parvenus à **démanteler un réseau de trafiquants de drogue**. **Les arrestations** ont conduit **au démantèlement** du réseau.
• Le voleur **pris en flagrant délit** = **sur le fait** sera **poursuivi** par la justice. **Des poursuites seront engagées contre** lui.
• Après le crime, la police **a diffusé un portrait-robot du malfaiteur**. Un suspect **a été interpellé** = **arrêté** et **placé en garde à vue**. Après **son interrogatoire**, il **a été inculpé** *(= accusé)* et **placé en détention préventive** *(= en prison).* À la suite de **son inculpation**, il sera **livré à la justice** = **traduit en justice**.
• Les policiers interrogent **un témoin oculaire** du vol *(= celui qui a vu quelque chose).* Ils **recueillent son témoignage**, qui peut être décisif.
• Certains considèrent **la surveillance** comme **un flicage*** *(argot)* quand elle est exercée par **les policiers** = **les forces de l'ordre** = **les flics***.
• Bernard **a été mis en examen pour détournement** de fonds publics. Il **est accusé d'avoir détourné** de l'argent public **à son profit**.
• À la suite de l'ouverture d'**une information judiciaire** *(= une enquête),* le juge a demandé **une perquisition** du domicile du **suspect**. Les policiers **fouillent** = **perquisitionnent** = « **passent au peigne fin** » le domicile, pour retrouver des documents **compromettants**.

EXERCICES

1 Choisissez le ou les terme(s) possible(s).

1. La loi est inscrite dans le Code [judiciaire] [législatif] [civil] [légal].
2. Cet homme a commis un acte [puni] [délictueux] [passible] [illégal].
3. Le suspect a été [arrêté] [perquisitionné] [interpellé] [démantelé].
4. Jean-Marc se livrait à des activités [légitimes] [passibles] [illicites] [délictueuses].
5. Les policiers [détournent] [fouillent] [accusent] [perquisitionnent] des locaux.
6. [Cette infraction] [cette inculpation] [ce délit] [cette sanction] sont punis par la loi.
7. Cet homme a été placé en [impunité] [détention préventive] [garde à vue] [justice].

2 Les phrases suivantes sont-elles de sens équivalent ?

1. Il a été placé en garde à vue = il est interrogé par la police.
2. L'accusé encourt dix ans de prison = il risque la détention préventive.
3. Le bureau de cette femme d'affaires a été perquisitionné = la police l'a fouillé.
4. Le suspect sera traduit en justice = des poursuites seront engagées contre lui.
5. Les forces de l'ordre sont intervenues = les flics* sont arrivés.
6. André est témoin du vol = il est suspecté de vol.
7. Carine encourt deux ans de prison = son acte est passible de deux ans de prison.

3 Trouvez une autre manière de dire.

1. Le malfaiteur a été <u>arrêté</u>. ______________________
2. <u>Les policiers</u> sont arrivés sur place. ______________________
3. Le voleur a été pris <u>sur le fait</u>. ______________________
4. Le jeune homme a commis <u>une mauvaise action</u>. ______________________
5. Un réseau de prostitution a été <u>détruit</u>. ______________________
6. L'accusé <u>risque</u> cinq ans de prison. ______________________
7. La loi doit être <u>respectée</u>. ______________________

4 Complétez.

1. Les policiers ______________________ tous les témoignages qui peuvent les aider.
2. Un portrait ______________________ du criminel a été diffusé dans tout le pays.
3. Une ______________________ policière a été lancée tôt ce matin.
4. La police ______________________ le quartier au peigne fin.
5. Le juge a décidé de placer ces trois personnes en ______________________ préventive.
6. Le suspect sera ______________________ à la justice pour être jugé.
7. Les policiers ont réalisé un ______________________ de filet dans les réseaux criminels.
8. Ces deux hommes sont ______________________ d'avoir commis ce cambriolage.
9. Des ______________________ seront engagées contre les malfaiteurs.

UN PROCÈS

• Blaise a décidé **de poursuivre** Loïc **en justice pour** diffamation et **atteinte à** la vie privée. Blaise va **intenter un procès** = **une action en justice**.
• Un suspect est **présumé innocent**, mais on ne respecte guère **la présomption d'innocence** ! Tous les citoyens ont droit à **un procès équitable** *(= juste).*
• Le procès comprend des **audiences** *(= séances)* au cours desquelles **les témoins** (**de l'accusation** et **de la défense**) **sont entendus. La déposition** du principal **témoin à charge** (**≠ à décharge**) risque de **mettre à mal la défense de l'accusé**.
• L'avocat général a prononcé **un réquisitoire implacable** *(= un discours accusateur)* contre l'accusé. Il **a requis** *(= demandé)* dix ans de prison.
• L'avocat **a plaidé la légitime défense**, mais, malgré **sa plaidoirie**, la cour **a rendu une sentence sévère** (≠ **clémente**), **le verdict est tombé** : **le prévenu a été reconnu coupable de** meurtre et **a été condamné à une peine de** quinze ans **de prison fermes** = **d'emprisonnement**. Il va **faire appel** *(= contester)* **de** sa condamnation. Pourtant, **les preuves de sa culpabilité** sont **accablantes** *(= lourdes).*
• **Le détenu est incarcéré à la prison de** Fresnes. Il **est en détention** à Fresnes.
• Yves a été condamné à un an de **prison avec sursis** : la peine est administrative. Elle figurera dans **le casier judiciaire** de l'accusé. Yves a bénéficié **de circonstances atténuantes.**
• Yann est **un repris de justice** = un ancien condamné qui **a récidivé** : **ce récidiviste** < **multirécidiviste** a recommencé des activités criminelles. **La récidive** pose le problème de **la réinsertion** des prisonniers dans la vie active.
• Finalement, Alex **a obtenu gain de cause** : il **a été acquitté** = il **a été reconnu non coupable**, même si **des soupçons pesaient sur** lui. Guy aussi **a été mis hors de cause** = il **a été blanchi**, **rien n'a pu être retenu contre** lui. Il **a été relaxé** = il **est sorti libre du tribunal**.
• **L'affaire a été classée sans suite**, elle n'a pas donné lieu à **une instruction judiciaire**. Le suspect **a bénéficié d'un non-lieu**.
• Sous l'Ancien Régime, un condamné pouvait **être gracié** (= **libéré**) par le roi.

EMPLOIS USUELS DE TERMES JURIDIQUES

• Je peux **témoigner** que Denis harcèle Laure, qui m'**a** d'ailleurs **pris à témoin**. J'ai surpris Denis **en flagrant délit de** harcèlement !
• Le député **s'est livré à un réquisitoire contre** le gouvernement. En particulier, il **a plaidé pour** plus de justice sociale et espère **obtenir gain de cause**.

EXERCICES

1 Choisissez la bonne réponse.

1. Xavier a été | acquitté | reconnu | coupable.
2. Marie-Jeanne va | poursuivre | intenter | son employeur en justice.
3. La vieille dame a obtenu gain de | cause | justice |.
4. | La défense | le réquisitoire | a été implacable.
5. L'avocat a | requis | plaidé | la légitime défense.

2 Vrai ou faux ?

	VRAI	FAUX
1. L'avocat a été blanchi lors du procès.	❑	❑
2. L'accusé peut faire appel de la condamnation.	❑	❑
3. Si Bernadette est en détention, c'est qu'elle est incarcérée.	❑	❑
4. Un repris de justice a déjà eu des démêlés avec la justice.	❑	❑
5. Le verdict est condamné à la prison.	❑	❑
6. Le coupable a été acquitté.	❑	❑
7. Le détenu est incarcéré.	❑	❑

3 Trouvez une autre manière de dire.

1. Régine va intenter un procès. ______________________
2. On a trouvé des excuses au crime commis par Léonard. ______________________
3. Les jeunes gens sont considérés par principe comme innocents. ______________________
4. Octave a récidivé plusieurs fois. ______________________
5. Le témoignage du témoin a été important pour le procès. ______________________
6. Rien n'a pu être retenu contre la jeune femme. ______________________

4 Complétez.

1. De graves ______________________ pèsent sur l'accusé.
2. Albert a obtenu ______________________ de cause.
3. Le jeune délinquant a été condamné à deux ans de prison avec ______________________.
4. L'avocat a plaidé la ______________________ défense pour expliquer le geste criminel de cette femme.
5. La sanction figurera dans le ______________________ judiciaire de cet homme.
6. Le tribunal ______________________ une sentence sévère.

5 (50) Écoutez les phrases et faites un commentaire.

1. ______________________
2. ______________________
3. ______________________
4. ______________________
5. ______________________

34

LE PASSÉ

LE PASSÉ

• **L'époque où** tout le monde s'écrivait des lettres est **révolue**. Certains jeunes trouvent même **rétrograde** le fait d'envoyer une carte postale !
• Ne mange pas ce yaourt, il est **périmé**, la date de **péremption** est passée depuis un mois.
• **Dernièrement** *(= récemment),* le musée a organisé **une rétrospective** de l'œuvre d'un grand photographe.
• **Autrefois** = **jadis** = **par le passé** = **anciennement** = « **dans le temps** », ce village était prospère, mais beaucoup de temps **s'est écoulé depuis lors**.
• Nous avons été surpris de voir que ce paysan employait des outils **archaïques. Dans un lointain passé**, on se servait effectivement de ce genre d'objets.
• « **Ça fait un bail*** » = **il y a** « **belle lurette** » *(= très longtemps)* que nous n'avons pas vu nos amis !
• Faire du vin est **une tradition séculaire** = **ancestrale** *(= très ancienne)* en France. Cela **remonte à des siècles** < « **à la nuit des temps** » = **à des temps immémoriaux**.
• Ce musée est **poussiéreux** = **vétuste** *(= vieux et en mauvais état),* il doit être rénové. Le parc qui l'entoure possède des arbres **vénérables** *(= vieux et dignes de respect).*
• La loi ne peut pas être **rétroactive** *(= agir sur le passé).*
• Cette femme a « **un lourd passé** » *(= tragique)* **avec** lequel elle **a rompu**.
• Le nouveau ministre a critiqué **son prédécesseur** (≠ **le successeur**).

Remarque. Les mots « successeur » et « prédécesseur » sont toujours masculins.

LES REGRETS

• Il a quitté sa maison **à regrets** (≠ **sans regrets**), mais il ne veut pas **se complaire dans les regrets**, car il ne peut plus **revenir en arrière** !
• « **Tout se perd** ! Les bonnes manières **se perdent**, **hélas** ! » se lamente le vieux monsieur, qui **déplore** = **regrette** l'attitude « des jeunes d'aujourd'hui »...
• La vieille dame a **la nostalgie** de sa jeunesse : elle est **nostalgique** quand elle y pense, elle a « **du vague à l'âme** ».
• Angèle ne veut pas **renier** *(= oublier)* **son passé**.

EXERCICES

1 Choisissez le ou les terme(s) possible(s).

1. La tradition du pain est [ancestrale] [rétrograde].
2. Maud ne veut pas [s'écouler] [revenir] en arrière.
3. L'époque de la machine à écrire est [périmée] [révolue].
4. Cet ancien malfaiteur a décidé de [rompre] [renier] avec son passé.
5. Les choses en allaient autrement dans un [ancien] [lointain] passé.
6. Cette ferme est vieille et délabrée, elle est [séculaire] [vétuste].

2 Les phrases suivantes sont-elles de sens équivalent ?

1. Dans le temps, Mélanie vivait ici = dernièrement, elle vivait ici.
2. Ludovic a rompu avec son passé = il se complaît dans le passé.
3. Certains arbres du Jardin des Plantes sont vénérables = certains sont séculaires.
4. Mon passeport est périmé = la date de péremption est passée.
5. Arthur a du vague à l'âme = il éprouve de la nostalgie.
6. Jadis, une ferme était installée dans cette rue = dans le temps, il y avait une ferme dans cette rue.

3 Trouvez une autre manière de dire.

1. Cette région est habitée depuis très longtemps. ____________________
2. Les premiers vestiges archéologiques retrouvés datent de l'époque romaine. ____________________
3. Autrefois, ce quartier n'était pas du tout à la mode. ____________________
4. La production de fromage dans cette région est très ancienne. ____________________
5. Ce château n'a jamais été entretenu, il est vieux et sale. ____________________
6. Cela fait très longtemps qu'ils ne sont pas allés en Espagne. ____________________
7. Bénédicte est nostalgique quand elle pense à son enfance heureuse. ____________________

4 Complétez.

1. ____________________, cette petite ville possédait une industrie florissante.
2. Cette tradition remonte à la ____________________ des temps.
3. Je n'ai pas regardé la date de ____________________ de ce fromage blanc.
4. Le vieux monsieur a un peu de ____________________ à l'âme en écoutant cette chanson.
5. Il y a belle ____________________ qu'ils ne nous ont pas rendu visite.
6. « Tout ____________________, hélas », disent les nostalgiques.

5 À vous ! Répondez librement aux questions par des phrases complètes.

1. Avez-vous la nostalgie d'une période de votre vie ?
2. Dans votre pays, quelles sont les traditions séculaires ?
3. Une musique pourrait-elle vous donner du vague à l'âme ?

REMORDS, RANCUNE, PARDON

• Je n'aurais pas dû inviter mes voisins à dîner, je « **m'en mords les doigts** ». Je pensais bien faire, mais ils sont racistes, ce que je ne peux pas supporter.
• Lucas **éprouve des remords** en pensant au mal qu'il a fait à sa femme, il est **bourrelé de remords** = il **est rongé** = **miné par le remords**, car elle s'est suicidée. Il **se repent de** sa méchanceté, **son repentir** est sincère.
• Serge s'est mal conduit envers Élodie, elle **lui en veut** (**à mort**) ; elle lui **garde rancune de** sa trahison = elle **nourrit une** forte **rancune envers** Serge. **Son ressentiment** s'est transformé en véritable **rancœur** *(avec de l'amertume).*
• Nina **pardonne à** Félix, elle « **passe l'éponge** », car « **il faut tourner la page**, changer de paysage », comme dit la chanson de Nougaro : il faut **passer à autre chose** et ne pas **ressasser** = **remâcher*** = **ruminer*** les mêmes tristes pensées.

LA MÉMOIRE

• Ce vieux monsieur a **des troubles de la mémoire**. Alors qu'étant jeune il avait « **une mémoire d'éléphant** », il a maintenant de gros **trous de mémoire**.
• L'actrice **connaît** son rôle « **sur le bout des doigts** » *(= parfaitement).*
• Cette bonne odeur de confiture qui cuit, c'est ma « **madeleine de Proust** ». **Je me remémore** les journées où ma grand-mère faisait des confitures avec les fruits du jardin. Cela **réveille de très bons** (≠ **mauvais**) **souvenirs**. **Ces réminiscences proustiennes** sont agréables.

Remarque. Dans *La Recherche du temps perdu,* Proust raconte comment, en mangeant ce petit gâteau appelé « une madeleine », trempé dans une tisane, il s'est immédiatement souvenu de son enfance : « Et tout d'un coup le souvenir m'est apparu. »

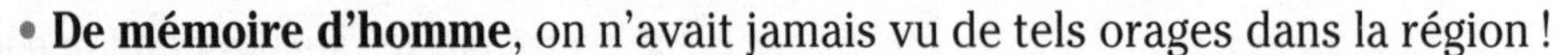

• **De mémoire d'homme**, on n'avait jamais vu de tels orages dans la région !
• **Si j'ai bonne mémoire** = **si ma mémoire est bonne**, la loi a été votée il y a dix ans.
• Cet événement historique est **inscrit dans la mémoire collective**.
• Nous admirons ici **des vestiges** *(= des restes)* d'une ville romaine, qui, malheureusement, portent **les stigmates** = **les marques** d'un incendie. Les archéologues ont retrouvé **des traces** de feu.
• Cette phrase du philosophe **est passée à la postérité** *(= on s'en souvient).* Ce penseur **a laissé une empreinte durable dans** la philosophie moderne.
• Les deux amis d'enfance **ont évoqué leurs souvenirs** de jeunesse. **À l'évocation de** certaines bêtises qu'ils avaient faites, ils ont éclaté de rire.

EXERCICES

1 Choisissez la bonne réponse.

1. Il serait préférable de [passer] [tourner] l'éponge.
2. Ils [gardent] [veulent] rancune à leur père de sa sévérité.
3. De mémoire [d'éléphant] [d'homme], on n'avait jamais vu un si bel été !
4. Ce garçon est [miné] [nourri] par le remords.
5. On a retrouvé des [stigmates] [vestiges] d'une villa gallo-romaine.
6. Il n'arrête pas de [se repentir] [se remémorer] ces bons souvenirs.

2 Les phrases suivantes sont-elles de sens équivalent ?

1. Nathan est bourrelé de remords = il éprouve de la rancune.
2. Geoffroy a décidé de tourner la page = il va pardonner.
3. On voit sur ces murs les stigmates d'un bombardement = on voit les marques du bombardement.
4. Arrête de ressasser les mêmes histoires ! = arrête ces réminiscences !
5. André se repent de ses actes = il a des remords.

3 Trouvez une autre manière de dire.

1. Au cours du procès, le meurtrier a fait part de <u>ses regrets</u> à la famille de sa victime. ______________
2. L'élève connaît <u>parfaitement</u> ces dates historiques. ______________
3. Arrête de <u>constamment penser à</u> ces problèmes ! ______________
4. Pour être historien, il faut avoir <u>une excellente mémoire</u> ! ______________
5. <u>Si je me souviens bien</u>, Stendhal est né en 1783. ______________
6. Les anciens combattants <u>se sont souvenus de leur passé</u>. ______________
7. <u>On ne se souvient pas que ce fleuve ait jamais débordé</u>. ______________

4 Complétez.

1. Elle éprouve des ______________ en pensant à cet ami qu'elle a froissé.
2. L'étudiant tente de ______________ toutes les dates qu'il doit savoir.
3. Cette conversation ______________ chez moi de très mauvais souvenirs.
4. Ils en ______________ à leur cousin de ne pas les avoir aidés.
5. Dès que nous nous sommes retrouvés, nous ______________ nos souvenirs d'enfance.
6. Il n'aurait jamais dû accepter cette tâche, il s'en ______________ les ______________ !
7. Cette innovation picturale a laissé ______________ durable dans l'histoire de la peinture.

5 À vous ! Répondez librement aux questions par des phrases complètes.

1. Avez-vous tendance à ressasser certaines choses ?
2. Avez-vous fait l'expérience d'une « réminiscence proustienne » ?
3. Vous est-il arrivé de vous mordre les doigts d'avoir invité quelqu'un ?

LA COMMÉMORATION

• La France **commémore** = **célèbre** la révolution de 1789 : **la commémoration** a lieu chaque année, le 14 juillet, jour **anniversaire** de la prise de la Bastille. À l'occasion de **cette célébration**, le président de la République fait un discours **en hommage à** la Révolution.
• On **a élevé des monuments à la mémoire des** soldats morts à la guerre, pour **honorer leur mémoire** = **leur rendre hommage**. Il y a **des « monuments aux morts »** dans toutes les communes de France.
• Au terme d'un long processus, cette femme accusée à tort et désormais décédée, a été **réhabilitée** *(= sa mémoire a été rendue à l'estime publique).* **Sa réhabilitation** a été un soulagement pour sa famille, qui tient à **sa réputation** !

L'OUBLI, RÉEL OU FEINT

• La parution de ce livre **a tiré** cet écrivain **de l'oubli** où il **était tombé**.
• L'élève **a commis un oubli**, mais comme il va le **réparer**, le professeur « **fermera les yeux sur** » **ces lacunes**.
• Ce contribuable **a omis de** déclarer un héritage au fisc : il « **a passé sous silence** » cette somme, **Cette omission** risque de lui coûter cher !
• Le projet de loi **a été** « **enterré** » = il « **est passé à la trappe** », on l'a oublié.
• À la suite de son accident, le pauvre homme est devenu **amnésique**, il **a perdu la mémoire** : on ne sait pas si **son amnésie** pourra être guérie.
• Comment s'appelle ce peintre ? Son nom **m'échappe** : je **ne l'ai pas gardé en mémoire** d'autant qu'en ce moment, **j'ai** « **la tête comme une passoire** » !
• Les Français **ont** parfois **la mémoire courte**, ils oublient des événements importants. Ils cherchent parfois à **effacer** des souvenirs.
• J'ai complètement oublié d'acheter du pain, **cela m'est sorti de l'esprit** = **de la tête**.
• La loi permet une **amnistie** *(= un oubli officiel).* Le délinquant **a été amnistié**.
• « **Loin des yeux, loin du cœur** », dit le proverbe pessimiste…

EXERCICES

1 Choisissez la bonne réponse.

1. L'université a décidé de rendre | mémoire | hommage | à ce professeur.
2. La police a fermé | les yeux | l'œil | sur cet incident.
3. Les autorités ont | rendu | réhabilité | la mémoire de ces personnes.
4. Ce poète du Moyen Âge est | tiré | tombé | dans l'oubli depuis longtemps.
5. La somme détournée par ce banquier est passée | à la trappe | en mémoire |.
6. Alain a | la mémoire | la tête | comme une passoire en ce moment !
7. La stagiaire a | omis | commis | un fâcheux oubli.
8. Cette dame est devenue | amnistiée | amnésique |.
9. Le projet de construction a été | effacé | enterré |.

2 Complétez.

1. Impossible de me souvenir du compositeur, son nom ____________________.
2. Chaque année, les Européens ____________________ la fin de la Seconde Guerre mondiale.
3. Il est regrettable que vous ____________________ cet oubli !
4. Le gouvernement ____________________ hommage à ce ministre récemment décédé.
5. Je devais aller à la poste, et puis cela m' ____________________ de l'esprit.
6. Il serait temps de ____________________ ce peintre de l'oubli !
7. Le suspect ____________________ sous silence certaines de ses activités.
8. Vous devrez ____________________ l'oubli que vous avez commis.

3 (51) Écoutez et commentez les situations en employant des expressions imagées présentées dans l'ensemble du chapitre.

1. ____________________
2. ____________________
3. ____________________
4. ____________________
5. ____________________
6. ____________________

4 À vous ! Répondez librement aux questions par des phrases complètes.

1. Quelles commémorations sont importantes dans votre pays ?
2. Avez-vous connaissance de cas de réhabilitation ?
3. La fête nationale de votre pays correspond-elle à un événement historique ?
4. Certains événements politiques ou historiques sont-ils passés à la trappe ? Pensez-vous que vos compatriotes aient parfois la mémoire courte ?
5. Un artiste, un écrivain, est-il récemment sorti de l'oubli ?

35 LE TEMPS QUI PASSE

L'OPPORTUNITÉ

• Ce projet **n'est pas d'actualité** = **n'est pas à l'ordre du jour**. **L'heure n'est pas à** la présentation de nouveaux projets. Nous en discuterons une autre fois, **au moment opportun** = **au moment propice** = **le moment venu.**
• Serge s'interroge sur **l'opportunité d'**organiser cette réunion. En effet, il serait **malvenu** = **inopportun** de faire perdre du temps à ses collègues surmenés !
• « **Par les temps qui courent** », on ne promet pas d'augmentation de salaire !
• Tu **arrives à point nommé** = tu **as bien choisi ton moment** = tu « **tombes à pic** », j'avais justement besoin de toi.
• La question **intempestive = inopinée** = **inopportune** de cet étudiant **est arrivée** « **comme un cheveu sur la soupe** » = elle était **incongrue** = **hors de propos**. Elle **a pris au dépourvu** le professeur.
• Ce nouveau chef **a été accueilli** « **comme un chien dans un jeu de quilles** », car il dérange l'ordre établi. Les projets **en cours** seront-ils maintenus ?
• Je vais téléphoner à Marc, car il faut « **battre le fer pendant qu'il est chaud** » = il faut « **sauter* sur l'occasion** » = il faut savoir **saisir l'occasion** = il **ne faut pas laisser passer l'occasion. C'est le moment ou jamais** de l'appeler !
• Nathan **est accaparé** = **absorbé par** ses fonctions, il n'a pas **un moment à lui** et n'a pas le temps de **se consacrer à** sa famille. Il **ne va pas tarder à** avoir des problèmes de couple ! **D'ores et déjà**, sa femme l'a menacé de le quitter.
• **Le temps est venu** = **l'heure est venue pour** Gaston **de** prendre sa retraite. **C'est le bon moment** pour le faire.

L'IMMÉDIATETÉ

• **Dès le début** = **d'entrée de jeu** = **d'emblée**, la conversation a été chaleureuse. **Sur ce**, nous avons proposé à nos nouveaux amis de dîner avec nous. Ils ont accepté **sur-le-champ**. Je suis allée ***illico**** chercher une bonne bouteille de vin à la cave.
• Ma fille m'a demandé **à brûle-pourpoint** *(= sans préparation)* si je connaissais Edgar.
• Nous avons répondu **sans tarder** à la demande de notre directeur !
• Malika **arrive** toujours **à l'improviste**, elle ne prévient jamais personne.
• Le technicien est parvenu **du premier coup** à réparer cette machine.

EXERCICES

1 Choisissez le ou les terme(s) possible(s).

1. Benoît a fait une remarque [propice] [incongrue] [intempestive].
2. Mélanie a posé une question [à brûle-pourpoint] [d'ores et déjà] [au moment opportun].
3. Cette décision n'est pas [à pic] [à l'ordre du jour] [d'entrée de jeu].
4. [D'emblée] [Le moment venu] [À point nommé], Denise s'est montrée agressive.
5. Il faut absolument [courir] [choisir] [saisir] l'occasion.
6. Par les temps qui [viennent] [courent] [tombent], tu as raison d'apprendre l'anglais.

2 Répondez par une phrase complète.

1. Vous avez raté l'occasion ? – Non, au contraire, ____________________
2. La question du journaliste était pertinente ? – Non, pas du tout, ____________________
3. Véronique a du temps libre ? – Non, loin de là, ____________________
4. Ce n'est peut-être pas le moment de te déranger ! – Non, au contraire, ____________________
5. Ils ont été bien accueillis ? – Non, pas du tout, ____________________
6. Vous avez mis du temps à sympathiser ? – Non, au contraire, ____________________

3 Les phrases suivantes sont-elles de sens équivalent ?

1. Cette remarque est incongrue = elle arrive comme un cheveu sur la soupe.
2. Béatrice ne va pas tarder à téléphoner = elle téléphonera le moment venu.
3. Cette proposition tombe à pic = elle arrive à point nommé.
4. D'emblée, le film m'a plu = d'ores et déjà, le film m'a plu.
5. Estelle est accaparée par son travail = elle est absorbée par son travail.
6. Antoine a posé une question à l'improviste = il a posé une question à brûle-pourpoint.

4 Trouvez une autre manière de dire.

1. Dès le début, les deux hommes ont éprouvé de la sympathie l'un pour l'autre. ____________________
2. Noémie arrive toujours sans prévenir. ____________________
3. Actuellement, il vaut mieux réfléchir avant de démissionner de son emploi ! ____________________
4. Laurence est très prise par la rédaction de sa thèse. ____________________
5. Nous contacterons le comptable quand ce sera nécessaire. ____________________
6. Une réforme de cette organisation n'est pas prévue en ce moment. ____________________

5 (52) Écoutez et faites un commentaire en employant des expressions imagées.

1. ____________________
2. ____________________
3. ____________________
4. ____________________
5. ____________________

LA DURÉE ET LA CONTINUITÉ

• Ils ont aperçu l'actrice dans la rue **l'espace d'un éclair** (= **un laps de temps** très bref). Cette vision **fugace** les a enchantés.

• Certains sentiments sont **éphémères** = **passagers** (≠ **éternels** = **immuables**).

• Pour aider les victimes de ces intempéries, les secouristes ont travaillé **sans relâche** = **sans cesse** = **sans discontinuer** = **sans répit** = **inlassablement**.

• Léon doit prendre sa retraite, il **est atteint par la limite d'âge** = il **a atteint l'âge limite** pour prendre sa retraite.

• La vieille dame me raconte **ses sempiternelles** *(= répétitives et ennuyeuses)* anecdotes.

• Ce bruit est **incessant** = **constant** = **perpétuel** = **continuel** = **ininterrompu.**

• Ce rapport doit être fini pour vendredi soir, **dernier délai** = **dernière limite** !

• Beaucoup de Français apprécient **la pérennité = la permanence** = **la durabilité** des institutions. Seront-elles effectivement **pérennes** = **permanentes** = **durables** (≠ **provisoires** = **temporaires**) ?

• Tu as finalement décidé de faire le ménage ? Tu **y as mis le temps** *(= c'était long)* !

LA FRÉQUENCE

• Nous partons **occasionnellement** = **de temps en temps** à l'étranger. Ce sont des voyages **occasionnels**.

• Dans l'ensemble, il fera beau, malgré quelques orages **sporadiques** = **épars** *(= rares)*.

• La sonnerie n'est pas constante, elle est **intermittente**. Elle se produit **par à-coups.**

• Charlotte est pénible, elle m'interrompt « **à tout bout de champ** » = « **pour un oui pour un non** » = **sans arrêt** et sans raison.

• Il s'agit d'une question **récurrente** *(= qui revient)*. **Sa récurrence** oblige à y répondre enfin !

• Laurence et Marianne conduisent **tour à tour** : elles **alternent** = elles prennent le volant **en alternance**, **elles se relaient** au volant.

• Le champion de tennis a gagné deux tournois, **coup sur coup** = il a gagné deux tournois **d'affilée** = **de suite**.

EXERCICES

1 Choisissez la bonne réponse.

1. Les étudiants ont révisé sans [relâche] [délai] pour préparer leurs examens.
2. Cet emploi du temps n'est [que provisoire] [qu'intermittent].
3. Ce phénomène ne se produit que [coup sur coup] [par à-coups].
4. Pendant une seconde, Ariane a eu un souvenir [sporadique] [fugace] de ce dîner.
5. Vous me donnerez ce document demain soir, dernier [arrêt] [délai].
6. Le directeur [atteint] [met] l'âge limite pour assurer sa fonction.

2 Les phrases suivantes sont-elles de sens équivalent ?

1. Ils ont marché sans répit = ils ont marché sans relâche.
2. Ce problème est récurrent = il est éphémère.
3. Cette construction est temporaire = elle n'est pas pérenne.
4. Elle a eu deux réunions d'affilée = elle a occasionnellement des réunions.
5. Il m'envoie des textos à tout bout de champ = il m'en envoie pour un oui pour un non.
6. Ils ont gardé le chien en alternance = ils se sont relayés pour garder le chien.

3 Complétez.

1. Il a fait beau pendant tout le mois, à part quelques averses ____________________.
2. Cécile a vu deux films ____________________, l'un après l'autre.
3. Il s'agit d'une solution ____________________, destinée à parer au plus pressé.
4. L'étudiant doit impérativement remettre son travail au professeur mardi prochain, ____________________
5. Karim va tout le temps déranger son frère, sans raison, ____________________.
6. Les petits garçons vont faire du toboggan ____________________, l'un après l'autre.

4 Trouvez une autre manière de dire.

1. Je me demande si cette organisation sera <u>durable</u>. ____________________
2. Les parents <u>s'occupent du bébé en alternance</u>. ____________________
3. L'entreprise a obtenu deux marchés <u>l'un après l'autre</u>. ____________________
4. Le personnel soignant a travaillé <u>sans jamais s'arrêter</u> pour s'occuper des blessés. ____________________
5. Mon collègue me dérange <u>sans arrêt et sans vraie raison</u>. ____________________
6. Ils vont <u>de temps en temps</u> au théâtre. ____________________
7. Ce problème <u>revient tout le temps</u>, il faudrait le régler. ____________________
8. La pluie <u>n'arrête pas</u> depuis trois jours ! ____________________

5 À vous ! Répondez librement aux questions par des phrases complètes.

1. Quel genre d'activité faites-vous occasionnellement ?
2. Vous est-il arrivé de vous relayer avec quelqu'un ?

LA SIMULTANÉITÉ

- Le professeur corrige l'étudiant **au fur et à mesure qu'il** parle. Les corrections se font **au fur et à mesure**.
- Sophie **mène de front** une brillante carrière professionnelle et sa vie de famille.
- Les deux collègues seront **conjointement** chargés de mener à bien ce projet. Ils travailleront **de concert** *(= d'un commun accord)*, **de conserve** *(= ensemble)*.
- Les deux systèmes de paiement **ont coexisté** pendant quelques mois. **Leur coexistence** a provoqué quelques difficultés.
- Les députés discutent **du cumul des mandats**, qui consiste à **cumuler** *(= faire en même temps)* deux fonctions.
- Ce jour férié **tombe** un vendredi et **coïncide avec** le début des vacances scolaires. C'est **une pure coïncidence**. Étant donné que les deux événements sont **concomitants** = **simultanés**, la circulation sur les routes va être infernale ! **Cette concomitance** tombe mal.
- Quand on réalise le doublage d'un film, il faut **synchroniser** le son et l'image **: la synchronisation** est impérative.

LA VITESSE

- L'étudiante **a bâclé*** *(= fait vite et mal)* son travail, elle l'a fait « **à la va-vite** » = **dans la hâte** et **la précipitation**, et la qualité s'en ressent !
- L'ambulance a démarré « **sur les chapeaux de roues** » : elle est partie **à toute vitesse** = **à toute allure**.
- Jean **est passé** « **en coup de vent** » dans son bureau et « **en deux temps trois mouvements** » il a répondu à ses mails. Je **me suis empressé(e)** = **dépêché(e)** **= hâté(e)** = **grouillé(e)*** *(argot)* **de** lui communiquer les nouvelles les plus urgentes : j'**ai paré au plus pressé**.
- J'admire **la promptitude** = **la rapidité** avec laquelle Christian prend des décisions : il est **prompt** *(= rapide)* à se décider. Il mène le projet « **tambour battant** » *(= vite et avec énergie)*.
- En écoutant un pianiste virtuose, on est frappé par **sa vélocité** = **son agilité** = **sa dextérité**. Il peut jouer un morceau de manière **enlevée** *(= rapide et joyeuse)*.
- La réponse du ministre était **expéditive** *(= rapide et efficace)*. L'affaire **a été rondement menée**. Cela « **a fait ni une ni deux** », tout le monde lui a immédiatement obéi. Pourtant, « **il n'y avait pas le feu** » *(= pas d'urgence)* !

EXERCICES

1 Choisissez le ou les terme(s) possible(s).

1. Les deux entreprises travailleront [conjointement] [en coup de vent] [de conserve].
2. Cette excellente couturière est capable de coudre [à toute allure] [avec dextérité] [à la va-vite].
3. Les deux phénomènes sont [concomitants] [bâclés*] [simultanés].
4. Il a préparé un dîner [en deux temps trois mouvements] [de conserve] [à toute vitesse].
5. La réponse a été [enlevée] [prompte] [expéditive].
6. Il est parti en voiture [à toute allure] [à la va-vite] [au fur et à mesure].

2 Trouvez une autre manière de dire.

1. Félix est passé <u>très rapidement</u> à la maison pour récupérer sa valise. ____________
2. Ariel <u>fait en même temps</u> des études universitaires et un emploi. ____________
3. Pourquoi te dépêches-tu ainsi ? Il n'y a <u>aucune urgence</u> ! ____________
4. Philippe a préparé sa réunion <u>un peu trop vite</u>. ____________
5. <u>Il n'y a eu aucune hésitation</u>, le voleur a été arrêté avant d'avoir pu s'enfuir. ____________
6. Le professeur a montré des documents et les a commentés <u>en même temps</u>. ____________
7. Malheureusement, ils <u>ont fait</u> ce travail <u>vite et mal.</u> ____________
8. Il <u>s'est dépêché</u> de préparer sa valise. ____________

3 Complétez par une expression imagée.

1. Alexandre a réagi immédiatement et a téléphoné à Marie. Ça n'a fait ____________
2. Je ne sais pas pourquoi, Éric est parti à toute vitesse, sur ____________
3. Ce n'est pas la peine de te presser, ce n'est pas urgent, il n'y a ____________
4. Line est dynamique, elle mène ce projet ____________
5. Mon voisin était pressé, il est passé me voir ____________

4 (53) Écoutez les phrases et faites un commentaire.

1. ____________
2. ____________
3. ____________
4. ____________
5. ____________

5 À vous ! Répondez librement aux questions par des phrases complètes.

1. Avez-vous déjà mené un projet tambour battant ?
2. Vous arrive-t-il de bâcler un travail ?
3. Menez-vous de front plusieurs activités ?
4. Pouvez-vous raconter une coïncidence amusante ?

LES PÉRIODES

• La Révolution a constitué **une période mouvementée** de l'histoire de France. **Cette étape** importante = cette période **charnière** marque la fin **du règne** du roi Louis XVI et le début d'**une ère** nouvelle.

• Actuellement, le marketing **règne sur** = **domine** les décisions commerciales.

• Certains metteurs en scène aiment habiller un personnage d'une pièce du XVIIe siècle en vêtements contemporains : c'est **anachronique** = c'est **un anachronisme**, mais **ce décalage dans le temps** est apprécié par certains.

• Le musée du Louvre organise **un cycle** de conférences sur l'art médiéval.

• Le XIXe siècle constitue **l'âge d'or** = **l'apogée** *(= la période la plus riche)* de la littérature russe.

• Lors de son évolution, un enfant passe par différents **stades**, en particulier par **une phase** de développement du langage.

• **Le temps qui m'est imparti** ne me permet pas de traiter ce sujet maintenant.

AMBIANCES, ATMOSPHÈRES

• **L'atmosphère était un peu tendue**, tout le monde « **se regardait en chien de faïence** » : « **Bonjour, l'ambiance** » ! C'était vraiment une ambiance **pourrie*** *(argot)* ! Heureusement, l'apéritif a permis de « **briser la glace** » et de « **réchauffer l'atmosphère** ».

Remarque. Dans la langue moderne, l'expression « bonjour » s'emploie de manière ironique, par exemple : « Bonjour, la politesse ! » *(pour commenter l'attitude de quelqu'un de très impoli).*

• Dans cette entreprise, il y a **une bonne ambiance** : tout le monde s'entend bien. Parfois, même, il y a **une sacrée* ambiance**, tout le monde rit et plaisante. Chez le concurrent, au contraire, il y a **une sale*** *(= très mauvaise)* **ambiance**. Tout le monde aimerait **changer d'atmosphère**, car il est difficile de travailler dans une atmosphère aussi **délétère** *(= affreuse, destructrice).*

• **Le climat** *(= l'atmosphère)* **n'est pas propice** = **ne se prête pas à** la plaisanterie ! Pourtant, en général, Agnès **met de l'ambiance** !

• Dans cette famille maltraitante, les enfants vivent dans **une atmosphère de terreur**. C'est malheureusement **un environnement anxiogène** *(= qui provoque l'anxiété)* pour ces enfants.

• Dans cette exposition, **la musique d'ambiance** cherche à **recréer une ambiance** festive.

EXERCICES

1 Choisissez la bonne réponse.

1. Margot fait de son mieux pour briser | l'ambiance | la glace |.
2. L'ambiance est très mauvaise, elle est | pourrie* | propice |.
3. Romain est très drôle, dans une soirée, il met de | l'atmosphère | l'ambiance |.
4. Je n'aime pas beaucoup cette musique | d'environnement | d'ambiance |.
5. La période que nous vivons est | anachronique | mouvementée |.
6. La découverte de l'électricité a marqué le début d'une | ère | étape | nouvelle.

2 Complétez.

1. Sur cette image censée illustrer la Révolution française, on a dessiné la tour Eiffel, qui a été construite en 1889, c'est vraiment ____________________ !
2. Tous les cousins étaient silencieux et se regardaient en ____________________
3. La Belle Époque a été ____________________ riche du point de vue artistique.
4. Le moment n'est pas ____________________ à la négociation.
5. Malheureusement, il y a un climat ____________________ dans ce quartier défavorisé.
6. Le XVIe siècle a été ____________________ de la peinture à Venise.
7. Le château de Chambord a été construit sous ____________________ de François Ier.

3 Trouvez une autre manière de dire.

1. Le temps dont je dispose est trop bref pour que je puisse aborder ce sujet. ____________________
2. Le Ve siècle avant J.-C. est la plus belle période de l'art grec. ____________________
3. La « communication » est prépondérante en politique. ____________________
4. L'invention de l'imprimerie est un moment important dans l'histoire des techniques. ____________________
5. Le moment n'est pas favorable à une conversation intime. ____________________
6. Xavier a tenté d'améliorer l'atmosphère pendant la réunion. ____________________

4 (54) Écoutez et faites un commentaire.

1. ____________________
2. ____________________
3. ____________________
4. ____________________
5. ____________________

5 À vous ! Répondez librement aux questions par des phrases complètes.

1. Que pensez-vous de la période actuelle ?
2. Que faites-vous quand vous cherchez à briser la glace ?
3. Dans votre culture, quel siècle a été l'apogée du point de vue artistique ou littéraire ?
4. Comment qualifieriez-vous l'atmosphère dans laquelle vous travaillez ?

36 L'AVENIR – LE DESTIN

L'AVENIR ET LES PERSPECTIVES

• Ce jeune politicien a du talent, c'est **un homme d'avenir** : il **est promis à un bel avenir**, sauf si un scandale vient **compromettre ses projets d'avenir**.

• En général, Sophie ne croit pas aux **prédictions**, mais il est vrai qu'on lui **avait prédit qu**'elle deviendrait célèbre. Son passage à la télévision était **un signe avant-coureur** de sa future notoriété.

• Patricia a fait **un rêve prémonitoire**, elle **a eu la prémonition de** = elle **a pressenti** ce qui allait se passer. **Ses** mauvais **pressentiments** se sont révélés justes. Tout le monde dit **qu'elle** « **joue les Cassandre** ».

• Ce projet **est remis** « **aux calendes grecques** » = **au** « **jour où les poules auront des dents** » : ce projet **ne verra jamais le jour**.

Remarques. 1. Cassandre est une princesse grecque qui était dotée du don de prémonition mais que personne ne croyait. **2.** « Les calendes grecques » n'existent pas, puisque les calendes (= les premiers jours du mois) sont romaines.

• La facture sera payée **à brève échéance** = **sous peu** = **d'ici peu de temps**. Comme dit le proverbe, « **mieux vaut tard que jamais** » !

• Les députés parviendront à un accord **à long/moyen/court terme,** mais **il est prématuré de** crier victoire.

• Corentin **n'a aucune vision** pour l'avenir, il « **ne voit pas plus loin que le bout de son nez** » ! Toutes ses décisions sont **à courte vue**.

• Je me doute bien qu'il y aura des licenciements dans notre entreprise. « **Cela nous pend au nez** » = cela va se produire d'ici peu.

• **À la perspective de** devoir renoncer à ses études, Arthur a réagi avec colère, d'autant qu'il avait **des projets** d'indépendance **en perspective**. Il voit désormais **son avenir bouché** !

• Nous **sommes dans l'expectative** : nous restons prudents, dans l'attente d'une réponse. De toute façon, tout **reste en suspens**, puisque nous n'avons aucune certitude.

• Certains livres de science-fiction sont **des romans d'anticipation** : ils annoncent ce qui va se produire.

• Certains partis politiques promettaient « **des lendemains qui chantent** », c'est-à-dire **un avenir radieux**...

EXERCICES

1 Choisissez la bonne réponse.

1. Cette réussite est un signe [avant-coureur] [prémonitoire] de sa brillante carrière.
2. Nous recevrons la réponse à [courte] [brève] échéance.
3. Cela leur pend au [bout du nez] [nez].
4. Ces projets n'ont de valeur qu'à [court terme] [courte vue].
5. Cet économiste n'arrête pas de jouer les [calendes grecques] [Cassandre].
6. C'est une femme [de perspective] [d'avenir].
7. Il a fait un rêve [d'anticipation] [prémonitoire].
8. L'entrepreneur a un chantier en [perspective] [expectative].

2 Complétez.

1. Une astrologue avait __________ à Valentin qu'il deviendrait célèbre. Cette ________ s'est réalisée !
2. Alice avait de mauvais ______________ à propos de ses parents. Elle avait ____________ que quelque chose de désagréable allait leur arriver.
3. Ce projet de rénovation ne verra jamais ______________, il a été remis aux ______________.
4. Personne ne sait quoi faire, toutes les décisions sont en attente, les salariés sont dans ____________.
5. « Malheureusement, ces jeunes gens ont un avenir __________, il n'y a guère d'espoir que leur situation s'améliore. » – Arrête de jouer les ______________________________, tu es trop pessimiste !
6. Les dirigeants de cette entreprise ne voient pas plus loin que ______________ ! Ils n'ont aucune ____________________, aucun projet pour leur société.
7. Cette jeune femme est promise à un bel ______________________________ politique.

3 Trouvez une autre manière de dire.

1. Le maire est arrivé très en retard, mais <u>au moins il est venu</u>. ______________
2. Tu auras une augmentation de salaire ? – Tu plaisantes ! <u>Je ne l'obtiendrai jamais</u> ! ______________
3. Nous recevrons le contrat <u>dans très peu de temps</u>. ______________
4. Il est <u>trop tôt pour</u> considérer que le problème diplomatique est réglé. ______________
5. Un plan de licenciement <u>va se produire, nous le devinons</u> ! ______________
6. Mes grands-parents, militants de gauche, croyaient <u>à un futur heureux</u>. ______________

4 (55) Écoutez et faites un commentaire en privilégiant les expressions imagées.

1. ______________________________
2. ______________________________
3. ______________________________
4. ______________________________
5. ______________________________

LE DESTIN

• C'est Louis qui devait **présider aux destinées** du pays, mais **le sort en a décidé autrement** : il **a connu un destin tragique**, puisqu'il est mort jeune dans un accident. C'est **un bien triste sort** !
• Pour Adèle, « **le hasard a bien fait les choses** ». Grâce à une rencontre **fortuite**, elle est devenue une actrice célèbre. C'est en effet **fortuitement** = **par hasard** que le metteur en scène l'a découverte.
• Certains **se résignent** devant **la fatalité**, ils **acceptent le destin**, sont **fatalistes** : « **c'est la vie** ! », « **c'est comme ça** ! », « **on n'y peut rien** », disent-ils.
• Matthieu **se fie à sa bonne étoile**, car il **est né sous une bonne étoile**, il a toujours eu de la chance dans la vie.
• Cet accident était hélas **inéluctable** = **fatal**, rien ne pouvait l'empêcher.
• Flo lit **son horoscope** : elle croit à **l'astrologie**. Elle aime aussi qu'on **lui tire les cartes** et qu'on **lui lise les lignes de la main** pour lui **prédire** son avenir.
• C'est **la providence** qui nous a envoyé ce nouveau directeur. Nous avons enfin trouvé l'homme **providentiel** qui va nous sortir de ce mauvais pas. **Quoi qu'il advienne**, la situation ne pourra que s'améliorer.
• Certains considèrent que le changement est **irréversible** et que, **dorénavant**, plus rien ne sera comme avant.

LA FILIATION ET LA SUCCESSION

• Paul **marche sur les pas** = **sur les traces de ses** glorieux **ancêtres**. Il **s'inscrit dans le sillage de** ses ancêtres. Rémi, lui, **a suivi la voie** qui était **tracée par** sa famille, il est devenu ingénieur. Il **a hérité des** dons en mathématiques de sa mère.
• Le grand-père se soucie de **sa descendance** = **ses héritiers**. Il a aussi une passion pour la **généalogie**, et il a fait **un arbre généalogique** qui **remonte à** la Révolution.
• Cette œuvre littéraire **est passée à la postérité** : elle a eu **de l'influence** = **de l'impact sur** les jeunes auteurs qui **s'inscrivaient dans la lignée de** l'écrivain.
• Ce grand historien a disparu, mais il **a fait école** : **ses successeurs** = **ses continuateurs prolongeront** ses recherches = **s'inscriront dans son prolongement.** D'ailleurs, la jeune Isabelle, qu'il considérait comme **sa dauphine**, lui **succédera** certainement à l'université.

Remarque. « **Le dauphin** » était l'héritier du trône de France sous l'Ancien Régime.

EXERCICES

1 Les phrases suivantes sont-elles de sens équivalent ?

1. Erwan s'inscrit dans le sillage de sa mère = il suit la voie tracée par sa mère.
2. Cet artiste a fait école = il a eu des successeurs qui l'ont imité.
3. Ce garçon est né sous une bonne étoile = il aime qu'on lui tire les cartes.
4. Cet écrivain a connu un triste sort = il a connu un destin tragique.
5. Ils sont tous médecins, dans cette famille = il s'agit d'une lignée de médecins.
6. Ce phénomène est irréversible = il est providentiel.

2 Trouvez une autre manière de dire. Il faudra parfois reformuler les phrases.

1. C'est la vie ! ____________________
2. Angélique a les mêmes qualités que son père. ____________________
3. Malheureusement, personne ne pouvait empêcher cette guerre. ____________________
4. Ce brillant physicien a eu de nombreux étudiants qui continuent ses recherches. ____________________
5. Lucile fait confiance à sa chance. ____________________
6. Nous avons découvert ce restaurant par hasard. ____________________

3 Complétez.

1. Pierre a fait un arbre ____________________ de toute sa famille.
2. Ce jeune philosophe ____________ dans le ____________________ de son maître.
3. En politique, les Français attendent souvent l'homme ____________________ , qui va présider aux ____________________ du pays et résoudre leurs problèmes.
4. Je suis ravi de vous avoir rencontré aujourd'hui, le ______________ fait bien les ____________ !
5. Comme Yves est passionné d'astrologie, il lit son ____________________ tous les jours.
6. Cette déclaration faite par le roi est passée à ____________________.

4 (56) Écoutez et faites des commentaires.

1. ____________________
2. ____________________
3. ____________________
4. ____________________
5. ____________________

5 À vous ! Répondez librement aux questions par des phrases complètes.

1. Avez-vous hérité de certains talents de vos parents ? Lesquels ?
2. Avez-vous suivi la voie tracée par votre famille ?
3. Le fatalisme fait-il partie de votre personnalité ?
4. Avez-vous vécu des situations dans lesquelles le hasard a bien fait les choses ?
5. Quels personnages importants de votre culture ont eu un destin tragique ?

37 LA VIE ET LA MORT

LA VIE

• La sage-femme **met au monde** les bébés qui **naissent**.
• Fragonard **voit le jour** *(style littéraire)* le 5 avril 1732 à Grasse. **Il a passé toute son existence** à peindre.
• Je ne sais pas si monsieur Lemonnier **est encore en vie**, mais la dernière fois que je l'ai vu, il « **coulait des jours heureux** » dans sa campagne.
• « **Tant qu'il y a de la vie, il y a de l'espoir** », dit le proverbe.
• Je **dois la vie à** Ludovic ! Il **m'a sauvé la vie**, **à ses risques et périls** = **au péril de sa vie**.
• Dans ce monde cruel, **c'est la lutte pour la vie** !
• Odilon **menait une double vie** : il était employé de bureau et trafiquant de drogue ! Franchement, « **ce n'est pas une vie** » *(= cette vie est dure)* !
• Armelle a divorcé, mais elle a **refait sa vie** *(= elle a retrouvé un compagnon).*
• Isabelle **a surmonté** sa maladie = elle **est venue à bout de** sa maladie, elle **revit** ! C'est **une renaissance** = **une véritable résurrection** !
• Nina a eu **une longévité** exceptionnelle, elle a vécu jusqu'à l'âge de 105 ans.
• Léonard **a survécu à** une catastrophe, il était l'un des **survivants**.
• **L'instinct de survie** est profond chez l'homme.

LES ÉPREUVES DE LA VIE

• Zoé **végète** dans son emploi ennuyeux, elle **s'y encroûte*** *(argot)*, elle **vivote**, c'est triste !
• « **La vie n'est pas un long fleuve tranquille** » ! Lucie **a eu une vie remplie** mais **difficile** = **sa vie n'a pas été une sinécure**. Elle **a vécu des malheurs** = elle « **en a bavé*** » *(argot)* = elle « **en a vu des vertes et des pas mûres*** » = elle « **en a vu de toutes les couleurs** ». Heureusement, elle a montré un courage **à toute épreuve** dans **l'adversité**, elle a pu **surmonter toutes les épreuves**.
• Jacques a des difficultés matérielles, il « **bouffe* de la vache enragée** » *(argot)*. Il est obligé de « **vivre au jour le jour** » *(= difficilement et sans projet).*
• Simon est malade, il **vit** « **un vrai calvaire** » = il « **porte sa croix** » = c'est « **un chemin de croix** », je **le plains de tout mon cœur**.
• « Cher ami, vous êtes **en train de vivre / passer une dure épreuve** » *(= un deuil).*

EXERCICES

1 Choisissez le ou les terme(s) possible(s).

1. Ils ont vécu [un calvaire] [des épreuves] [une croix] [des malheurs].
2. Ce cinéaste a eu une [renaissance] [longévité] [survie] [épreuve] exceptionnelle.
3. Ce couple [en a bavé*] [est venu à bout] [a sauvé la vie] [en a vu de toutes les couleurs] pendant cette période difficile.
4. Le poète voit [la vie] [le jour] [l'épreuve] [la longévité] en 1821.
5. Nous [sauvons] [surmontons] [plaignons] [portons] nos amis de tout notre cœur.
6. Le vieux monsieur [passe] [végète] [vivote] [surmonte] dans une maison de retraite.

2 Les phrases suivantes sont-elles de sens équivalent ?

1. Louise doit la vie à Benoît = elle a sauvé la vie de Benoît.
2. Emma a surmonté cette épreuve = elle est venue à bout de cette épreuve.
3. La vie d'Agathe n'est pas une sinécure = c'est une renaissance pour Agathe.
4. Charline mène une double vie = elle a refait sa vie.
5. Jacques porte sa croix = Jacques vit un calvaire.
6. Nathan les a aidés au péril de sa vie = il les a aidés à ses risques et périls.

3 Complétez.

1. Adrienne était en danger, mais les pompiers lui ______________________ la vie !
2. Ma voisine apparemment sans histoire ______________________ une double vie.
3. Coline a eu de la chance, elle ______________________ au naufrage de son bateau.
4. Nous sommes certains que vous ______________________ ces épreuves. Courage !
5. Après son veuvage, Anatole ______________________ sa vie, il s'est remarié.
6. Chloé vit difficilement, au jour ______________________.
7. Geneviève ______________________ toute sa vie dans le Jura.

4 Trouvez une autre manière de dire.

1. Gisèle <u>a vécu une très longue vie</u>. ______________________
2. Daniel <u>a de graves difficultés matérielles</u>. ______________________
3. Henri <u>vit une situation très pénible</u>. ______________________
4. Albert Camus <u>est né</u> en Algérie en 1913. ______________________
5. Notre vieux voisin est <u>toujours vivant</u>. ______________________
6. Ce couple de retraités <u>vit des moments</u> heureux au bord de l'océan. ______________________

5 À vous ! Répondez librement aux questions par des phrases complètes.

1. Que pensez-vous de l'expression « la vie n'est pas un long fleuve tranquille » ?
2. Connaissez-vous des personnes ayant une longévité exceptionnelle ?
3. Vous est-il arrivé de sauver la vie de quelqu'un ? Ou d'avoir la vie sauvée par quelqu'un ?

• En ce moment, Cédric est « **dans une mauvaise passe** » = « **dans le creux de la vague** ». C'est **un passage à vide**, tout le monde espère que cela ne durera pas. Pourtant, « **à quelque chose, malheur est bon** » : tous ses amis s'occupent de lui.
• Pendant plusieurs années, cette femme politique n'a eu aucune fonction et personne ne parlait d'elle. Cette « **traversée du désert** » a été **éprouvante**.
• Denis **est** « **dans le pétrin*** » *(argot)* = « **dans la panade*** » *(argot)* = « **dans la merde*** » *(argot),* son entreprise est au bord de la faillite.
• Cet adolescent « **file un mauvais coton** » = il est **sur la mauvaise pente** : il n'étudie pas, il touche à la drogue… Il risque de **mal tourner** : il **lui arrivera malheur**, s'il continue ainsi !
• L'orage de grêle a détruit la récolte : c'est « **un coup* dur** » = « **un sale coup** » *(argot)* pour les agriculteurs.

LA MORT

• « **S'il m'arrive quelque chose** » *(= si je meurs),* voici **mon testament**, où sont écrites **mes dernières volontés**.
• Ce roman est « **le chant du cygne** » de l'écrivain, **son testament littéraire**.
• On a retrouvé sur la plage **le corps sans vie** de la vieille dame.
• Depuis son accident, Yann est **entre la vie et la mort** = « **à l'article de la mort** » = **n'en a plus pour longtemps. Sa vie** « **ne tient qu'à un fil** », il risque de **succomber à ses blessures**.
• La journaliste **a péri** = elle **a perdu la vie** = elle **a trouvé la mort** dans l'exercice de son métier. Elle faisait un reportage sur une guerre et malheureusement, elle « **y est restée*** ».
• On annonce **la disparition = le décès** de monsieur Poirier. Il est **mort de sa belle mort** = il **s'est éteint** paisiblement (≠ il est **mort de mort violente**). Il a été **inhumé** = **enterré** dans son village natal. Tout le village, qui a assisté **aux obsèques** = **à l'enterrement**, est **en deuil** = **endeuillé**. Une voisine, aussi **décédée**, **a été incinérée** et **ses cendres ont été répandues** dans la mer.
• Romain Gary **s'est donné la mort** = **a mis fin à ses jours** = **s'est suicidé** en décembre 1980.
• L'ancien ministre, décédé, a eu droit **aux honneurs militaires**. Certains personnages importants, comme Aimé Césaire, ont eu **des funérailles nationales**.

EXERCICES

1 **Choisissez le ou les terme(s) possible(s).**

1. Le diplomate a | perdu | rencontré | trouvé | la mort dans un accident d'hélicoptère.
2. Mes voisins sont dans | une mauvaise passe | le pétrin* | la vie et la mort |.
3. La presse annonce | la disparition | les dernières volontés | le coup* dur | de ce grand peintre.
4. La victime du meurtrier | s'est éteinte | a succombé à ses blessures | est morte de sa belle mort |.
5. Nous sommes allés | aux obsèques | au deuil | à l'enterrement | de notre vieux voisin.
6. Ces deux adolescents filent | la mauvaise pente | un mauvais coton | la vie |.
7. La famille lit | le testament | la traversée du désert | les dernières volontés | du grand-père.

2 **Trouvez une autre manière de dire.**

1. Bénédicte est dans une situation dangereuse, où elle risque sa vie ! ______
2. Si mon père meurt, qui s'occupera de ma vieille mère ? ______
3. Quand on a une entreprise, on peut se trouver dans un moment un peu difficile. ______
4. Le vieux monsieur est mort paisiblement dans sa maison. ______
5. Plusieurs grands écrivains se sont suicidés. ______
6. Tout n'est pas négatif, dans cette situation ! ______
7. Certains de mes élèves se conduisent mal, je suis inquiet pour eux. ______
8. Cette sonate est la dernière et plus belle œuvre du compositeur. ______
9. Mon vieux chien ne va pas vivre très longtemps. ______

3 **Complétez.**

1. Le patient est ______ la vie et la mort.
2. Les journaux annoncent ______ de cette grande cantatrice.
3. Le départ de ce collaborateur est ______ dur pour l'entrepreneur.
4. Nous sommes sous le choc, notre collègue ______ la mort dans un accident de voiture.
5. Maxime assiste aux ______ de sa grand-tante, qui est ______ il y a quelques jours.
6. Le notaire donnera lecture du ______ de la vieille dame, dont les dernières ______ doivent être respectées à la lettre.

4 57 **Écoutez et commentez les situations en employant des expressions imagées présentées dans l'ensemble du chapitre.**

1. ______
2. ______
3. ______
4. ______
5. ______

38 LES BEAUX-ARTS

On distingue **les beaux-arts** et **les arts décoratifs** = **arts appliqués** (meubles, tissus, bijoux, vaisselle…).

LES GENRES ET LES STYLES

• Les **genres** de peinture dépendent **du sujet** représenté : **la scène religieuse, la peinture d'histoire** (qui **représente** des **scènes historiques**), **la nature morte** (qui **figure** des objets quotidiens), **la peinture/scène de genre** (qui montre des activités quotidiennes), **le paysage, le nu, le portrait, l'allégorie**… L'artiste peut être **un peintre d'histoire**, **un portraitiste**, **un peintre de genre**, **un paysagiste**…
• Le style est **académique** = **conventionnel** ou, au contraire, **d'avant-garde**.
• **Le rendu** d'un objet est parfois **réaliste** ou, au contraire, **stylisé** < **idéalisé**.

LA VIE DES ŒUVRES D'ART

• Les œuvres d'art, les biens culturels, constituent **le patrimoine** d'un pays. En France, les monuments les plus importants sont « **classés monuments historiques** » et sont donc **protégés** et **entretenus**.
• **Les œuvres d'art subissent le passage du temps** et **le vieillissement**. Elles **se dégradent** = **se détériorent**. Il faut donc les **restaurer** pour remédier à **leur dégradation** = **détérioration**.
• **Le restaurateur** s'occupe de **la restauration** de l'œuvre **altérée** par le temps. Il la **nettoie, retouche** = **effectue des retouches**, en particulier quand la peinture est **écaillée** = **endommagée** = **abîmée**. **L'intervention** sera plus ou moins importante.
• **Un conservateur** gère **la conservation** et **la présentation** des œuvres au public, dans **les collections permanentes** du musée et grâce à des **expositions temporaires**.
• **Un mécène** soutient financièrement les artistes. Il pratique **le mécénat**. **Un donateur** peut **faire don de** sa collection **à** un musée : il fait **une donation**.
• Cet artiste voit **sa cote** (financière) augmenter : l'artiste est **coté**. Dans **une vente aux enchères**, **le commissaire-priseur estime** et **adjuge** les œuvres.
• Les œuvres peuvent être vendues par **un marchand d'art** et **acquises** par **un collectionneur** ou un musée.
• Des **faussaires** mettent des **faux** *(= de fausses œuvres)* **sur le marché de l'art**.
• Les experts doivent **authentifier** une œuvre, qui, si elle n'est pas **signée**, **sera attribuée** à un artiste. **L'authentification** et **l'attribution** sont parfois délicates.

EXERCICES

1 Choisissez le ou les terme(s) possible(s).

1. Le tableau est [détérioré] [authentifié] [appliqué] [attribué].
2. [Le paysage] [le portraitiste] [la nature morte] [l'avant-garde] est un genre de peinture.
3. Sur le marché de l'art, on trouve des [faux] [enchères] [restaurations] [œuvres d'art].
4. Les monuments historiques sont [vendus] [protégés] [entretenus] [adjugés].
5. Le collectionneur [acquiert] [adjuge] [signe] [fait don de] certains tableaux.
6. Le restaurateur [nettoie] [écaille] [intervient] [retouche] un tableau.

2 Complétez par le genre de peinture approprié.

1. Ce tableau représente un gobelet, quelques pommes et un saladier. C'est ____________________
2. Ce marchand florentin a voulu que le peintre immortalise son visage. C'est ____________________
3. Au premier plan, on voit un chemin qui passe à travers champs. C'est ____________________
4. Ce tableau représente une bataille qui a opposé les Espagnols aux Hollandais, au XVIIe siècle.
C'est ____________________
5. Ce tableau représente le concept de la liberté. C'est ____________________
6. Le tableau représente une femme en train de verser du lait dans un pot. C'est ____________________

3 Vrai ou faux ?

	VRAI	FAUX
1. Un mécène possède généralement des collections permanentes.	❑	❑
2. *La Joconde* de Léonard de Vinci est classée monument historique.	❑	❑
3. Les œuvres d'art peuvent se dégrader.	❑	❑
4. L'œuvre a été authentifiée comme fausse.	❑	❑
5. Un style académique est trop conventionnel.	❑	❑
6. Le commissaire-priseur s'occupe des expositions temporaires.	❑	❑
7. Le restaurateur retouche un tableau endommagé.	❑	❑

4 Trouvez une autre manière de dire.

1. Cette statue s'est dégradée avec le temps. ____________________
2. Ce grand collectionneur a donné sa collection au musée. ____________________
3. Le style de ce tableau est très conventionnel. ____________________
4. Cette peinture est endommagée. ____________________
5. Ces statuettes ont été achetées par un collectionneur. ____________________
6. Le style de ce tableau se rapproche de la réalité. ____________________

5 À vous ! Répondez librement aux questions par des phrases complètes.

1. Le patrimoine de votre pays est-il protégé ? Entretenu ? De quelle manière ?
2. Votre pays encourage-t-il le mécénat ? Certains mécènes sont-ils connus ?
3. Certains collectionneurs ont-ils fait don de leur collection à votre pays ?

PEINDRE

• Avant de peindre, l'artiste effectue **une ébauche**, **une esquisse**, **un croquis**, **un dessin préparatoire** de son œuvre. Il **ébauche** = **esquisse** = **dessine les grandes lignes de la composition** et **les contours** des personnages.
• Le peintre **badigeonne le support** avec **un enduit**. Ensuite, **il peint son œuvre au pinceau**, **à la brosse** ou **au couteau**. On distingue alors **la touche** = **le coup de pinceau** du peintre, qui **procède par petites touches** ou au contraire, **à larges traits**.
• Une peinture **murale** (≠ **peinture de chevalet**) est souvent **une fresque**.
• **Un tableau** a comme support **le bois** ou **la toile**. On peut aussi peindre **sur métal**, **sur porcelaine**, **sur soie**… Il est possible de peindre **à l'huile**, **à l'aquarelle**, **à la détrempe**, **à la gouache** ou, plus récemment, **à la peinture acrylique**.
• Le tableau est **encadré** : **son cadre** en bois a été fabriqué au XIXe siècle.
• **Les manuscrits médiévaux** étaient **enluminés** ; **les enluminures** = **les miniatures** sont de véritables tableaux. On peut en admirer **un détail**.
• Les peintres impressionnistes peignaient **d'après nature** = **sur le motif** (≠ **en atelier**).
• George de La Tour est connu pour **le modelé** = **le rendu** = **le traitement des chairs**, grâce **au clair-obscur**. Le peintre **traite** souvent des sujets humbles.

• Sur **cette peinture en trompe-l'œil**, **le rendu de la perspective** provoque **une illusion** proche du **mirage**.

• Ce « **peintre du dimanche** » est très mauvais, il **a barbouillé*** sa toile de toutes les couleurs. C'est vraiment du **barbouillage*** !

EXERCICES

1 **Choisissez le ou les terme(s) possible(s).**

1. Degas a [badigeonné] [dessiné] [enluminé] une ébauche de son tableau.
2. Les impressionnistes sont connus pour leur [trompe-l'œil] [touche] [chevalet].
3. Nous avons vu une exposition présentant des [enluminures] [aquarelles] [miniatures] extraites de manuscrits du xve siècle.
4. Pissarro aimait peindre [sur] [en] [d'après] le motif.
5. Fra Angelico a réalisé de magnifiques [gouaches] [fresques] [enluminures] sur les murs de son couvent.
6. L'artiste effectue une [touche] [esquisse] [enluminure] de son tableau.

2 **Les phrases suivantes sont-elles de sens équivalent ?**

1. L'artiste a placé son chevalet au bord de la rivière = l'artiste peint donc sur le motif.
2. Il a placé un enduit sur la toile = il commence une fresque.
3. L'artiste effectue un croquis = il est en train de dessiner.
4. Ce peintre a barbouillé* sa toile = il l'a badigeonnée avec un enduit.
5. L'artiste peint à petites touches = il se sert donc d'un pinceau.
6. Le peintre travaille à l'huile = il fait de la peinture murale.

3 **Trouvez une autre manière de dire.**

1. Une fresque est <u>peinte sur le mur</u>. ____________________
2. Nous reconnaissons bien <u>le coup de pinceau</u> de Delacroix. ____________________
3. Ce manuscrit médiéval contient de belles <u>miniatures</u>. ____________________
4. Julien est <u>un mauvais peintre amateur</u>. ____________________
5. On a retrouvé <u>un dessin préparatoire</u> effectué par l'artiste. ____________________
6. Ce peintre aimait beaucoup peindre <u>à l'extérieur</u>. ____________________
7. Ce petit garçon s'amuse à <u>peindre, mais très mal,</u> un bateau. ____________________
8. Nous admirons <u>le traitement des chairs</u> de ce peintre. ____________________

4 **Complétez.**

1. Cet artiste ____________________ souvent les mêmes thèmes.
2. J'ai cru qu'il y avait une fenêtre, mais en fait, c'était un ____________________ peint sur le mur !
3. Je dois __________ ce tableau pour le mettre en valeur : j'ai choisi __________ très sobre en bois.
4. Ce manuscrit médiéval est ____________________, il est splendide.
5. C'est le clair-obscur qui permet d'obtenir un tel ____________________.
6. Le ____________________ de la perspective est particulièrement réussi.
7. L'artiste a peint ce paysage à larges ____________________.
8. Le peintre ____________________ d'abord les grandes lignes de sa composition.

LA COULEUR

• La couleur est constituée de différents **pigments**. Elle peut être **chaude** (≠ **froide**), **lumineuse** (≠ **éteinte**), **soutenue** (≠ **délavée**, **passée**), **brillante** = **éclatante** < **étincelante** (≠ **terne**).
• Le fond du tableau est d'un bleu **clair** = **pâle** (≠ **intense**, **profond**, **vif**)...
• Ce peintre affectionne **les teintes** / **les tons pastel** = **doux** *(comme dans la technique du pastel).*
• Cet artiste emploie **une palette** = **une gamme de couleurs** diverses, et parfois **un dégradé** = **un camaïeu de couleurs**.
• Un tissu peut être **monochrome** *(= d'une seule couleur)* ou, au contraire, **polychrome** = **multicolore**. Si le mélange est fantaisiste, le tissu est **bigarré** = **chamarré** = **bariolé**.
• Les couleurs correspondent souvent à des objets naturels : **jaune citron**, jaune **d'or**, jaune **safran**, jaune **soufre** ; **gris ardoise**, gris **perle** ; **vert jade**, vert **tilleul**, vert **olive**, vert **émeraude** ; **rouge coquelicot**, rouge **cerise**, rouge **sang** ; **bleu nuit**, bleu **marine**, bleu **outremer** ; **noir d'encre**, noir **d'ébène**, noir **de jais** ; **blanc de neige**...
• Cette boutique vend des pulls de toutes les couleurs : **abricot**, **bordeaux**, **brique**, **chocolat**, **crème**, **corail**, **framboise**, **lavande**, **moutarde**, **rouille**, **sable**, **saumon**, **turquoise**...
• Le bilan du ministre est « **en demi-teintes** » *(mi-positif, mi-négatif).*

LA LUMIÈRE

• La lumière peut être **vive** < **aveuglante** < **éblouissante** (≠ **faible**, **pâle**), **crue**, **dure** (≠ **douce**, **diffuse**, **tamisée**, **voilée**), **blafarde** (= *blanche et triste).*
• On distingue **l'éclairage d'une bougie, d'une chandelle, d'un cierge, d'un flambeau, d'une torche, d'une lanterne, d'un lustre, d'un phare, d'une lampe, d'un réverbère / lampadaire, d'un projecteur**...
• On remarque aussi la lumière **de l'aurore** *(le matin)* (≠ **du crépuscule**).
• Dans ce tableau, le visage d'une femme apparaît **en pleine lumière** tandis que celui d'un homme reste **dans la pénombre** = **le demi-jour**.
• Le personnage **tourne le dos à la lumière**, **se détache** = **se découpe en silhouette** / **en ombre chinoise** = **à contre-jour**.

EXERCICES

1 Choisissez le ou les terme(s) possible(s).

1. La jeune femme porte une robe jaune | d'or | ardoise | safran | moutarde |.
2. Cette bougie fait une lumière | aveuglante | douce | pâle | éblouissante |.
3. L'écharpe est bleu | turquoise | nuit | bordeaux | outremer |.
4. Observez | cette gamme | ce dégradé | ce camaïeu | ces tons | de couleurs.
5. Le matin, nous regardons la lumière | du crépuscule | de l'aurore | éblouissante | de la pénombre |.

2 Trouvez une autre manière de dire.

1. Cette écharpe est <u>de multiples couleurs joyeuses</u>. ______________________
2. Éline aime les tons <u>doux</u>. ______________________
3. La couleur de ce tissu est <u>passée</u>. ______________________
4. La lumière à l'intérieur de ce bureau administratif est <u>blanche et triste</u>. ______________________
5. De légers nuages provoquent une lumière <u>atténuée</u>. ______________________
6. Le coquelicot est une fleur d'un rouge <u>intense</u>. ______________________
7. Dans ce film historique, une personne se déplace, <u>une énorme bougie</u> à la main. ______________________
8. Ne reste pas dans <u>le demi-jour</u>, allume la lampe ! ______________________

3 Complétez.

1. Ce tissu ______________________ apporte une touche joyeuse et lumineuse à l'appartement.
2. Le soleil est en face et les passants ______________________ en ombre chinoise.
3. Dans sa cellule, le prisonnier restait dans ______________________, il n'y voyait presque rien.
4. Je ne peux pas regarder le soleil en face, la lumière est ______________________ !
5. Les couleurs de cette pièce sont ______________________, elles sont neutres et tristes.

4 (58) Écoutez et dites si les phrases sont vraies ou fausses

1. Il s'agit d'une peinture murale.
2. Le tableau a été restauré.
3. La peinture est polychrome.
4. La jeune femme est représentée à contre-jour.
5. Il s'agit d'un camaïeu de verts.
6. C'est un faussaire qui a réalisé la toile.
7. Il s'agit d'une esquisse.

5 À vous ! Répondez librement aux questions par des phrases complètes.

1. Quel est votre rapport à l'art ? En pratiquez-vous un ? Êtes-vous amateur d'art ? Vous rendez-vous souvent dans des musées, des expositions ?
2. Pouvez-vous décrire la lumière et les couleurs que vous observez dans l'espace où vous vous trouvez actuellement ?

39 L'ARCHITECTURE

L'URBANISME

• **Un urbaniste** s'occupe du **cadre de vie**, du **développement urbain et** de **l'aménagement du territoire**. Cela implique de travailler sur **l'habitat**, mais aussi sur **les équipements publics (le réseau d'eau potable**, **l'assainissement**, **les égouts, l'éclairage**…) et **la voirie** (les rues, les avenues, etc.).
• Une ville française comprend différents quartiers : **un quartier résidentiel** (≠ un quartier **d'affaires**) ; « **les beaux quartiers** » *(privilégiés socialement)* (≠ les quartiers **populaires**) ; un quartier **neuf** (≠ **ancien**).
• **La mobilité** et **la lutte contre la pollution** exigent le développement **des transports publics** et **leur accessibilité**, y compris pour **les handicapés**.
• Les bâtiments modernes sont souvent **des gratte-ciel** = **des tours**, de très grande hauteur. **Le gigantisme** est d'ailleurs une tendance actuelle, puisque les gratte-ciel sont **gigantesques** : ils font des centaines de mètres de haut.
• **Le paysagiste** fait du **paysagisme**, il s'intéresse aux **espaces verts** : il conçoit **un jardin public**, **un parc** ou **un** simple **square** ①.

①

• **Le mobilier urbain** est constitué par **les lampadaires**, **les bancs publics**, **les fontaines** ②, **les arrêts de bus**, etc.

②

• Grégoire habite dans **l'agglomération** de Lyon *(l'ensemble urbain composé de Lyon et de* **sa proche banlieue** = **ses faubourgs**).
• À **la périphérie** des **métropoles** se développent **les cités-dortoirs**, qui sont peu animées dans la journée et où **les banlieusards** *(= les habitants de la banlieue)* ne vivent que pour y dormir. « **Les cités** » désignent aussi les immeubles habités par **des immigrés** pauvres.
• **Le logement social**, et en particulier **les HLM** *(habitation à loyer modéré)* permettent aux plus **démunis** de **se loger décemment**, car ils souffrent du « **mal-logement** » : habitations **délabrées** *(≠ solides)*, **insalubres** (≠ **salubres** = **saines**).
• Quand un bâtiment ou un quartier sont **dégradés** = **en mauvais état**, **une rénovation urbaine** = **une réhabilitation** s'impose.

EXERCICES

1 Choisissez le ou les terme(s) possibles.

1. Le quartier est [rénové] [résidentiel] [public] [insalubre].
2. Ils habitent dans un logement [urbain] [social] [délabré] [public].
3. Il est important de favoriser [la réhabilitation] [l'accessibilité] [la pollution] [l'équipement] des transports.
4. Le paysagiste s'intéresse aux [métropoles] [espaces verts] [parcs] [faubourgs].
5. Les [bancs publics] [fontaines] [HLM] [égouts] constituent le mobilier urbain.

2 De qui ou de quoi parle-t-on ?

1. Cela désigne la ville et sa banlieue. ____________________
2. C'est lui qui travaille sur le développement urbain. ____________________
3. C'est là que se trouvent tous les bureaux des entreprises. ____________________
4. Cette jeune femme va concevoir un square dans ce quartier. ____________________
5. Ils habitent dans des HLM. ____________________
6. Les bancs publics ou les arrêts de bus en font partie. ____________________
7. C'est un petit jardin public, entouré d'une grille. ____________________

3 Vrai ou faux ?

	VRAI	FAUX
1. Les banlieusards habitent dans les faubourgs d'une ville.	❑	❑
2. Une cité-dortoir est un quartier populaire.	❑	❑
3. Un appartement insalubre ne permet pas de se loger décemment.	❑	❑
4. Les beaux quartiers doivent être réhabilités.	❑	❑
5. Les privilégiés habitent dans les cités.	❑	❑
6. Une habitation délabrée est en très mauvais état.	❑	❑

4 Complétez.

1. Pour être bue, l'eau doit être ____________________.
2. Les personnes les plus ____________________ sont logées dans des HLM.
3. Les rues sont éclairées par des ____________________.
4. L'agglomération de Marseille comprend la ville et ____________________.
5. Un ____________________ de 300 mètres de haut va être construit dans ce quartier moderne.

5 À vous ! Répondez librement par des phrases complètes.

1. Dans quel environnement urbain habitez-vous / travaillez-vous ?
2. Quelles solutions de logement votre pays a-t-il adoptées pour les personnes les plus démunies ?
3. Dans votre région/ville, construit-on de nouveaux espaces verts ?
4. Quelle est la place des transports publics dans votre région/ville ?
5. Votre pays possède-t-il des gratte-ciel ?

LA CONSTRUCTION

• Henri IV a été un roi **bâtisseur** qui a fait **bâtir** = **construire** = **édifier** de nombreux **bâtiments** = **édifices**, dont **la construction** a continué après sa mort.
• Au Moyen Âge, la plupart des villes étaient **fortifiées** : **des remparts** = **des fortifications** les entouraient pour les protéger.

• Avant de construire un bâtiment, on s'occupe **des fondations** qui en assureront **la stabilité**. Ensuite, on bâtit **le gros œuvre** *(= la structure générale)*, puis on s'occupe **des finitions**. Tout cela nécessite l'installation d'**un échafaudage** ① et peut-être d'**une grue** ②.
• Divers **corps de métier** participent **au chantier** : **un charpentier** pose **la charpente** et **les poutres** ③ en bois ou en métal, **un maçon** ④ fait de **la maçonnerie** ⑤, **un électricien** s'occupe des **circuits électriques**, **un plombier** installe **la plomberie**, **un carreleur** pose **le carrelage**...

• Sur la place de la Bastille, on **a érigé une colonne** qui est placée sur **un socle** = **un piédestal** = **un soubassement** = **une base**.
• Le long de cette route vertigineuse, on a placé **un parapet** = **un garde-fou** pour éviter les accidents.
• Dans un aéroport, les passagers passent sous **un portique** de détection des métaux.

LA DÉMOLITION

• Pendant la rénovation de notre maison, nous avons décidé d'**abattre** = **casser un mur** et **une cloison** *(séparation entre deux pièces)*.
• Cette vieille **baraque*** *(= maison)* **tombe en ruine**, elle va **être démolie**, la **démolition** commencera le mois prochain et permettra de **dégager** la deuxième maison que l'on ne voyait pas avant.
• Les guerres occasionnent **des destructions**, de nombreux monuments **sont détruits**. Certaines villes ont malheureusement **été rasées** *(= intégralement détruites)* par des bombardements. On retrouve des objets dans **les décombres** des bâtiments.

EXERCICES

1 Choisissez la bonne réponse.

1. Vous devez passer sous le [porche] [portique] de détection des métaux.
2. Les poutres sont posées par le [maçon] [charpentier].
3. Le peintre en bâtiment monte sur [l'échafaudage] [le parapet] pour peindre les murs.
4. On a décidé d' [abattre] [ériger] cette cloison inutile.
5. Plusieurs corps de [chantier] [métier] travaillent à la construction de cet immeuble.
6. La colonne est placée sur un [garde-fou] [soubassement].
7. On a [rasé] [bâti] ce quartier délabré pour construire de nouveaux immeubles.

2 Les phrases suivantes sont-elles de sens équivalent ?

1. Il faut ajouter un parapet à la route = les bords de la route ne sont pas encore protégés.
2. Les fondations ne sont pas commencées = le bâtiment n'est pas stable.
3. Des remparts entourent le village = le village est fortifié.
4. Il faudra abattre cette cloison = il faudra raser la baraque*.
5. Le chantier n'est pas fini = le gros œuvre n'est pas fini.
6. Le socle de la colonne est installé = le soubassement de la colonne est placé.
7. Le carreleur est au travail = on commence le gros œuvre.

3 Trouvez une autre manière de dire.

1. La maison a été <u>complètement détruite</u>. ____________________
2. <u>La base</u> de la colonne est sculptée. ____________________
3. La ville était entourée de <u>fortifications</u>. ____________________
4. Nous avons l'intention de <u>détruire</u> ce mur de jardin tout abîmé. ____________________
5. Heureusement qu'il y a <u>un parapet</u> le long de cette route de montagne ! ____________________
6. Ce château a été <u>construit</u> à la Renaissance. ____________________
7. On a retrouvé des documents dans les <u>ruines</u> du bâtiment. ____________________
8. Ils vont <u>casser</u> la cloison entre la cuisine et la salle de séjour. ____________________

4 Complétez.

1. Le ____________________ va poser des poutres en bois.
2. Un ____________________ permettra aux ouvriers de travailler en hauteur.
3. Le mur va être monté par un ____________________, spécialiste de ce type de ____________________.
4. Malheureusement, ce château du XIIIe siècle ____________________ en ruine.
5. La peinture intérieure fait partie des ____________________ quand on construit une maison.
6. Ce sont les solides ____________________ qui assurent la stabilité du bâtiment.
7. Une colonne a été ____________________ au centre de la place.
8. C'est un ____________________ qui va installer les tuyaux de la salle de bain.

L'ARCHÉOLOGIE

• **Un archéologue** travaille **sur un chantier de fouilles** : il **fouille un site archéologique**. Après **des investigations**, il **creuse le terrain** *(= fait des trous)*, puis **exhume** = **dégage** = **met au jour des vestiges** de construction, qui permettront de **reconstituer** un bâtiment. **La reconstitution** s'appuie sur les **découvertes** archéologiques et permet aussi **la datation** du site = de **dater** le site.

• Parfois, l'archéologue **trouve des ossements**, **des pièces de monnaie**, **des bijoux**, **de la céramique**, **des statues**, **des mosaïques**, souvent à l'état de **fragments**. Il **collecte** et **analyse ces données**, qui **témoignent de** = **attestent** = **prouvent** la présence d'une population sur ce site.

• L'archéologie est une activité **pluridisciplinaire**, qui implique divers scientifiques : **les paléontologues** (qui étudient **les fossiles**), **les géologues** (qui étudient l'**écorce terrestre**), **les linguistes**, **les anthropologues**, **les historiens**…

• **Les épigraphistes déchiffrent des inscriptions** en latin, en grec… **Le déchiffrement** est parfois difficile, car le texte est souvent **fragmentaire** *(= incomplet)* et/ou **effacé**.

• L'archéologie peut être **sous-marine**, quand on fouille par exemple **l'épave d'un navire**, ou **aérienne** quand des vues d'avion permettent de repérer des **traces** intéressantes et de guider **la prospection** et **le repérage**.

LES TEMPLES ANTIQUES

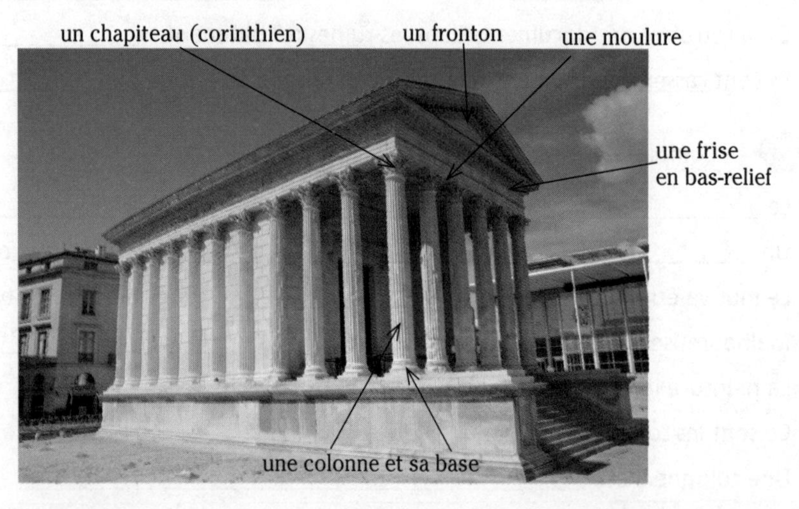

• Aux XIXe et XXe siècles, on a construit de nombreux bâtiments **néo-classiques** *(= qui imitent le style antique)*.

EXERCICES

1 Choisissez le ou les terme(s) possible(s).

1. Jean-Michel [collecte] [fouille] [prouve] un site archéologique.
2. Arlette a trouvé des [vestiges] [découvertes] [fragments] sur ce site.
3. L'archéologie peut être [aérienne] [archéologique] [sous-marine].
4. Nous devrons [reconstituer] [collecter] [analyser] les données.
5. Ces fragments aideront à [la datation] [la reconstitution] [l'inscription] du bâtiment antique.
6. Les archéologues ont [dégagé] [attesté] [exhumé] la base d'une statue gallo-romaine.
7. Ces vestiges [attestent de] [reconstituent] [prouvent] l'existence d'un sanctuaire.
8. Avant de fouiller, on procède [à la reconstitution] [au repérage] [à la datation] du site.

2 De quoi parle-t-on ?

1. Elle peut être terrestre, aérienne ou sous-marine. ____________
2. Elles seront collectées et analysées. ____________
3. L'archéologue les exhume. ____________
4. Elles doivent être déchiffrées. ____________
5. Il va être fouillé. ____________
6. Ils seront étudiés par les paléontologues. ____________
7. Il est difficile si le texte est effacé. ____________

3 Complétez.

1. On a retrouvé ____________ de ce bateau du XVIIe siècle, qui avait fait naufrage.
2. Loïc a visité des ____________ grecs dédiés à différentes divinités.
3. Récemment, les archéologues ____________ les fondations d'une villa romaine.
4. Ces ____________ en latin permettent de dater le site du IIe siècle après J.-C.
5. Ces vases de céramique ____________ la présence d'une tombe grecque.
6. L'inscription a été ____________ par un(e) ____________.

4 Trouvez une autre manière de dire.

1. Amélie est parvenue à <u>lire</u> cette inscription en grec. ____________
2. On va faire des fouilles <u>sous la mer</u>. ____________
3. Les archéologues ont <u>exhumé</u> des fragments de tombes romaines. ____________
4. <u>Les restes du bateau</u> vont être dégagés. ____________
5. Ce bâtiment est <u>une imitation de l'art classique</u>. ____________
6. On a retrouvé des <u>morceaux</u> d'une statue romaine. ____________

5 À vous ! Répondez librement par des phrases complètes.

1. Votre pays organise-t-il des fouilles archéologiques ? Quel genre de site est fouillé ?
2. Connaissez-vous des bâtiments néo-classiques dans votre pays ?

QUELQUES BÂTIMENTS CHRÉTIENS

• **Des moines** *(hommes)* ou **des religieuses** *(femmes)* vivaient dans **cette abbaye romane** *(= XIe-XIIe siècles)*, qui comprend **une église** et **son clocher** (qui abrite **la cloche**), **un cloître** et **des bâtiments conventuels.**
• Nous découvrons cette **cathédrale gothique** dont l'intérieur est **voûté**.

• La Sainte-Chapelle à Paris est connue pour **ses** magnifiques **vitraux**. L'art du **vitrail** était florissant au Moyen Âge.

UN CHÂTEAU FORT

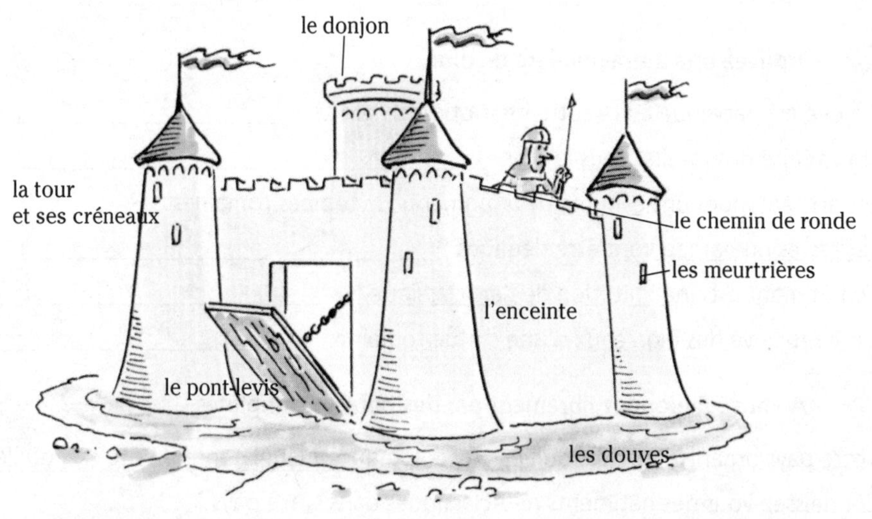

Le château fort = **le fort** = **la forteresse** = **la citadelle** domine la région.

EXERCICES

1 **Choisissez le ou les terme(s) possible(s).**

1. De l'extérieur, nous voyons | le clocher | la voûte | le tympan | de l'église.
2. Ce château fort a | un donjon | une abside | des douves |.
3. Les moines vivent dans une | cathédrale | cloche | abbaye |.
4. La région était défendue par | un évêché | un fort | une forteresse |.
5. Nous entrons dans la cathédrale par | le porche | la rosace | l'abside |.
6. Il est possible de flâner dans | le clocher | le cloître | l'évêché |.

2 **Comment appelle-t-on...**

1. la place qui se trouve devant la cathédrale ? ____________________
2. le pont qui permet d'entrer dans un château fort ? ____________________
3. le jardin intérieur d'une abbaye ? ____________________
4. les verres colorés aux fenêtres des cathédrales ? ____________________
5. les fenêtres longues et étroites d'un château fort ? ____________________
6. la fenêtre ronde d'une cathédrale gothique ? ____________________
7. la tour où se trouve la cloche de l'église ? ____________________

3 **Complétez.**

1. La lumière du soleil passe à travers les beaux ____________________ colorés.
2. De hautes ____________________ reposent sur les piliers de la nef.
3. ____________________ est placé dans le chœur.
4. ____________________ est la tour la plus solide du château fort.
5. On entend ____________________ de l'église qui sonne.
6. Devant la cathédrale se trouve ____________________, sur lequel on peut se promener.
7. Il est possible de s'abriter à l'extérieur, sous ____________________ de la cathédrale.

4 (59) **Écoutez et dites si les phrases suivantes sont vraies ou fausses.**

1. C'est une archéologue qui parle.
2. Elle est paysagiste.
3. L'ancien quartier a été réhabilité et est devenu un quartier privilégié.
4. Les finitions ne sont pas achevées.
5. Ils sont devant une cathédrale.
6. Il parle d'une inscription.

5 **À vous ! Répondez librement aux questions par des phrases complètes.**

1. Existe-t-il, dans votre pays/région, des châteaux forts ? Des cathédrales gothiques ?
2. Quels sont les bâtiments les plus anciens de votre pays/région/ville ?
3. Avez-vous déjà vu des vitraux médiévaux ?

40 CINÉMA ET PHOTO

LA RÉALISATION D'UN FILM

• **Le/la scénariste** conçoit **le scénario** du film, qui sera ensuite **tourné** par **le réalisateur** avec toute son équipe de **techniciens**. Le réalisateur choisit **la distribution** = **le casting** (= l'ensemble des acteurs/comédiens et **des** simples **figurants**).
• Le film peut **être tourné en studio** ou dans **un décor naturel**. Les acteurs jouent sur **le** « **plateau** ».
• **Le preneur de son** effectue **la prise de son** pendant **le tournage** du film.
• Quand **les prises de vue** ont été effectuées, **le monteur** s'occupe **du montage du** film : il **monte** le film, il **assemble les plans**.

• **L'ingénieur du son** se charge de tout ce qui est en rapport avec le son. Pendant **le mixage**, il **mixe** les différents enregistrements. **Le bruitage** permet d'ajouter par exemple un bruit de pas, de voiture qui passe…
• Dans certains films, **le suspense** est **haletant** ! Il est parfois renforcé **par des trucages** = **des effets spéciaux**.

VOIR UN FILM

• **Un cinéphile** est un amateur du « **septième art** ». Il assiste à **des séances** de cinéma et fréquente **une cinémathèque** ou **un ciné-club**, où il peut voir **un** « **film d'auteur** » (≠ un film « **grand public** » = **populaire**). Les films « **à grand spectacle** » = **les** « **superproductions** » exigent de gros moyens financiers et techniques.
• J'ai vu **la bande-annonce** du film et elle m'a donné envie de le voir. J'aurai la chance de le voir **en avant-première,** avant **la** première **projection publique**.
• **Le synopsis** donne une idée du sujet du film, mais il ne raconte pas la totalité du scénario.
• Au Festival de Cannes sont réunis tous **les professionnels du cinéma**, mais aussi **les starlettes**, les débutantes qui se prennent pour de grandes actrices…

EXERCICES

1 Choisissez le ou les terme(s) possible(s).

1. Hortense est captivée par [le suspense] [le scénario] [le plateau] du film.
2. Camille a vu [la bande-annonce] [le scénario] [le synopsis] du film au cinéma.
3. Ce film à grand spectacle comporte de nombreux [moteurs] [trucages] [effets spéciaux].
4. [Le preneur] [le réalisateur] [le monteur] de son est un technicien.
5. Ils voient un film expressionniste allemand [au ciné-club] [à la séance] [à la cinémathèque].
6. Le technicien [montre] [mixe] [assemble] les plans.
7. Les acteurs travaillent sur le [décor] [plateau] [montage].

2 De qui ou de quoi parle-t-on ?

1. Il s'occupe du montage du film. ____________________
2. Il peut avoir lieu en studio ou à l'extérieur. ____________________
3. Ils sont spéciaux et spectaculaires ! ____________________
4. Il écrit le scénario du film. ____________________
5. Il fait la prise de son. ____________________
6. C'est l'ensemble des comédiens. ____________________
7. Il n'est pas acteur, mais il jouera un tout petit rôle dans le film. ____________________
8. Ce film demande un énorme budget et des décors spectaculaires. ____________________

3 Complétez.

1. Grâce au ____________________, on entend des bruits de pas dans cette séquence.
2. Le cinéma est qualifié de ____________________ art.
3. La maison montrée dans ce film n'existe pas, c'est un ____________________, réalisé en ____________________.
4. Anne et Christian sont ____________________, ce sont des amateurs de cinéma d'auteur.
5. Ce film à ____________________ a exigé des décors extrêmement coûteux.
6. J'ai reconnu mon fromager parmi les ____________________ du film tourné dans sa rue.
7. Nous avons assisté à la première ____________________ du nouveau film de ce cinéaste.
8. Ce film ____________________ touche un large public pas nécessairement cinéphile.

4 À vous ! Répondez librement aux questions par des phrases complètes.

1. Un grand festival de cinéma se tient-il dans votre pays ?
2. Dans votre pays, le cinéma est-il considéré comme un « art » ou plutôt comme une activité commerciale ? Fait-on la différence entre « film d'auteur » et « film grand public » ?
3. Existe-t-il un réseau de cinémathèques ou de ciné-clubs permettant de voir des films de qualité, en version originale ?
4. Avez-vous eu l'occasion de voir le tournage d'un film et peut-être même d'y participer, comme acteur/actrice ou figurant(e) ?

UN PEU D'ANALYSE DE FILM

• **Le générique** présente le nom de tous ceux qui ont participé à la réalisation du film.
• Dans **une séquence** = **un extrait de film**, on peut analyser les plans qui **s'enchaînent** : **le plan large / moyen / rapproché, le gros plan**... La transition entre deux séquences peut se faire par **un effet optique**. Les plus utilisés sont **le fondu au noir** *(l'écran devient noir)* et **le fondu enchaîné**, qui se fait grâce à la technique de **la surimpression**.
• Si la caméra ne bouge pas, **le plan** est **fixe**. En revanche, **les** principaux **mouvements de caméra** sont **le travelling avant** (≠ **arrière**), **latéral**, **ascendant** (≠ **descendant**). On peut aussi filmer « **caméra à l'épaule** ».
• Selon **le cadrage** choisi, la scène sera filmée **en plongée** *(= de haut en bas)* ou **en contre-plongée** *(= de bas en haut)*. Un personnage peut se trouver **dans le champ de la caméra** ou **hors champ** *(= non visible)*.
• Dans de nombreux films, on entend **une voix off** = **hors champ**, qui fait des commentaires.

LA PHOTOGRAPHIE

• On peut employer divers types d'**objectifs** = **lentilles**, dont **le grand-angle** et **le téléobjectif**.
• Grâce à **l'ouverture du diaphragme**, il est possible de **régler** la quantité de lumière en fonction de **l'exposition**. La photographie peut donc être **surexposée** ou **sous-exposée**.

• **La mise au point** permet d'ajuster **la netteté** de la photo. Le photographe **met au point** avant la prise de vue. Selon le cas, **le premier plan** sera **net** et **l'arrière-plan flou**, par exemple. **La profondeur de champ** varie selon le type d'objectif choisi.
• Chaque photo constitue **un cliché**, qui peut être **retouché** *(= modifié)*. On peut aussi faire **un photomontage** = **un montage de photos**.
• Gaspard est bien meilleur acteur que Julien, « **il n'y a pas photo*** » *(= c'est évident)* !

EXERCICES

1 Répondez aux questions.

1. Il s'agit d'un travelling avant ? – Non, au contraire, ______________________.
2. Le plan est large ? – Non, au contraire, ______________________.
3. La scène est filmée en plongée ? – Au contraire, ______________________.
4. Tu analyses le premier plan de la photo ? – Non, ______________________
5. La photo est nette ? – Non, pas du tout, ______________________
6. Le personnage est dans le champ ? – Non, au contraire, ______________________
7. La photo est surexposée ? – Non, au contraire, ______________________

2 Trouvez une autre manière de dire.

1. Le magazine a publié un montage de photos. ______________________
2. L'arme du crime n'est pas dans le champ de la caméra. ______________________
3. Nous regardons un extrait de film. ______________________
4. Cette photo a été vendue à de nombreux journaux. ______________________
5. Cette scène a été filmée de bas en haut. ______________________
6. La photo publiée dans ce journal n'est pas très nette. ______________________
7. Souvent, les spectateurs ne regardent pas le nom des acteurs et techniciens du film. ______________________

3 Complétez.

1. Le ______________________ met en valeur le visage de l'acteur.
2. C'est l'ouverture du ______________________ qui permet de régler la lumière.
3. Le ______________________ me permet de photographier l'ensemble du panorama.
4. Comme j'ai plusieurs objectifs, je peux modifier la ______________________ de champ.
5. La lumière est trop forte, la photo que Sylvain a prise est ______________________.
6. On voit mal l'arrière-plan du cliché, qui est ______________________.
7. Quentin n'a pas vu ______________________ avec le nom des acteurs du film.
8. Ce ______________________ enchaîné est très poétique.
9. Comme la caméra ne bouge pas, le ______________________ est fixe.
10. Le ______________________ me permet de photographier un détail de très loin.

4 (60) Écoutez et expliquez de qui ou de quoi il s'agit.

1. ______________________
2. ______________________
3. ______________________
4. ______________________
5. ______________________
6. ______________________

41 LA LITTÉRATURE

LES GENRES LITTÉRAIRES

• Alex s'intéresse **aux textes littéraires**, et en particulier à **la littérature comparée**.
• La littérature et les écrivains peuvent être **engagés politiquement**.
• **La prose** s'oppose généralement à **la poésie en vers**. La poésie peut être **libre** ou **rimée**. **Le poète** cherche **des rimes** en *-ie* pour finir **son poème** = **sa poésie**.
• Un détail **prosaïque** *(= bassement matériel)* contraste avec l'atmosphère **poétique** du lieu.
• **Un auteur de théâtre** = **un dramaturge** écrit des **pièces de théâtre** : une comédie, **une « comédie de boulevard »** = **un vaudeville** *(= une comédie populaire, drôle et un peu vulgaire)*, ou au contraire **une tragédie** ou encore **un mélo*[drame]**. Certaines situations sont alors **mélodramatiques** *(= avec trop d'émotions caricaturales)*.
• **Un essayiste** écrit **des essais** (philosophiques, politiques...).
• **Un éditeur** a publié **l'œuvre romanesque** = l'ensemble **des romans** de **cette femme de lettres**, y compris **une œuvre posthume** et un texte **inédit**.
• *L'Odyssée* d'Homère est **une épopée** = un poème **épique**, qui raconte les aventures **héroïques** d'Ulysse, **le héros** grec. **La mythologie** = l'ensemble **des mythes** y tient sa place. Certains passages sont devenus **mythiques** *(= célèbres)*.
• **Une fable** a souvent un caractère **moralisateur**, comme celles de La Fontaine.
• Les enfants aiment lire **des contes**, et en particulier **des contes de fées**.
• Certains **historiens** écrivent **des ouvrages de vulgarisation**. Ils savent **vulgariser** *(= rendre accessible)* des sujets difficiles, parfois grâce à de **l'histoire romancée**. Ils deviennent alors **des romanciers**.
• **Le critique littéraire** publie **un compte rendu** = **une critique** d'un ouvrage qui vient de **sortir** = **paraître** en librairie.
• On regroupe les genres littéraires tels que **la biographie**, **l'autobiographie**, **le journal intime** et **la correspondance**, qui permettent de découvrir la vie personnelle de quelqu'un.
• La littérature peut être moqueuse : un écrivain a publié **une satire** de la bourgeoisie. Il s'agit d'un ouvrage **satirique**.
• « L'enfer, c'est les autres » est **une citation** de Sartre. Françoise aime **citer** les grands poètes, qui sont **une source d'inspiration** pour elle.

EXERCICES

1 Choisissez le ou les terme(s) possible(s).

1. Claudine a lu une œuvre [de boulevard] [inédite] [posthume] [satirique].
2. Il s'agit d'un auteur [de théâtre] [engagé] [romancier] [romanesque].
3. Grâce à cette [biographie] [vulgarisation] [correspondance] [fable], nous pouvons connaître les détails de la vie de l'artiste.
4. Nora a lu [un compte rendu] [une critique] [une vulgarisation] [une citation] de ce roman.
5. [Ce poème] [cette prose] [ce vaudeville] [cette poésie] comporte des rimes.
6. *L'Énéide* est [une épopée] [un dramaturge] [un poème épique] [une œuvre romanesque], qui raconte les aventures du héros Énée.

2 Comment appelle-t-on...

1. une œuvre publiée après la mort de son auteur ? ______
2. une femme écrivain ? ______
3. un ouvrage écrit par un spécialiste pour des non-spécialistes ? ______
4. un texte littéraire moqueur ? ______
5. un détail matériel, sans élégance ? ______
6. quelqu'un qui écrit des essais ? ______
7. l'ensemble des romans écrits par un auteur ? ______
8. un auteur de théâtre ? ______

3 Complétez.

1. Plusieurs romans historiques viennent de ______ cette semaine en librairie.
2. Ce jeune romancier ______ une phrase peu connue de Flaubert.
3. Ce court roman est ______ assez cruelle du monde politique.
4. Il me manque ______ en *-eur* pour finir mon poème.
5. Avez-vous lu ______ de La Fontaine, comme *Le Corbeau et le Renard* ?
6. Le public a beaucoup ri en assistant à cette comédie de ______.
7. Shakespeare est le plus célèbre ______ anglais.
8. J'ai découvert ce livre en lisant ______ dans un magazine littéraire.

4 À vous ! Répondez librement aux questions par des phrases complètes.

1. Avez-vous déjà lu des ouvrages de vulgarisation ? Dans quels domaines ?
2. Existe-t-il, dans votre culture, un équivalent de la comédie de boulevard ?
3. Certains auteurs de votre pays sont-ils engagés politiquement ?
4. Avez-vous écrit de la poésie ?
5. Existe-t-il, dans votre culture, une épopée fameuse ? Ou un mythe très important ?
6. Le théâtre tient-il une place importante dans la littérature de votre pays ?

L'ÉCRITURE

• Simenon est un auteur **prolifique**, il a énormément écrit. Ses **romans policiers** ont **une intrigue** plus ou moins complexe et intéressante, avec **des péripéties** et **des rebondissements** *(= surprises)*, jusqu'**au dénouement** *(= solution)*.

• On parle de **la langue** = **du style** = **de l'écriture** d'un écrivain : il emploie une **belle** langue, une langue **classique** ou au contraire une langue **familière**.

• **La stylistique** consiste à analyser les **figures de style** = **de rhétorique**, telles que **la métaphore** *(« le flot de paroles »)*, **l'énumération** ou encore **la litote** *(« il n'est pas idiot » = il est très intelligent)*.

• L'écriture, c'est aussi l'acte manuel d'écrire. Lorsqu'on expose **des manuscrits** de grands auteurs, on peut découvrir **leur écriture**, qui est plus ou moins **lisible** ou **illisible**, avec des **ratures**.

• Il est intéressant de connaître **la genèse** d'une œuvre, la manière dont elle a été conçue.

• Je n'aime pas le style de ce texte, trop **lourd** : l'auteur emploie plusieurs fois les mêmes termes, il fait **des répétitions**, il emploie des termes **redondants**.

• Ce jeune écrivain rêve de « **vivre de sa plume** ». D'abord, il doit se faire connaître dans **les milieux littéraires** pour parvenir à **se faire publier**.

LA PHILOSOPHIE

• Il existe différents **courants de** philosophie, qui deviennent parfois **une doctrine** < **un dogme**, et influencent la vie des êtres humains.

• **Le philosophe** = **le penseur réfléchit à** de grands sujets humains. **La réflexion philosophique** aide à **définir** = **élaborer des notions** = **des concepts**. Le philosophe **conceptualise** certaines notions.

• Certains philosophes écrivent de courtes phrases, **des maximes** = **des aphorismes**.

• Certains penseurs encouragent **la sagesse** et **l'éthique** = **la morale**.

• On appelle « **le siècle des Lumières** » ou « **les Lumières** » le XVIIIe siècle européen, durant lequel **l'esprit rationnel des intellectuels** a lutté contre **l'obscurantisme**, **les superstitions** et **l'intolérance**. Il a prôné **la rationalité** = **le pouvoir de la raison**.

EXERCICES

1 **Choisissez le ou les terme(s) possible(s).**

1. Cet écrivain a | une langue | un style | une doctrine | une écriture | d'une grande élégance.
2. Joëlle analyse | la genèse | la plume | la maxime | la réflexion | de cette œuvre.
3. Ce roman captivant regorge de | péripéties | dénouements | rebondissements | concepts |.
4. Ces philosophes ont lutté contre | l'intolérance | la genèse | la superstition | la sagesse |.
5. Nous étudions | cette doctrine | ce courant | cette raison | cette stylistique | philosophique.
6. Balzac est un auteur | prolifique | policier | littéraire | familier |.

2 **Vrai ou faux ?**

	VRAI	FAUX
1. Le siècle des Lumières a défendu la rationalité.	❑	❑
2. Un auteur prolifique emploie une langue familière.	❑	❑
3. Lorsqu'on vit de sa plume, on est publié.	❑	❑
4. Cet aphorisme comprend de nombreuses péripéties.	❑	❑
5. La rature est une figure de style.	❑	❑
6. Un style redondant emploie des répétitions de mots.	❑	❑

3 **Complétez.**

1. La métaphore est une ______________________ de ______________________.
2. Voltaire, Diderot et Montesquieu vivaient au siècle des ______________________.
3. Les grands philosophes ______________________ des concepts.
4. Ce roman d'aventures est rempli de ______________________, quel suspens !
5. À quel moment l'écrivain a-t-il décidé de vivre de ______________________ ?
6. Ce manuscrit est difficile à lire car ______________________ de l'auteur est illisible.
7. Hegel est un grand ______________________ allemand.
8. Agatha Christie est un célèbre auteur de ______________________.

4 **Trouvez une autre manière de dire.**

1. Le philosophe va <u>préciser</u> le concept qu'il présente. ______________________
2. Gaëlle a lu un ouvrage sur <u>la morale</u>. ______________________
3. Ces philosophes mettent en valeur <u>le pouvoir de la raison</u>. ______________________
4. Corinne a été étonnée par <u>la fin</u> de ce roman policier. ______________________
5. Ce <u>philosophe</u> a publié un nouvel essai. ______________________
6. Adrien connaît parfaitement les figures de <u>style</u>. ______________________

5 **À vous ! Répondez librement aux questions par des phrases complètes.**

1. Votre pays a-t-il donné naissance à de grands philosophes ?
2. Quels genres littéraires sont les plus représentés dans la littérature de votre pays ?
3. Existe-t-il, dans votre culture, un équivalent du siècle des Lumières ?

42 THÉÂTRE ET MUSIQUE

LE THÉÂTRE

• Ariane est **une** grande **femme de théâtre**. Elle **partira en tournée avec sa troupe** dans toute l'Europe dès le mois prochain. Elle **reprend** une pièce de Sartre qu'elle **avait montée** il y a longtemps. **La reprise de** cette pièce est attendue avec impatience.
• **La mise en scène** est **sobre** = **dépouillée** = **épurée** (≠ **baroque, surchargée**) mais elle fait la part belle aux **jeux de lumière** et aux **jeux de scène**.
• La comédienne **interprétera un rôle** « **taillé sur mesure** ». Il s'agit d'**un rôle de composition** qu'elle **créera** lors de **la première** de la pièce, qui sera d'ailleurs **une création mondiale** *(première représentation au monde)*.
• Quand le comédien **était monté** pour la première fois **sur les planches**, il avait **remplacé au pied levé** *(= à la dernière minute)* un acteur souffrant. Ensuite, il **avait été engagé par** le théâtre.
• Le comédien a eu du succès avec **cette** célèbre **tirade** = **ce monologue**. Il **est entré** « **dans la peau du personnage** ». Le public a apprécié **son jeu** très **naturel**. Il ne donnait pas l'impression de **réciter** son texte.
• Les comédiens **se griment** *(= se maquillent)* et s'habillent dans **leur loge**.

Remarque. « La loge » est aussi « **la baignoire** », une sorte de compartiment dans la salle où se trouve le public.

• **Le souffleur** est caché du public : il **souffle leurs répliques** *(= le texte)* aux acteurs, quand ces derniers **ont un trou de mémoire**.
• La pause au milieu de **la représentation** = **du spectacle** est **l'entracte**.
• Dans **une pantomime** *(= une pièce sans paroles)*, **le mime** est capable de **mimer** les émotions.

EMPLOIS IMAGÉS

• Une secrétaire **est aux premières loges** pour savoir ce qui se passe dans l'entreprise. Elle **souffle** *(= suggère)* parfois à son patron certaines idées.
• Cette région **a été le théâtre de plusieurs opérations militaires**.
• Le ministre a annoncé sa démission, sur **un ton théâtral**, voire **pathétique**. C'est **un coup de théâtre**, personne ne s'y attendait.
• Les policiers ont d'abord cru à un suicide, mais ils ont compris qu'il s'agissait d'**une mise en scène d'un crime** qui **a été maquillé** en suicide.
• **La tirade** du député à l'Assemblée nationale a été applaudie.

EXERCICES

1 Choisissez la bonne réponse.

1. La mise en [lumière] [scène] est très dépouillée.
2. L'acteur répète sa [tirade] [tournée].
3. Le public a apprécié le [jeu] [rôle] naturel de cette jeune actrice.
4. [La représentation] [l'entracte] durera deux heures et demie.
5. Ces deux comédiens font partie d'une [reprise] [troupe] de théâtre.
6. Les comédiens se préparent dans leur [baignoire] [loge].

2 Trouvez une autre manière de dire.

1. Les acteurs <u>se maquillent</u> avant d'entrer en scène. ____________________
2. La comédienne répète <u>son grand monologue</u>. ____________________
3. Le comédien <u>a oublié quelques mots dans son texte</u>. ____________________
4. <u>Cette pièce est jouée pour la première fois en France</u>. ____________________
5. Nous sommes <u>très bien placés</u> pour observer la réaction de la population. ____________________
6. Pierre doit apprendre <u>le texte de son rôle</u>. ____________________
7. La décision du maire a été <u>une énorme surprise</u>. ____________________

3 Complétez.

1. Heureusement que le ____________ était là, car j'ai eu un ____________ de mémoire !
2. L'actrice, pourtant âgée, est remontée sur ____________, pour ____________ un rôle important dans la pièce. Elle est merveilleusement entrée dans ____________ du personnage.
3. Il est assez ridicule de parler sur un ton ____________ dans une situation quotidienne !
4. C'est pénible, cette élève joue très mal, elle ____________ son texte.
5. De quelques gestes expressifs, l'actrice ____________ le désespoir.
6. Il est impossible d'interrompre la ____________ de ce brillant avocat !

4 (61) Écoutez les situations et commentez par une expression imagée.

1. ____________________
2. ____________________
3. ____________________
4. ____________________
5. ____________________

5 À vous ! Répondez librement aux questions par des phrases complètes.

1. Si vous allez au théâtre, quel genre de mise en scène vous attire le plus ?
2. Avez-vous parfois eu l'impression d'être aux premières loges d'un événement important ?
3. Votre ville/région ont-elles été le théâtre d'événements historiques importants ?
4. Vous est-il arrivé de souffler des idées à quelqu'un de votre entourage ?

LA MUSIQUE

• Cécile connaît déjà **le solfège**, et maintenant, elle étudie **l'harmonie** et **le contrepoint au conservatoire**. Elle apprendra aussi à **déchiffrer** *(= jouer à vue)*. **Le déchiffrage** est indispensable à sa formation d'**instrumentiste**.
• **Le compositeur a composé** pour un film **un arrangement d'**un concerto de Mozart.
• Ce pianiste est capable **d'improviser** = faire **des variations sur un thème**. **Ses improvisations** remportent un grand succès.
• **Cette symphonie en** quatre **mouvements sera dirigée par le chef d'orchestre à la tête de** l'orchestre national. **La répétition générale** est prévue vendredi. Avant de jouer, le premier violon placera **la partition** sur **son pupitre**. Ensuite, il **accordera** son instrument et **donnera le *la*** à ses collègues.
• **La cantatrice donnera un récital** demain soir. Elle **sera accompagnée par** son pianiste **attitré** *(= préféré)*.
• Ce chanteur d'opéra a **une** large **tessiture**, **du grave à l'aigu**, en passant par **le médium**. **L'étendue** de sa voix est remarquable, tout comme **son timbre** (= **la sonorité** de sa voix).
• Pascal joue **des notes dissonantes** = **discordantes**, mais ce sont **des dissonances** = **discordances** voulues par le compositeur.
• **Une seconde**, **une tierce**, **une quarte**, **une quinte**, **une sixte**, **une septième** et **une octave** sont des **intervalles**, constitués de **tons** et **demi-tons**.
• Il s'agit d'**une composition** complexe, avec plusieurs **altérations à la clé**. Dans **ce passage** *(= cet extrait)*, le compositeur emploie **une modulation** = il **module** : par exemple, il **passe du ton** = **de la tonalité de *ré* majeur** à celle de ***si* mineur**.
• Les notes sont de diverses **hauteurs** et varient dans **leur intensité** (= **leur volume**) et **leur longueur**. Il faut **tenir une note longue** plus longtemps qu'**une brève**.
• Renaud a **un air dans la tête**, il n'arrête pas de le **fredonner** = **chantonner** ou de le **siffloter** *(= siffler doucement)*. **Cette rengaine** à la mode est **entêtante** !
• Gisèle est **profane en** musique, elle n'y connaît rien. Son frère, lui, joue du violon **en dilettante** = **en amateur**. Il joue **de la musique de chambre**, il fait partie d'**un quatuor à cordes**.
• Sophie joue du tuba dans une **fanfare** (= un groupe de **cuivres**).
• La chanteuse va **passer une audition** pour être acceptée dans ce chœur.

EXERCICES

1 Choisissez le ou les terme(s) possible(s).

1. Le pianiste | improvise | accompagne | déchiffre | une sonate pour piano de Beethoven.
2. Tout le monde admire | le timbre | la tessiture | la rengaine | de ce chanteur.
3. La harpiste emporte | sa partition | sa répétition | son altération |.
4. Le guitariste a | déchiffré | fredonné | fait | une improvisation sur un thème donné par le public.
5. Les instrumentistes | répètent | dirigent | déchiffrent | une œuvre.
6. Les notes ont une | hauteur | variation | intensité | différente.

2 Les phrases suivantes sont-elles de sens équivalent ?

1. Ces notes sont dissonantes = elles sont discordantes.
2. Le pianiste improvise un air = il fredonne un air.
3. Manon joue de la harpe en amateur = elle est profane en musique.
4. Cette cantatrice a une tessiture exceptionnelle = l'étendue de sa voix est exceptionnelle.
5. Il fait partie d'une fanfare = il joue d'un instrument de cuivre.
6. Anne-Marie déchiffre sa partition = elle la joue pour la première fois.
7. Le chanteur a passé une audition = il a écouté un récital.

3 Complétez.

1. Ces notes ____________________ choquent l'oreille, mais elles sont dues à une ____________________ caractéristique du style de ce compositeur.
2. Je me demande quelle est la __________________________ de cette soprano, qui donne un __________________________ ce soir à la Philharmonie.
3. Ce violoncelliste n'est pas un professionnel, c'est un __________________________. Il fait partie d'un trio à __________________________ et joue donc de la musique de __________________________.
4. La note est longue, il faut la __________________________.
5. Le chef d'orchestre ___________________ une symphonie de Brahms en quatre ____________________.
6. Cette chanson est une vraie __________________ ! Tout le monde la _________________ dans la rue !

4 Décrivez le plus précisément possible cette image.

L'INTERPRÉTATION

• **Un interprète** a **sa** propre **interprétation** d'une œuvre. Il met en valeur **le phrasé** musical *(= l'organisation des* **phrases** *musicales)* et apporte **des nuances**. Le violoniste a **une belle sonorité** et le pianiste a **un beau toucher**. Tous deux **interprètent** l'œuvre avec beaucoup de **musicalité**.
• Le pianiste cherche **le** meilleur **doigté** *(= les doigts appropriés)*.

• La flûtiste **travaille sa partie de** flûte, car elle doit **répéter** cette œuvre avec l'orchestre. Elle doit faire preuve d'**une** grande **virtuosité**.
• Dans cette sonate pour piano, il faut utiliser **la sourdine** = **la pédale douce** *(= la pédale de droite)*.
• À la trompette, Bernard **fait des fausses notes** = **des couacs*** = **des canards***.
• Sabine ne joue pas **en mesure** = ne respecte pas **la mesure** = **le tempo**, elle joue **à contretemps**, même si son professeur **bat la mesure**. De plus, elle se trompe dans **le rythme** et elle a oublié **la reprise** !

EMPLOIS IMAGÉS

• Anne et moi **sommes au diapason** = **en parfaite harmonie**.
• Tout va bien pour Stéphane. **Le seul bémol**, c'est qu'il est fatigué.
• Marguerite m'a raconté, **avec des trémolos dans la voix** *(expression ironique)*, que ses collègues la détestaient.
• Ce ministre **a fait entendre une note discordante** : encore **un couac*** au gouvernement ! Personne n'est d'accord dans cette équipe, il **va falloir** « **accorder ses violons** » !
• Le diplomate parle **sur un ton feutré** et **met** ses critiques **en sourdine**.
• Puisque je ne sais pas si Élise viendra ou non, **j'improviserai** un repas.
• Lors de l'inauguration de l'exposition, le conservateur de musée **a donné le *la*** en remerciant chaleureusement les collectionneurs qui ont prêté des œuvres.
• Ce pauvre pianiste **massacre*** *(= joue très mal)* une étude de Chopin… **C'est du travail d'amateur** = **du dilettantisme** ! « **C'est toujours la même chanson** » = « **on connaît la musique** » = « **on connaît la chanson** », certains amateurs se croient meilleurs qu'ils ne le sont !
• Alexandre est parti **en fanfare** *(= bruyamment)*, tandis qu'Aurélien a quitté les lieux **sans tambour ni trompette** *(= discrètement)*.
• Michel a géré cette situation **avec beaucoup de doigté** *(= de tact)*.

EXERCICES

1 Choisissez la bonne réponse.

1. Ce clarinettiste fait beaucoup de [mauvaises] [fausses] notes.
2. Le pianiste est en train de choisir son [toucher] [doigté].
3. Ce mouvement de sonate comprend une [mesure] [reprise] qu'il faut jouer !
4. J'aime beaucoup la [sonorité] [nuance] de ce violoniste.
5. Malheureusement, il ne joue pas [en mesure] [à contretemps].
6. Les musiciens [passent] [travaillent] leur partie.

2 Complétez.

1. Nous aimons beaucoup le ________________ délicat de ce pianiste.
2. C'est très pénible, ces amateurs font beaucoup de ________________ quand ils jouent.
3. Les instrumentistes vont ________________ encore une fois avant le concert.
4. Le professeur ________________ la mesure pour aider son élève à jouer ________________.
5. Cette œuvre très difficile exige une grande ________________ de la part du pianiste.
6. La ________________ de hautbois est difficile, dans cette symphonie.

3 Trouvez une autre manière de dire en employant une expression imagée.

1. Nos vacances se sont très bien passées, <u>à part le fait que</u> Bérengère a attrapé un gros rhume. ________
2. <u>C'est toujours la même chose</u>, les élèves se plaignent que les professeurs sont trop sévères ! ________
3. Il est temps que toute l'équipe <u>se mette d'accord</u> ! ________________
4. Capucine devra agir avec <u>diplomatie</u> pour ne pas heurter ses collègues. ________________
5. Grégoire et son chef <u>sont entièrement d'accord</u> : il faut organiser une réunion. ________________
6. L'ancien ministre a quitté la réunion <u>en toute discrétion</u>. ________________
7. Les syndicats <u>n'ont pas exprimé leurs revendications</u>, vu la conjoncture. ________________

4 (62) Écoutez les situations et commentez par une expression imagée.

1. ________________________________
2. ________________________________
3. ________________________________
4. ________________________________
5. ________________________________
6. ________________________________

5 À vous ! Répondez librement aux questions par des phrases complètes.

1. Quel est votre rapport à la musique ? Êtes-vous amateur(-trice) ? Profane ? Professionnel(le) ?
2. Vous est-il arrivé d'improviser un discours, un cours, un dîner… ?
3. Dans quelles situations pourriez-vous parler sur un ton feutré ?

INDEX

adj. : adjectif	n. : nom	n.pr. : nom propre
adv. : adverbe	n.f. : nom féminin	p.p. : participe passé
interj. : interjection	n.m. : nom masculin	v. : verbe
loc. : locution		

A

B

C

D

E

F

G

H

I

J

K

L

M

N

O

P

Q

R

S

T

X-Y-Z

CRÉDITS PHOTOS

Fotolia.com :

p. 8 : capude1957 – **p. 14** : haut : © Claudio Colombo ; bas : © iMAGINE – **p. 18** : © Marchal Jérémy – **p. 24** : haut : © lamax ; bas g : © arturnyk ; bas dr : © Claude Calcagno – **p. 36** : © gekaskr – **p. 46** : © seb hovaguimian – **p. 50** : © david-bgn – **p. 154** : © Atlantis – **p. 156** : g © meailleluc.com ; dr © bluesky6867 – **p. 168** : © Grafix132 – **p. 170** : haut : © alho007 ; bas g et dr : © Alexandra Karamyshev – **p. 172** : haut : © Alinute ; bas : © Magalice – **p. 180** : © yvon52 – **p. 182** : © Unclesam – **p. 196** : © Chany167 – **p. 206** : © Marc AUCOUTURIER – **p. 211** : © JackF – **p. 230** : © manyakotic – **p. 232** : © Erica Guilane-Nachez – **p. 252** : bas : © Claudio Colombo – **p. 256** : haut et bas : © pixarno – **p. 260** : haut : © Sebastian Corneanu ; bas : © Circumnavigation – **p. 262** : g : © Jean-Jacques Cordier ; dr : © Nyky – **p. 266** : © gordo25 – **p. 275** : © Jan Rose – **p. 276** : © stokkete.

p. 252 : haut : © BIS / Ph. Coll. Archives Larbor ; La Visitation, extrait des *Très Riches Heures du duc de Berry*, dont les enluminures ont été exécutées par les frères de Limbourg (1413-1416), musée Condé, Chantilly.
p. 254 : BIS / Ph. H. Josse © Archives Larbor ; Georges de La Tour, *Le Tricheur à l'as de carreau* (1635), musée du Louvre.
p. 270 : © BIS / Ph. Ignatius Wooster ; Auguste Rodin, *Le Penseur* (1882), jardin du musée Rodin.

N° de projet : 10252181
Achevé d'imprimer sur les presses de Clerc à Saint-Amand-Montrond en janvier 2019.